Learn Sanskrit Through
Your Favourite Prayers

Learn Sanskrit Through Your Favourite Prayers

Stotra Rañjanī

Rohini Bakshi
and
Narayanan Namboodiri

🌸 juggernaut

JUGGERNAUT BOOKS
KS House, 118 Shahpur Jat, New Delhi 110049, India

First published by Juggernaut Books 2016

Concept of this book copyright © Rohini Bakshi 2016
Concept of the #SanskritAppreciationHour series copyright © Rohini Bakshi 2016
Copyright © Rohini Bakshi and Narayanan Namboodiri 2016

Typeset in Charis SIL/Mangal by Manmohan Kumar, New Delhi

10 9 8 7 6 5 4 3 2 1

ISBN 9789386228048

Printed at Replika Press Pvt. Ltd, India

*For Renate Söhnen Thieme who laid the foundation,
and Whitney Cox who sprinkled the stardust*

Contents

Foreword

In the West, several things are structured. This is true of music, where there is a system of writing down music through scores. Indian music is not like that. In the Indian music tradition, if I attend a performance by a musician today, and I attend a performance by the same musician tomorrow, even if the raga is the same, the rendition may be different. I think that wherever the British succeeded in imposing a structured and regimented system, they killed innovation and experimentation. Sculpture and painting are two obvious instances where we ended up aping the West and took a long time to recover. The exceptions are music, dance, poetry and cuisine. These survived because they could not be pinned down and structured. I am no expert in any of these, but that's the way it looks to me.

Sanskrit has a healthy tradition of छन्दशास्त्र. By the time it came to classical Sanskrit, there were more than 1300 different metres. That is the kind of figure I get from the University of Heidelberg, which has a collation. My intention is not to bring in Pingala and his work on prosody or to discuss these metres at length. I have a very simple question to ask. Since music, dance and poetry are so deeply ingrained in the Indian psyche, why don't we use these much more to teach Sanskrit?

अनुष्टुप् is one of these metres, used quite a bit in the Ramayana, the Mahabharata and the Puranas. This is the metre in which Valmiki composed the first shloka, grief-stricken that one of two curlew birds had been shot by a hunter. मा निषाद प्रतिष्ठां त्वमगमः शाश्वतीः समाः। यत्क्रौंचमिथुनादेकमवधीः काममोहितम्॥ The original structure of अनुष्टुप् was simpler. अनुष्टुप्छन्दसि चत्वारः पादाः भवन्ति, प्रत्येकपादे अष्टाक्षराणि भवन्ति। There are

ix

four padas (quarters) and each of these has eight syllables (the best translation possible for akshara). Therefore, overall, we have 32 syllables. By the time it came to classical Sanskrit, अनुष्टुप् became more structured, with further restrictions on the use of laghu and guru syllables. Consider the following two shlokas. Many of us know these by heart. सरस्वति महाभागेविद्ये कमललोचने। विश्वरूपे विशालाक्षि विद्यां देहि नमोस्तुते॥ वक्रतुण्ड महाकाय सूर्यकोटि समप्रभ। निर्विघ्नं कुरु मे देव सर्वकार्येषु सर्वदा॥ Notice that both are in अनुष्टुप्.

I have always wondered about two issues. First, why do we play havoc with the way students are taught Sanskrit? Why is there so much mugging up of grammar? That is not how you learn a language. You learn any language by conversing in it, making mistakes and correcting yourself. You don't learn a language by mugging up grammar tables. Sure, Sanskrit has a very logical and coherent grammatical structure. But one doesn't learn to appreciate and understand that logic until one has acquired some degree of proficiency in Sanskrit. Meanwhile, that act of memorizing takes away the fun from learning Sanskrit. Second, since music, dance and poetry are so deeply ingrained among all Indians, why aren't they used much more to teach Sanskrit?

रामो राजमणिः सदा विजयते रामं रमेशं भजे। रामेणाभिहता निशाचरचमू रामाय तस्मै नमः॥ रामान्नास्तिपरायणं परतरं रामस्य दासोऽस्म्यहम्। रामे चित्तलयः सदा भवतु मे भो राम मामुद्धर॥ This is the Rama-raksha-stotra, composed by the sage Budha Koushika. It is composed in अनुष्तुभ्. But what is more interesting is that it teaches third person singular cases (*vibhakti*).

There are formal channels for learning and teaching Sanskrit. Unfortunately, they are rigid and boring in the way they teach. They turn students off rather than encourage them. It will take a long time for the formal channels to mend their ways. Meanwhile, what is interesting is the evolution of informal channels, partly facilitated by the advent and use of information technology. A few years ago, a friend introduced me to Rohini Bakshi. Though Rohini is not mad, I must confess that I initially thought her idea was mad. She wanted to teach Sanskrit through Twitter. Thankfully, I have been proved wrong. #SanskritAppreciationHour (#SAH) through Twitter now has a dedicated following and the number of followers increases day by day.

Also remarkably, teachers have been discovered through crowdsourcing, probably one of the more exciting ways to go. Teachers and students on #SAH are not full-time teachers or students. They find the part-time time, one hour every day, spliced with what can be called homework. This informal mode has attracted several people to Sanskrit. Students have got interested and teachers have discovered latent skills. To add to the excitement, teaching has used familiar stotras and mantras, breaking away from the confines of teaching grammar. But some of this material deserves to be put out in the form of a book, since it is also of great utility to those who haven't been able to follow #SAH. I think everyone who has been involved with #SAH, especially Rohini Bakshi, deserves to be congratulated.

Bibek Debroy
6 June 2016

॥ वर्धतां दैवी वाक् ॥

संस्कृतं नाम दैवी वाग् अन्वाख्याता महर्षिभिः इति काव्यादर्शे आचार्यः दण्डी। इयं संस्कृतभाषा अत्यन्तप्राचीना। कदा अस्याः भाषायाः उत्पत्तिः इति तु अनुसन्धानस्य विषयः। जगति अस्मिन् सर्वप्राचीनं वाङ्मयम् ऋग्वेदः इति निर्विवादम्। अस्मिन् प्राचीने वाङ्मये एव संस्कृतस्य एतादृशः विकासः आश्चर्यजनकः। अतएव संस्कृतभाषा अनादिः आदिरहिता इति कथनं प्रसिद्धम्। एतस्याः भाषायाः प्रयोगः आदिकालाद् एव नियमानुसारी। पुनश्च इयं यथा भाषणे तथा एव लेखनेऽपि। उभयत्र अस्याः भाषायाः एकरूपता। अतएव इयं भाषा अध्ययनाय अतीव सुलभा, तेन एव कारणेन अतीव कठिना च।

एतस्यां भाषायां विद्यमानानि वाङ्मयानि नितरां हृद्यानि मनसः आकर्षकाणि च। तस्माद् एव कारणात् संस्कृतवाङ्मयं बह्वीसु इतरासु भाषासु अनूदितम्। एकस्य एव वाक्यस्य अनुवादः व्यक्तिभेदेन भिन्नः। वस्तुतः मौलिकं तत्त्वम् ज्ञातुं मूलभाषाया अध्ययनम् अनिवार्यम्। इदं संस्कृतभाषायाः अपि सम्मानम्। अतः संस्कृतवाङ्मयस्य अध्ययनं संस्कृतभाषया एव करणीयम्। तदर्थं संस्कृतभाषाज्ञानम् आवश्यकम्। संस्कृतभाषायाः अध्ययनाय सत्सु बहुषु उपायेषु सरलः उत्तमोपायः कः इति प्रश्नः।

तस्य प्रश्नस्य एव समाधानम् इयं स्तोत्ररञ्जनी। अस्य अध्ययनसाधनस्य उद्देश्यद्वयम् - एकम् आध्यात्मिकरूपेण स्तोत्राणाम् अध्ययनम्, द्वितीयम् अनायासेन संस्कृतभाषायाः अध्ययनम् इति। अर्थात् अनेन अर्थज्ञानेन सह स्तोत्रपठनम् इति पुण्यम्, संस्कृतस्य अध्ययनम् इति लाभद्वयम्। पुनः प्राप्तेन संस्कृतज्ञानेन इतरेषां संस्कृतसाहित्यानाम् अवबोधसामर्थ्यम् इति महान् लाभः च।

इयं स्तोत्ररञ्जनी अतीव परिश्रमेण सूक्ष्मेक्षिकया च सम्पादिता। अत्र पाठकानाम् अध्येतृणां च सौकर्याय श्लोकः, पदच्छेदः, अन्वयः, पदपरिचयः, समस्तपदानां विग्रहवाक्यम्, श्लोकस्य तात्पर्यम् इति क्रम आश्रितः। किं च ये अध्येतारः पाठकाः वा देवनागरीलिप्या न परिचिताः तेषां सौकर्याय सर्वं

विवरणं रोमनलिप्यामपि लिप्यन्तरणं विधाय प्रस्तुतम्। एतेन भारतीयानां वैदेशिकानात्र्च महान् उपकारः। नूनम् एषः प्रयत्नः सफलः इति मे विश्वासः।

इयं स्वाध्यायसामग्री श्रीमत्याः रोहिणी बक्शी वर्यायाः मानसप्रसूतिः। तस्याः संस्कृतविषये अनुरागः, संस्कृतसेवा, संस्कृतप्रचारतत्परता, सततं संस्कृतविषये चिन्तनम् इति सर्वस्यापि इदं फलम्। तस्याः सहयोगिनः आचार्यनारायणन्-नम्बूदिरि, विद्यावारिधिः विनायकरजतः एवम् अन्येषां च परिश्रमस्य एव इदं फलम्। अस्मिन् पवित्रे कर्मणि अर्थशास्त्रविदः भारत-नीति-आयोग-सदस्य च डा.बिबेकदेबरायवर्यस्य प्रेरणं प्रोत्साहनं च अविस्मरणीयम्।

एषा अध्ययनसामग्री सर्वेषां पाठकानाम् अध्येतॄणां च उपकारकः प्रीतिकरः च इति मम विश्वासः इति शिवम्॥

Sanskrit, the Divine Language

Sanskrit is known as the divine language. It is perfect and more copious than any other language in the world. It is beyond debate that Sanskrit grammar is the most flawlessly structured and constructed compared to the grammar of other languages. Further, it is a well-acknowledged fact that the literature of Sanskrit and particularly Rigveda is the most ancient literature of the world. Sanskrit literature is well acclaimed for its richness in thought, spiritual content, culture, etc. Though there are translations available of this treasure in many languages, they are subjected to the individual mind, adaptation, understanding and so on. To comprehend the original thought content in Sanskrit one must read the unadulterated original works in Sanskrit. This is not possible unless one has a fair knowledge and comprehension in Sanskrit. There are many readers available in the market and also online resources to learn Sanskrit. However, there is hardly any study material available to make the learner learn Sanskrit instinctively during the process of learning.

One such innovative effort is made through this *Stotra Rañjanī* that presents the language indirectly through the process of learning stotras. In this reader various stotras are presented in a comprehensible methodology, through which one can understand the meaning of a particular stotra as well as learn the Sanskrit language. Here, *śloka*, word split, word order, explanation of each word, compounds and meaning are given in a sequence, so that the learner can understand every little bit of the *śloka* completely at his/her own pace and progress. Further, transliteration of the *ślokas* and other important features are also given to facilitate the learner who does not know the Devanāgari script. It makes this reader more attractive and globally acceptable. Further, the readers are doubly benefited to be acquainted with various stotras besides learning Sanskrit. I hope that this *Stotra Rañjanī* will attract readers globally and prove the most competent tool for learning Sanskrit and stotras.

This *Stotra Rañjanī* is indeed the brainchild of Smt. Rohini Bakshi, a Sanskrit scholar who is known for her love for Sanskrit besides her services for the propagation and preservation of the Sanskrit language and the treasures hidden in Sanskrit. I congratulate her for her efforts in bringing out this reader. I also congratulate Sri Narayanan Namboodiri and Dr Vinayak Rajat Bhat, who put their efforts in giving shape to this *Stotra Rañjanī*. I know that publishing this reader would not have been possible without the motivation and encouragement of Dr Bibek Debroy, an eminent economist and member, Niti Aayog, Government of India.

I hope this reader will attract readers worldwide and facilitate their Sanskrit learning.

Ramanuja DEVANATHAN
July 2016

Introduction

This independent study reader has grown out of a social media initiative to promote Sanskrit. For some years now, a community of enthusiasts have rallied around a chassis called #SanskritAppreciationHour via what seems at first sight to be an inappropriate medium: Twitter. How could one possibly teach a language in 140 characters, and that too Sanskrit? However, the purpose of #SAH, as it came to be known, was never to 'teach' but to inspire. To do so, we took familiar yet complex chunks of Sanskrit and broke them down into easily digestible bits for beginners. Session hosts justified their translations on the basis of rigorous grammatical analysis, minimizing arbitrary interpretation.

We followed the traditional Sanskrit approach, beginning with a verse, dissolving the *sandhi* (*vigraha*), putting the words in prose order (*anvaya*), explaining each word (*padaparicaya*), and finally providing a translation. Appreciation is what we sought for Sanskrit, as a stepping stone to learning 'IRL' – in real life. Throughout the session participants could ask questions, clarify doubts as well as contribute. The exposition which unfolded before them tweet by delicious tweet included both Sanskrit and English grammatical terms in the belief that the knowledge of one but not the other should not be a limiting factor. Devotional verses seemed to strike a deep chord, often evoking childhood memories. We never tired of hearing 'I chanted that all the time as a kid! It's so wonderful to finally understand what it means.'

#SAH was a latecomer to social media. There was already a plethora of online resources one could turn to for bhakti and

Sanskrit – blogs, websites, YouTube channels, Facebook pages and more. In fact, some of the resources are of commendable standard, and are included in the bibliography of this reader. So why another resource? Because discerning beginners continued to be as baffled as before – not quite understanding why something had been translated the way it had been. Exactly which Sanskrit word translated to a particular English rendition? And how were variant translations to be comprehended and reconciled? Why was *vāraṇa* translated as 'elephant' in one place and 'invincible' in another? Consider, for instance, verse 7 of *Vaidyanāthāṣṭkam* and a translation from a reputed website:

svatīrthamṛdbhasmabhṛdāṅgabhājāṃ piśācaduḥkhārtibhayāpahāya |
ātmasvarūpāya śarīrabhājāṃ śrīvaidyanāthāya namaḥ śivāya ||

I salute that God Shiva,
Who is the king among physicians,
Who removes all suferings [sic],
Caused by bad spirits, sorrows and fears,
By dip in his holy tank,
By the holy ash in the temple,
And by the mud below the neem tree of the temple,
And who is the personification of soul,
Occupying human body.

A beginner tagged me on this asking where the mud, the neem tree, the holy tank and the temple were in the verse. Which word indicated 'below', and which 'dip'? Which word meant 'human'? Which word indicated 'occupying'? And where was the word meaning 'suffering'? It was precisely this kind of confusion and distress that #SAH set out to address. And distress it is, if one is a devotee and has chosen to communicate with their *iṣṭa deva/iṣṭa devī* in *devavāṇī*, the language of the gods. Which is not to say that other languages are any less efficient at communicating with deities. Or that any language is needed at all. Just that Sanskrit happens to be your language of choice.

At #SanskritAppreciationHour beginners had access to experts who could answer every niggling query, both during and after sessions. Does *kalādhara* mean someone who is proficient in the sixty-four arts, or someone bearing a slender crescent moon? And how is the slender moon a *kalā*, anyway? What kind of compound is *pītaśeṣa* ([water] left over after drinking)? Was *vitṛṣṇā* ardent desire, an abandonment of desire, or both? And why? At *Rāmāyaṇa* 1.1.1

tapaḥsvādhyāyaniratam tapasvī vāgvidāṃ varam |
nāradaṃ paripapraccha vālmīkir munipuṃgavam ||

was Nārada asking Vālmīki something, or was it the other way around? And how is a beginner to tell which adjectives go with which sage? Does the epithet *bhaktapriya* mean that Śiva is dear to his devotees or the other way around? Or both? Sanskrit expertise on a tap – that is what #SAH as a hub began to provide.

But beginners did not come just for the Sanskrit. They came because they were made to feel welcome irrespective of gender, colour, nationality, sexual orientation, religious belief, political inclination or social outlook. The atmosphere was serious, yet light, with plenty of leg-pulling and Sanskrit-related humour. #SAH provided a safe environment where anyone could engage with Sanskrit *vidvāns* and *viduṣīs* in a mutually respectful manner. The DNA of the platform quickly made itself evident – fiercely apolitical, inclusive and non-judgemental. We managed to bracket out the controversy and cacophony Sanskrit is sometimes prone to attract and focus simply on the language. Twitter tools informed us that, outside India, our followers were in Russia, Germany, China, the Ukraine, Australia, Poland, Italy, Spain and of course where the Indian diaspora was situated – in the UK, the USA, Canada, Mauritius and Fiji.

Our panel of guest lecturers was as eclectic as our following. A Muslim in Malaysia, a New York Jew, a science student in Bangalore, a middle-aged Punjabi housewife in London, a Guruvayur-born Namboodiri Brahmin, an information technology consultant in Chandigarh, a *Yajurvedī* in Sweden whose day job was as a VLSI engineer. And we struck gold with Saṃskrita Bhāratī teachers in Bangalore. All these volunteer experts gave freely of their time and willingly adapted to the pedagogic approach of #SAH – innovative, learner-centred and humble. We excelled at providing the most interesting material – recipes from a seventeenth-century Sanskrit cookbook, mathematical formulae from medieval manuals, irreverent, tongue-in-cheek maxims about scholars who took themselves too seriously; we had grammar expositions, tracts from dharma literature, *sūktas* from the earliest Vedic *saṃhitas*, stories from Jaina texts. However, bhakti material, as mentioned, was the most popular by far.

Based on our learning, we now bring you this independent study reader (*Stotra Rañjanī*) which facilitates engagement for beginners at various levels. You could just read the verse and the translation. Or you could drill deeper into the successive layers of linguistic analysis, down to the radical – the Sanskrit root. It consists of a Sanskrit exposition of verse, *vigraha, padaparicaya* and *anvaya*. In addition, there is an English transliteration, translation and grammatical analysis akin to what is taught in the Western Academy (with modifications keeping the need of beginners in mind). There is also a Hindi translation of the verses for those who wish to ruminate on how *artha* (meaning) comes through in different languages.

We worked independently of each other in Jammu, London and Bangalore, allowing us to engage individually with the material at hand. On translation we allowed each other wide latitude, but on the grammatical analysis our aim was to be in lockstep. Although it is not always possible to transport semantic value intact, we have tried to stay as true to the Sanskrit as possible. Since Sanskrit words are polysemic, translation has varied despite coordination at key junctures. In such cases we have allowed variations to stand, so long as they can be grammatically justified. It is our hope that readers will pick up on these 'discrepancies' and connect with us on Twitter for answers.

User guide for *Stotra Rañjanī*

A word about the title chosen by Dr R. DEVANATHAN. *Stotra* comes from the Sanskrit *dhātu* (root) √*stu* – to praise, to extol, to eulogize. *Rañjanī* stems from √*rañj* – to imbue [with a] glow, to gladden, to charm, to delight. It is hoped that this collection of stotras will indeed fulfil all these senses of the root. The elucidation of the verses is accompanied by a list of abbreviations for English grammatical terms as well as a *saṅketa sūcī* for the Sanskrit. The bibliography provides details of primers, dictionaries and resources we used (print and online) in the preparation of this reader. Challenging were the deviations from Pāṇinian rules, creeping vernacular forms in the younger texts, and variant readings. In these instances, Dr DEVANATHAN was our final port of call. Without his patience and tireless support this reader would not have been possible.

Format of the Sanskrit page

- Verse
- *Vigraha*
- *Padaparicaya*
- *Anvaya*

In the *padaparicaya*, the traditional analysis of *samāsas* is followed, providing the syntactical relationship between individual elements of the compound. However, the type of compound is not specified. That is to be found on the English page. Both pages provide slightly different grammatical and analytical information. It is hoped that the reader will go back and forth between the two, gradually coming to a more detailed understanding.

Format of the English page

- Verse
- Words separated (equivalent of Sanskrit *vigraha*)
- Prose (equivalent of Sanskrit *anvaya*)
- Translation into English
- Word by word (equivalent of *padaparicaya*)
- IAST (International Alphabet of Sanskrit Transliteration) is used for all Sanskrit words
- Expression of sandhi deviates from scholarly practice, for the convenience of beginners
- Proper nouns are not capitalized in Sanskrit, but they are in translation
- Unlike on the Sanskrit page, the stages 'Words separated' and 'Prose' are often collapsed into one, when the verse is deemed close enough to prose not to merit a discrete stage
- The *anvaya* (prose order) can vary between the Sanskrit and English versions with no loss of meaning. Much as in English, for example, *Devdutt rode the red bike slowly* vs. *Devdutt slowly rode the red bike.*

Where an exact translation would sound awkward in English, some 'smoothening' will have taken place. However, this is backed by the 'Word by word' section. For instance, in *Bhaja Govindam* v.12, *punarāyātaḥ* appears only once, but is translated as 'come again and again' to give the sense of 'repeatedly'. Passive sentences in Sanskrit are often translated in the active voice if the passive construction seemed clumsy in English. The semantic purport is not affected by this.

In the 'Word by word' section you will find

- The gender case and number of substantives
- The person, number, tense, voice and mood of finite verbs

- Sanskrit root classes
- Adverbs, indeclinables, pronouns, particles, infinitives, conjunctions, etc. identified

Compounds

Compounds do not follow traditional analysis (*vigraha vākya*), which can be found on the Sanskrit page. Compound analysis on the English page consists of:

1st level: a translation, gender, number, case and type of compound

2nd level: each individual element explained; nouns by gender only, since it is not possible to tell case and number within the compound

3rd level: the final element displays a case ending. If the compound ends in a noun, the uninflected stem is provided only if it is not commonly used (for example, *bhāk, hantṛ*)

Note: adjectives and participles may not be explained by gender

Twitter as an Enabler

The driving force behind #SAH was my struggle for years to find a course or a teacher that would fit family and professional commitments in India. It had been a lifelong desire to read the epics and the *śāstras* in the original, for which I needed Sanskrit. Ironically, a move to the UK saw this desire fructify. Subsequently, the aim was to seek and help people facing challenges in their pursuit of Sanskrit. Twitter helped me reach such people transcending both real and imagined barriers.

But for Twitter I would not have come into contact with my co-author and #SAH stalwart Narayanan Namboodiri. Nor the Sanskrit grammarian and Hindi translator Dr Vinayak Bhat. And in my wildest imagination I would not have conceived of being able to channel the expertise of an eminent scholar like Dr DEVANATHAN for the benefit of complete novices.

None of us have ever met each other. Dr DEVANATHAN is the principal of the Rashtriya Sanskrit Sansthan in Jammu. Mr Namboodiri, a retired engineer, shuttles between Bangalore, Mumbai and his hometown Guruvayur. Dr Bhat has recently taken up the post of Assistant Professor at the Chinmaya Eshwar Gurukul at Ernakulam. I teach Sanskrit at City Lit, an adult education college in central London. But we 'hang out' together every day on Twitter. And we have managed to coordinate and bring to you this independent study reader which consists of stotras and *aṣṭakas* dedicated primarily to *Viṣṇu* and *Śiva*.

It opens (as tradition dictates) with a *Gaṇeśa stuti* (*Gaṇeśapañcaratnam*) and closes with the uplifting and magnificent *Āditya Hṛdayam* from Vālmīki's *Rāmāyaṇa*. This prayer was taught to the exhausted and disheartened Rāma by Agastya muni shortly before his final battle with Rāvaṇa. Although it is not in the critical edition of the *Rāmāyaṇa*, it appears in many manuscripts and is an important bhakti stotra. *Āditya Hṛdayam* removes Rāma's fatigue, invigorates and propels him to victory over his enemy. It is hoped that those among you who want to study Sanskrit but have not committed to it yet (for whatever reason) will do so now. That those who have not considered it yet will now do so. And that you find the joy and satisfaction in Sanskrit that we have found.

सङ्केतसूची

श्लोकस्य अर्थावगमनाय पदच्छेदः, पदपरिचयः, अन्वयश्चेति सामान्यव्यवस्था भवति ।

पदच्छेदः - पदच्छेदे श्लोके विद्यमानानां पदानां आवलिः दत्ता अस्ति । अत्र सन्धियुक्तानि पदानि पृथक्कृत्य प्रदर्शितानि, यथा - स्तुतिर्बहुविधा = स्तुतिः बहुविधा ।

पदपरिचयः - अंशेऽस्मिन् प्रत्येकपदस्य परिचयाय सुबन्त-तिङन्त-अव्ययादिविभागाः, विभागानुसारं विवरणं च दत्तमस्ति । समस्तपदानां परिचयसन्दर्भे कठिनानां समस्तपदानां क्रमशः विग्रहवाक्यानि प्रदर्शितानि, येन समस्तपदस्य अर्थबोधः सरलः स्यात् ।

अन्वयः - अत्र श्लोकार्थस्य सरलावबोधाय पदानि अर्थानुसारेण व्यवस्थापितानि भवन्ति ।

पदविभागः

1. सुबन्तम् (नामपदम्)
   a) शब्दसूची
   अजन्ताः - अकारान्तः (अ), इकारान्तः (इ), उकारान्तः (उ), ऋकारान्तः (ऋ) ....
   हलन्ताः - चकारान्तः (च), जकारान्तः (ज) तकारान्तः (त), नकारान्तः (न), रेफ ....
   सर्वनाम - एतत् (एतद्), तत् (तद्), अस्मत् (अस्मद्), युष्मत् (युष्मद्), सर्व (सर्व), अदस्(अद) ....
   b) लिङ्गसूची
   पुं - पुल्लिङ्गः, स्त्री - स्त्रीलिङ्गः, नपुं - नपुंसकलिङ्गः
   c) विभक्तिसूची
   प्र - प्रथमा, द्वि - द्वितीया, तृ - तृतीया, च - चतुर्थी, प - पञ्चमी, ष - षष्ठी, स- सप्तमी, सम्बो - सम्बोधनम्

d) वचनसूची

एं.व - एकवचनम्, द्वि.व - द्विवचनम्, ब.व - बहुवचनम्

उदाहरणम् -

रामः - अ, पुं, प्र, ए.व - अकारान्तः, पुंलिङ्गः, प्रथमा एकवचनम्

विश्रवसः - स, पुं, ष, ए.व - सकारान्तः, पुंलिङ्गः, षष्ठी एकवचनम्

तस्याम् - तद्, स्त्री, स, ए.व - तत् शब्दः, स्त्रीलिङ्गः, सप्तमी एकवचनम्

अस्मात् - अस्मद्, पंचमी, एकव - अस्मत् शब्दः, पञ्चमी, एकवचनम्

(शतृ-शानच्-क्त-क्तवतुप्रत्ययानां सूचनापि पदपरिचये दृश्यते ।)

2. तिङन्तम् (क्रियापदम्)

a) धातुसूची, उपसर्गेण सह धातुनाम (धात्वर्थः)

b) लकारसूची, लट्, लङ्, लुङ्, लिट्, लोट्, लृट्, वि./ आशी. लिङ्

c) विभागः (परस्मै/ आत्मने), प - परस्मैपदि, आ - आत्मनेपदि

d) पुरुषसूची, प्र - प्रथमपुरुषः, म - मध्यमपुरुषः, उ - उत्तमपुरुषः

e) वचनसूची, ए.व - एकवचनम्, द्वि.व - द्विवचनम्, ब.व - बहुवचनम्

उदाहरणम् -

आस्ताम् - अस (भुवि) लट्, प, प्र, द्वि.व - अस (भुवि) धातुः, लट् लकारः, परस्मै, प्रथमपुरुषः, द्विवचनम्

कुरुते - डुकृञ् (करणे), लट्, आ, प्र, ए.व - डुकृञ् (करणे) धातुः, लट् लकारः, आत्मने, उत्तमपुरुषः, एकवचनम्

भज - भज (सेवायाम्), लोट्, प, म, ए.व - भज (सेवायाम्) धातुः, लोट् लकारः, परस्मै, मध्यमपुरुषः, एकवचनम्

द्रक्ष्यसि - दृशिर् (प्रेक्षणे), लृट्, प, म, ए.व - दृशिर् (प्रेक्षणे)धातुः, लृट् लकारः, परस्मै, मध्यमपुरुषः, एकवचनम्

3. अव्ययम्

अव्ययम्, क्त्वान्तम् अव्ययम्, ल्यबन्तम् अव्ययम्, तुमुन्नन्तम् अव्ययम् ....

English Grammatical Abbreviations

1st – first person (*uttama puruṣa*)
2nd – second person (*madhyama puruṣa*)
3rd – third person (*prathama puruṣa*)
Ā – middle voice (*ātmanepada*)
abl – ablative (*pañcamī vibhakti*)
acc – accusative (*dvitīyā vibhakti*)
adj – adjective (*viśeṣaṇa*)
adv – adverb (*kriyāviśeṣaṇam, avyayam*)
agt. – agent (*kartṛ*)
aor – aorist (*adyātanī luṅ*)
caus – causative (*ṇic, ṇijanta, preraka*)
cpd – compound (*samāsa*)
conj – conjunction (*yojaka avyaya*)
correl – correlative
dat – dative (*caturthī vibhakti*)
dem – demonstrative
DV – copulative compound (*dvandva*)
Dvi – numeral determinative compound (*dvigu*)
enc – enclitic/abbreviation
epith – epithet (*viśeṣaṇam, upādhiḥ*)
fem – feminine (*strīliṅga*)
fut – future (*lṛṭ lakāva*)
gen – genitive (*ṣaṣṭhī vibhakti*)
ger – gerund (*tvānta, labyānta*)
g*ive – gerundive (*kṛtya*)
ic – in compound (*in composi*)
ifc – at the end of a compound (*in fine composti*)
imp – imperative (*loṭ*)

impf – imperfect (*laṅ*)
indec – indeclinable (*avyaya*)
inj – injunctive
inst – instrumental (*tritīyā vibhakti*)
int – intensive (*yaṅanta, yaṅluganta*)
inter – interrogative (*praśnavācaka*)
KD – appositional compound (*karmadhārya*)
loc – locative (*saptamī vibhakti*)
loc.abs – locative absolute (*sati-saptamī*)
masc – masculine (*puṃliṅga*)
nañ – negative *tatpuruṣa* compound
neut – neuter (*napuṃsaka liṅga*)
nom – nominative (*prathamā vibhaktī*)
num – numeral
opt – optative (*vidhi liṅ*)
P – active voice (*parasmaipada*)
part – particle (*nipāta*)
peri.p – periphrastic perfect (*liṭ*)
pft – perfect (*liṭ*)
pl – plural (*bahuvacana*)
poss – possessive
ppa – active past participle (*ktavatu*)
ppp – passive past participle (*bhūte kṛdanta*)
pres part – present participle (*vartamāme kṛdanta, śatṛ, śānac*)
pres – present (*vartamāna*)
prep – preposition
pron – pronoun (*sarvanāmana*)
prop – proper noun
pass – passive (*karmani*)
rel – relative
sing – singular (*eka vacana*)
sup – superlative (*utkarṣavācaka*)
TP – tatpuruṣa (compound)
U – ubhayapada (either Ā or P)
US – bound form compound (*upapada samāsa*)
voc – vocative (*sambodhana*)

Transliteration Scheme

अ	a	ञ	ña
आ	ā	ट	ṭa
इ	i	ठ	ṭha
ई	ī	ड	ḍa
उ	u	ढ	ḍha
ऊ	ū	ण	ṇa
ए	e	त	ta
ऐ	ai	थ	tha
ओ	o	द	da
औ	au	ध	dha
ऋ	ṛ	न	na
ॠ	ṝ	प	pa
ऌ	ḷ	फ	pha
ॡ	ḹ	ब	ba
अं	ṃ	भ	bha
अः	ḥ	म	ma
क	ka	य	ya
ख	kha	र	ra
ग	ga	ल	la
घ	gha	व	va
ङ	ṅa	श	śa
च	ca	ष	ṣa
छ	cha	स	sa
ज	ja	ह	ha
झ	jha		

Ganeśa Pañcaratnam

गणेशपञ्चरत्नम्

About the Stotra

As the name suggests, this stotra to Gaṇeśa has five jewels, that is, verses which glorify the form and attributes of the lord. It is said to be composed by Ādi Śaṅkarācārya, in the eighth century CE. There is no specific time in the day for its recitation. Through it Gaṇeśa can be invoked any time for protection, liberation and the removal of obstacles. To centre one's self it is suggested that the yogic *niyamas* of *śauca* (cleanliness) and *santoṣa* (joy, contentedness) be brought to bear by the devotee. Gaṇeśa *upāsanā* (service, worship) gives us *buddhi* (intelligence, good sense) and *siddhi* (success, achievement). This stotra has been composed in the *pañcacāmaram* metre.

गणेशपञ्चरत्नम्

मुदा करात्तमोदकं सदा विमुक्तिसाधकम्
कलाधरावतंसकं विलासिलोकरक्षकम् ।
अनायकैकनायकं विनाशितेभदैत्यकम्
नताशुभाशुनाशकं नमामि तं विनायकम् ॥ १ ॥

पदच्छेद

मुदा करात्तमोदकम् सदा विमुक्तिसाधकम्
कलाधरावतंसकम् विलासिलोकरक्षकम्अ
नायकैकनायकम् विनाशितेभदैत्यकम्
नताशुभाशुनाशकम् नमामि ततं विनायकम् ।

पदपरिचय

मुदा - द, स्त्री, तृ, ए.व
करात्तमोदकम् - करे आत्तं मोदकं येन करात्तमोदकः, अ, पुं, द्वि, ए.व
सदा - अव्ययम्
विमुक्तिसाधकम् - विमुक्तेः साधकः, विमुक्तिसाधकः, अ, पुं, द्वि, ए.व
कलाधरावतंसकम् - कलाः धरति इति कलाधरः (चन्द्रः), कलाधरः
अवतंसः यस्य सः, कलाधरावतंसः, कलाधरावतंसः एव कलाधरावतंसकः,
अ, पुं, द्वि, ए.व
विलासिलोकरक्षकम् - विलासः अस्य अस्ति इति विलासी, विलासी च
लोकः च विलासिलोकः, विलासिलोकस्य रक्षकः, विलासिलोकरक्षकः, अ,
पुं, द्वि, ए.व
अनायकैकनायकम् - अनायकानाम् एकनायकः, अनायकैकनायकः, अ,
पुं, द्वि, ए.व

4

Ganeśa Pañcaratnam

Verse 1

mudākarāttamodakaṃ sadā vimuktisādhakaṃ
kalādharāvataṃsakaṃ vilāsilokarakṣakam I
anāyakaikanāyakaṃ vināśitebhadaityakaṃ
natāśubhāśunāśakaṃ namāmi taṃ vināyakam II

Words separated & Prose

mudā kara-ātta-modakam sadā vimukti-sādhakam kalā-dhara-avataṃsakam vilāsi-loka-rakṣakam anāyaka-eka-nāyakam vināśita-ibha-daityakam nata-aśubha-āśu-nāśakam tam vināyakam [aham]namāmi I

Translation

I bow to that Vināyaka who joyously holds a *modaka* in his hand, who is perpetually the means to attain emancipation; who has the digit moon as an adornment, who happily protects the world; the supreme lord who has no lord, who destroyed the elephant-*daitya,* who quickly removes all things inauspicious for those who bow to him.

Word by word

mudā – joyously, with joy; fem, inst, sing, *mud*
karāttamodakam – who joyously holds a *modaka* in his hand; masc, acc, sing, BV

विनाशितेभदैत्यकम् - इभः इति दैत्यकः, इभदैत्यकः, विनाशितः
इभदैत्यकः येन सः, विनाशितेभदैत्यकः, अ, पुं, द्वि, ए.व
नताशुभाशुनाशकम् - आशु नाशयति इति आशुनाशकः, नतानाम्
अशुभानि नताशुभानि, नताशुभानाम् आशुनाशकः, नताशुभाशुनाशकः, अ,
पुं, द्वि, ए.व
नमामि - णम (प्रह्वत्वे), लट्, प, उ, ए.व
तम् - तद्, पुं, द्वि, ए.व
विनायकम् - अ, पुं, द्वि, ए.व

अन्वय

मुदा करात्तमोदकम्, सदा विमुक्तिसाधकम्,
कलाधरावतंसकम्, विलासिलोकरक्षकम्, अनायकैकनायकम्,
विनाशितेभदैत्यकम्, नताशुभाशुनाशकम्, तं विनायकम् (अहम्) नमामि ।

6

kara – hand; masc noun, ic
ātta – held, grasped; ppp, ā√dā (3P), ic
modakam – sweet preparation dear to Gaṇeśa; neut noun, ifc
sadā – always, perpetually; adv, indec
vimuktisādhakam – who accomplishes liberation [for his devotees]; masc, acc, sing, TP
vimukti – deliverance, emancipation; fem noun, ic
sādhakam – achiever, accomplisher; masc noun, ifc
kalādharāvataṃsakam – who wears the digit moon as an ornament; masc, acc, sing, BV
kalā – digit moon, 1/16th of the moon's diameter; fem noun, ic
dhara – bearing, wearing; masc noun, agt., √dhṛ (1P), ic
avataṃsa – crest, ornament; masc noun, ifc
ka – suffix for metrical purpose; has no sematic value
vilāsilokarakṣakam – protects the world happily; masc, acc, sing, TP
vilāsi – happily, beaming with radiance; adv, ic
loka – world; masc noun, ic
rakṣakam – protector; masc noun, ifc
anāyakaikanāyakam – the one lord who has no master; masc, acc, sing, TP
anāyaka – without a master; masc noun, nañ, ic
eka – the one, only; num, adj, ic
nāyakam – leader; masc noun, ifc
vināśitebhadaityakam – by whom the elephant-*daitya* [Gajamukhāsura] was destroyed; masc, acc, sing, BV
vināśita – destroyed [by]; ppp, vi√naś (4P), ic
ibha – elephant; masc noun, ic
daityakam – born of Ditī, enemy of devas; masc noun, ifc
natāśubhāśunāśakam – who quickly destroys ill-happenings/ misfortunes of those who bow before him; masc, acc, sing, TP
nata – bent, bowed; ppp, √nam (1P), ic
aśubha – inauspicious happenings/things; neut, nañ, ic
āśu – quickly; adv, indec, ic
nāśakam – destroyer, remover; masc noun, ifc

नतेतरातिभीकरं नवोदितार्कभास्वरम्
नमत्सुरारिनिर्जरं नताधिकापदुद्धरम् ।
सुरेश्वरं निधीश्वरं गजेश्वरं गणेश्वरम्
महेश्वरं तमाश्रये परात्परं निरन्तरम् ॥ २ ॥

पदच्छेद

नतेतरातिभीकरम् नवोदितार्कभास्वरम्न
मत्सुरारिनिर्जरम् नताधिकापदुद्धरम् सुरेश्वरम् निधीश्वरम् गजेश्वरम्ग
णेश्वरम् महेश्वरम् तम् आश्रये परात्परम् निरन्तरम् ।

पदपरिचय

नतेतरातिभीकरम् - नताभ्याम् इतरः, नतेतरः, नतेतराणाम् अतिभीकरः, नतेतरातिभीकरः, अ, पुं, द्वि, ए.व
नवोदितार्कभास्वरम् - नवः उदितः, नवोदितः, नवोदितः अर्कः नवोदितार्कः, नवोदितार्कः इव भास्वरः नवोदितार्कभास्वरः, अ, पुं, द्वि, ए.व
नमत्सुरारिनिर्जरम् - सुराणाम् अरिः, सुरारिः, सुरारयः निर्जराश्च सुरारिनिर्जराः, नमन्तः सुरारिनिर्जराः यम् सः, नमत्सुरारिनिर्जरः, अ, पुं, द्वि, ए.व
नताधिकापदुद्धरम् - अधिका आपद्, अधिकापद्, नतानाम् अधिकापद्, नताधिकापद्, उद्धरति इति उद्धरः, नताधिकापदाम् उद्धरः, नताधिकापदुद्धरः, अ, पुं, द्वि, ए.व
सुरेश्वरम् - सुराणाम् ईश्वरः, सुरेश्वरः, अ, पुं, द्वि, ए.व
निधीश्वरम् - निधीनाम् ईश्वरः, निधीश्वरः, अ, पुं, द्वि, ए.व
गजेश्वरम् - गजानाम् ईश्वरः, गजेश्वरः, अ, पुं, द्वि, ए.व
गणेश्वरम् - गणानाम् ईश्वरः, गणेश्वरः, अ, पुं, द्वि, ए.व
महेश्वरम् - महान् ईश्वरः, महेश्वरः, अ, पुं, द्वि, ए.व
तम् - तद्, पुं, द्वि, ए.व
आश्रये - आ + श्रिञ् (सेवायाम्), लट्, आ, उ, ए.व
परात्परम् - परात् परः, परात्परः, अ, पुं, द्वि, ए.व
निरन्तरम् - अव्ययम्

Verse 2

natetarātibhīkaraṃ navoditārkabhāsvaraṃ
namatsurārinirjaraṃ natādhikāpaduddharam ।
sureśvaraṃ nidhīśvaraṃ gajeśvaraṃ gaṇeśvaraṃ
maheśvaraṃ tamāśraye parātparaṃ nirantaram ॥

Words separated & Prose

nata-itara-ati-bhīkaram nava-udita-arka-bhāsvaram namat-sura-ari-nirjaram nata-adhika-āpad-uddharaṃ sureśvaram nidhīśvaram gajeśvaram gaṇeśvaram tam parātparam maheśvaram [aham] nirantaram āśraye ।

Translation

To those who do not bow to him, he is extremely terrifying; I perpetually take refuge in that imperishable lord before whom *suras* and *asuras* alike are bowing, who uplifts from great calamity those who are bowed before him. I bow to that Gaṇeśa who is the lord of the *devas*, the lord of prosperity, of elephants and the *gaṇas*, great lord who is the most superior of the best.

Word by word

natetarātibhīkaram – who causes extreme fear in those who are not bowed before him; masc, acc, sing, TP
natetara – not bowed; adj, ic
[*nata* – bent, bowed; ppp, √nam (1P), ic
itara – other, not this; adj, ic]
ati – excessive, very; adj, indec, ic
bhīkaram – causing fear; masc noun, ifc
navoditārkabhāsvaram – who is shining, resplendent like the rising sun; masc, acc, sing, KD
nava – new, young; adj, ic
udita – arisen, ascended; ppp, ut√i (2P), ic

अन्वय

नतेतरातिभीकरम्, नवोदितार्कभास्वरम्,
नमत्सुरारिनिर्जरम्, नताधिकापदुद्धरम्, सुरेश्वरम्, निधीश्वरम्,
गजेश्वरम्, गणेश्वरम्, महेश्वरम्, तं परात्परम् (अहम्) निरन्तरम् आश्रये ।

arka – sun; masc noun, ic

bhāsvaram – shining, resplendent, brilliant; adj, ifc

namatsurārinirjaram – to whom [both] the *devas* and their enemies are bowing; masc, acc, sing, BV

namat – bowing; pres part, √nam (1P), ic

surāri – enemy of the *devas*; masc noun, ic

[*sura* – divine beings; masc noun

ari – enemy; masc noun]

nirjaram – *devas*, un-decaying, never-ageing; masc noun, ifc

natādhikāpaduddharam – who uplifts his devotees who are in deep calamity; masc, acc, sing, TP

nata – bent, bowed; masc ppp, √nam (1P), ic

adhika – more, great; adj, ic

āpad – misfortune, calamity; fem noun, ic

uddharam – one who uplifts, saves; masc noun, agt., ut√dhṛ (1P), ifc

sureśvaram – lord of the *suras*; masc, acc, sing, TP

nidhīśvaram – lord of wealth; masc, acc, sing, TP

gajeśvaram – lord of elephants; masc, acc, sing, TP

gaṇeśvaram – lord of the *gaṇas*, hordes; masc, acc, sing, TP

maheśvaram – great lord; masc, acc, sing, TP

tam – him; masc, acc, sing, pron, *tad*

āśraye – I take refuge; 1st, sing, pres, ā√śri (1Ā)

parātparam – most superior of the superior; masc, acc, sing, adj

nirantaram – perpetually, seamlessly; adv, indec

समस्तलोकशङ्करं निरस्तदैत्यकुञ्जरम्
दरेतरोदरं वरं वरेभवक्त्रमक्षरम् ।
कृपाकरं क्षमाकरं मुदाकरं यशस्करम्
मनस्करं नमस्कृतं नमस्करोमि भास्वरम् ॥ ३ ॥

पदच्छेद

समस्तलोकशङ्करम् निरस्तदैत्यकुञ्जरम् दरेतरोदरम् वरम् वरेभवक्त्रम्
अक्षरम् कृपाकरम् क्षमाकरम् मुदाकरम् यशस्करम्
मनस्करम् नमस्कृतम् नमस्करोमि भास्वरम् ।

पदपरिचय

समस्तलोकशङ्करम् - समस्तं लोकम्, समस्तलोकम्, यः समस्तलोकस्य
शं करोति सः, समस्तलोकशङ्करः, अ, पुं, द्वि, ए.व
निरस्तदैत्यकुञ्जरम् - दैत्यः एव कुञ्जरः, दैत्यकुञ्जरः, निरस्तः
दैत्यकुञ्जरः येन, निरस्तदैत्यकुञ्जरः, अ, पुं, द्वि, ए.व
दरेतरोदरम् - दरात् इतरं उदरं यस्य सः, दरेतरोदरः, अ, पुं, द्वि, ए.व
वरम् - अ, पुं, द्वि, ए.व
वरेभवक्त्रम् - वरः इभः वरेभः, वरेभस्य वक्त्रम् इव वक्त्रं यस्य सः,
वरेभवक्त्रः, अ, पुं, द्वि, ए.व
अक्षरम् - अ, पुं, द्वि, ए.व
कृपाकरम् - यः कृपां करोति सः, कृपाकरः, अ, पुं, द्वि, ए.व
क्षमाकरम् - यः क्षमां करोति सः, क्षमाकरः, अ, पुं, द्वि, ए.व
मुदाकरम् - यः मुदां करोति सः, मुदाकरः, अ, पुं, द्वि, ए.व
यशस्करम् - यः यशः करोति सः, यशस्करः, अ, पुं, द्वि, ए.व
मनस्करम् - यः मनः करोति सः, मनस्करः, अ, पुं, द्वि, ए.व
नमस्कृतम् - अ, पुं, द्वि, ए.व (क्तान्तम्)
नमस्करोमि - नमः + डुकृञ् (करणे), लट्, प, उ, ए.व
भास्वरम् - अ, पुं, द्वि, ए.व

Verse 3

samastalokaśaṅkaraṃ nirastadaityakuñjaraṃ
daretarodaraṃ varaṃ varebhavaktramakṣaram |
kṛpākaraṃ kṣamākaraṃ mudākaraṃ yaśaskaraṃ
manaskaraṃ namaskṛtaṃ namaskaromi bhāsvaram ||

Words separated & Prose

samasta-loka-śaṅkaram nirasta-daitya-kuñjaram dara-itara-
udaram varam vara-ibha-vaktram akṣaram kṛpā-karam kṣamā-
karam mudā-karam yaśas-karam manas-karam namaskṛtam
[tam] bhāsvaram [aham] namas karomi |

Translation

I bow to the shining one who is revered, brings auspiciousness to the whole world, who vanquished the elephant-*daitya*, who has a large belly, who is excellent, immutable [and] has an excellent elephant face; who is compassionate, forgiving, patient, a bringer of joy, a bestower of fame and intelligence.

Word by word

samastalokaśaṅkaram – who causes auspiciousness for the entire world; masc, acc, sing, TP
samasta – all, put together; ppp, sam√as (4P), ic
loka – world; masc noun, ic
śaṅkaram – one who pacifies, causes prosperity/auspiciousness; masc noun, ifc
nirastadaityakuñjaram – who expelled the elephant-*daitya*; masc, acc, sing, BV
nirasta – expelled, externed; ppp, nis√as (4P), ic
daitya – born of Ditī, enemy of *devas*; masc noun, ic
kuñjaram – elephant; masc noun, ifc
daretarodaram – who has a large belly; masc, acc, sing, BV

13

अन्वय

समस्तलोकशङ्करम्, निरस्तदैत्यकुञ्जरम्, दरेतरोदरम्, वरम्, वरेभवक्त्रम्, अक्षरम्, कृपाकरम्, क्षमाकरम्, मुदाकरम्, यशस्करम्, मनस्करम्, नमस्कृतं, (तम्) भास्वरम् (अहम्) नमस्करोमि ।

dara – hole, cavity; neut noun, ic

itara – other, not this; adj, ic

udaram – stomach; neut noun, ifc

varam – excellent; masc, acc, sing, adj

varebhavaktram – who has an excellent elephant face; masc, acc, sing, BV

vara – excellent, best; adj, ic

ibha – elephant; masc noun, ic

vaktram – face; neut noun, ifc

akṣaram – imperishable, immutable; masc, acc, sing, adj

kṛpākaram – who is compassionate; masc, acc, sing

kṣamākaram – forgiving, indulgent; masc, acc, sing

mudākaram – causes joy; masc, acc, sing

yaśaskaram – bestows fame; masc, acc, sing

manaskaram – bestows intelligence; masc, acc, sing

namaskṛtam – who is revered, bowed to; adj, masc, acc, sing

namas* – salutation, bow; neut, acc, sing

karomi – I do, I perform; 1st sing, pres, √kṛ (8P)

bhāsvaram – resplendent, shining, brilliant; masc, acc, sing, adj

*sometimes appears as an indec

अकिञ्चनार्तिमार्जनं चिरन्तनोक्तिभाजनम्
पुरारिपूर्वनन्दनं सुरारिगर्वचर्वणम् ।
प्रपञ्चनाशभीषणं धनञ्जयादिभूषणम्
कपोलदानवारणं भजे पुराणवारणम् ॥ ४ ॥

पदच्छेद

अकिञ्चनार्तिमार्जनम् चिरन्तनोक्तिभाजनम्
पुरारिपूर्वनन्दनम् सुरारिगर्वचर्वणम् प्रपञ्चनाशभीषणम्
धनञ्जयादिभूषणम् कपोलदानवारणम् भजे पुराणवारणम् ।

पदपरिचय

अकिञ्चनार्तिमार्जनम् - अकिञ्चनानाम् (दरिद्राणाम्) आर्तिः, अकिञ्चनार्तिः,
अकिञ्चनार्तेः मार्जनं येन सः, अकिञ्चनार्तिमार्जनः, अ, पुं, द्वि, ए.व
चिरन्तनोक्तिभाजनम् - यः चिरन्तनानाम् उक्तीनां (वेदानां) भाजनम्
सः, चिरन्तनोक्तिभाजनः, अ, पुं, द्वि, ए.व
पुरारिपूर्वनन्दनम् - पूर्वः नन्दनः, पूर्वनन्दनः, पुरारेः पूर्वनन्दनः,
पुरारिपूर्वनन्दनः, अ, पुं, द्वि, ए.व
सुरारिगर्वचर्वणम् - सुरारीणां गर्वः, सुरारिगर्वः, सुरारिगर्वस्य चर्वणं येन
सः, सुरारिगर्वचर्वणः,
अ, पुं, द्वि, ए.व
प्रपञ्चनाशभीषणम् - प्रपञ्चस्य नाशः, प्रपञ्चनाशः, यः प्रपञ्चनाशाय
भीषणः सः, प्रपञ्चनाशभीषणः, अ, पुं, द्वि, ए.व
धनञ्जयादिभूषणम् - धनञ्जयादिः (निधिः अग्निज्वाला वा) भूषणं यस्य
सः, धनञ्जयादिभूषणः,
अ, पुं, द्वि, ए.व
कपोलदानवारणम् - कपोले दानं (मदजलं) यस्य सः, कपोलदानः,
कपोलदानः च वारणः च, कपोलदानवारणः, अ, पुं, द्वि, ए.व
भजे - भज (सेवायाम्), लट्, आ, उ, ए.व
पुराणवारणम् - पुराणः च वारणश्च, पुराणवारणः, अ, पुं, द्वि, ए.व

Verse 4

akiñcanārtimārjanaṃ cirantanoktibhājanaṃ
purāripūrvanandanaṃ surārigarvacarvaṇam |
prapañcanāśabhīṣaṇaṃ dhanañjayādibhūṣaṇam
kapoladānavāraṇaṃ bhaje purāṇavāraṇam ||

Words separated & Prose

akiñcana-ārti-mārjanam cirantana-ukti-bhājanam pura-ari-pūrva-
nandanam sura-ari-garva-carvaṇam prapañca-nāśa-bhīṣaṇam
dhanañjaya-ādi-bhūṣaṇam kapola-dāna-vāraṇam [tam] purāṇa-
vāraṇam [aham] bhaje |

Translation

I adore [Gaṇeśa] who removes the grief of the utterly destitute,
who receives praise from the ancient [texts], who is the older
son of Śiva [and] crushes the pride of the enemies of the
suras, who takes a formidable form for the destruction of the
universe, is adorned with [the elements] beginning with fire,
who is invincible [with] rut-fluid on his cheeks and is the
[most] ancient elephant.

Word by word

akiñcanārtimārjanam – who removes the grief of the utterly
destitute; masc, acc, TP
akiñcana – utterly destitute, who have nothing; neut noun, ic
ārti – grief, injury, sickness; fem noun, ic
mārjanam – who wipes away, removes; neut noun, ifc
cirantanoktibhājanam – who partakes of the words existing
from ancient times/receives praise from ancient sayings; masc,
acc, sing, TP
cirantana – existing from ancient times; neut noun, ic
ukti – saying, words, speech; fem noun, ic

17

अन्वय

अकिञ्चनार्तिमार्जनम्, चिरन्तनोक्तिभाजनम्,
पुरारिपूर्वनन्दनम्, सुरारिगर्वचर्वणम्, प्रपञ्चनाशभीषणम्,
धनञ्जयादिभूषणम्, कपोलदानवारणम्, (तम्) पुराणवारणम् (अहम्) भजे ।

bhājanam – one who is entitled, a receptacle; neut noun, ifc

purāripūrvanandanam – first born [son, who is the] delight of Śiva; masc, acc, sing, TP

purāri – enemy of [three] cities; masc noun, epith, ic

[*pura* – city, fortress; neut noun

ari – enemy; masc noun]

pūrva – earlier, before; adj, ic

nandanam – who causes delight, son; masc noun, ifc

surārigarvacarvaṇam – by whom the pride of *asuras* is crushed; masc, acc, sing, TP

surāri – enemy of the *suras*; masc TP, ic

[*sura* – divine being; masc noun

ari – enemy; masc noun]

garva – pride, arrogance; masc noun, ic

carvaṇam – chewing, crush; neut noun, ifc

prapañcanāśabhīṣaṇam – who takes a terrible form for the destruction of the manifest world; masc, acc, sing, TP

prapañca – manifest, universe, visible world; masc noun, ic

nāśa – destruction, demolition; masc noun, ic

bhīṣaṇam – terrible, formidable; masc adj, ifc

dhanañjayādibhūṣaṇam – who has as adornment [the elements] beginning with fire; masc, acc, sing, BV

dhanañjaya – fire; masc noun, epith, ic

ādi – beginning with, etc.; masc noun, ic

bhūṣaṇam – adornment; neut noun, ifc

kapoladānavāraṇam – who has elephant rut-fluid flowing on his cheeks and is invincible; masc, acc, sing

kapola – cheek; masc noun, ic

dāna – rut-fluid of an elephant, ichor; neut noun, ic

vāraṇam – all resisting, invincible; masc noun, ifc

bhaje – I praise, revere; 1st, sing, pres, √bhaj (1P)

purāṇavāraṇam – the ancient elephant; masc, acc, sing, KD

purāṇa – ancient; adj, ic

vāraṇam – elephant; masc noun, ifc

नितान्तकान्तदन्तकान्तिमन्तकान्तकात्मजम्
अचिन्त्यरूपमन्तहीनमन्तरायकृन्तनम् ।
हृदन्तरे निरन्तरं वसन्तमेव योगिनाम्
तमेकदन्तमेकमेव चिन्तयामि सन्ततम् ॥ ५ ॥

पदच्छेद

नितान्तकान्तदन्तकान्तिम् अन्तकान्तकात्मजम् अचिन्त्यरूपम्
अन्तहीनम् अन्तरायकृन्तनम्
हृदन्तरे निरन्तरम् वसन्तम् एव योगिनाम् तम् एकदन्तम् एकम्
एव चिन्तयामि सन्ततम् ।

पदपरिचय

नितान्तकान्तदन्तकान्तिम् - नितान्तं कान्तः, नितान्तकान्तः,
नितान्तकान्तः दन्तः, नितान्तकान्तदन्तः, नितान्तकान्तदन्तस्य कान्तिः
यस्य सः, नितान्तकान्तदन्तकान्तिः, इ, पुं, द्वि, ए.व
अन्तकान्तकात्मजम् - अन्तकस्य अन्तकः, अन्तकान्तकः,
अन्तकान्तकस्य आत्मजः, अन्तकान्तकात्मजः, अ, पुं, द्वि, ए.व
अचिन्त्यरूपम् - अचिन्त्यं रूपं यस्य सः, अचिन्त्यरूपः, अ, पुं, द्वि, ए.व
अन्तहीनम् - अन्तेन हीनः, अन्तहीनः, अ, पुं, द्वि, ए.व
अन्तरायकृन्तनम् - अन्तरायाणां (विघ्नानाम्) कृन्तनं येन सः,
अन्तरायकृन्तनः,
अ, पुं, द्वि, ए.व
हृदन्तरे - हृदः अन्तरम्, हृदन्तरम्, अ, नपुं, स, ए.व
निरन्तरम् - नास्ति अन्तरं यस्मिन् यस्मात् वा, निरन्तरम्, अव्ययम्
वसन्तम् - त, पुं, द्वि, ए.व (शतृ)
एव - अव्ययम्
योगिनाम् - न, पुं, ष, ब.व
तम् - तद्, पुं, द्वि, ए.व
एकदन्तम् - एकः दन्तः यस्य, सः, एकदन्तः, अ, पुं, द्वि, ए.व
एकम् - अ, पुं, द्वि, ए.व
एव - अव्ययम्
चिन्तयामि - चिति (स्मृत्याम्), लट्, प, उ, ए.व
सन्ततम् - अव्ययम्

Verse 5

nitāntakāntadantakāntimantakāntakātmajaṃ
acintyarūpamantahīnamantarāyakṛntanam |
hṛdantare nirantaraṃ vasantameva yogināṃ
tamekadantamekameva vicintayāmi santatam ||

Words separated & Prose

nitānta-kānta-danta-kāntim antaka-antaka-ātmajam acintya-rūpam anta-hīnam antarāya-kṛntanam yoginām hṛd-antare nir-antaram vasantam ekadantam tam ekam eva santatam vicintayāmi |

Translation

I reflect upon him whose splendour is an extraordinarily beautiful tooth, who is the son of Śiva, whose form is beyond understanding, is all-pervading [and] cuts away obstacles; who is residing perpetually in the hearts of yogis, that one-toothed, eternal one [I reflect upon].

Word by word

nitāntakāntadantakāntim – whose splendour is an extraordinarily beautiful tooth; masc, acc, sing, BV
nitānta – extraordinary, in very high degree; adj, ic
kānta – beauty, pleasing; adj, ppp, √kam (1Ā)
danta – tooth; masc noun, ic
kāntim – beauty, loveliness, splendour; fem noun, ifc
antakāntakātmajam – Śiva's son; masc, acc, sing, TP
antaka-antaka – destroyer of the one that destroys (Śiva); TP, ic
ātmajam – son, born of the self; masc TP, ifc
acintyarūpam – whose form is beyond thought; masc, acc, sing, BV

अन्वय

नितान्तकान्तदन्तकान्तिम्, अन्तकान्तकात्मजम्, अचिन्त्यरूपम्, अन्तहीनम्, अन्तरायकृन्तनम्,
योगिनां हृदन्तरे निरन्तरं वसन्तम्, तम् एकम्, एकदन्तम् एव सन्ततं विचिन्तयामि ।

acintya – surpassing thought, incomprehensible; g*ive, √cint (10P), ic

rūpam – form, shape; neut noun, ifc

antahīnam – who is without end, all-pervading; masc, acc, sing, TP

anta – end, limit, boundary; masc noun, ic

hīnam – lacking, devoid of; ppp, √hā (3P), ifc

antarāyakṛntanam – by whom obstacles are removed, cut off; masc, acc, sing, TP

antarāya – obstacles, impediments; masc noun, ic

kṛntanam – cutting off, dividing; neut noun, ifc

hṛd-antare – in the heart; neut, loc, sing

nirantaram – perpetually, always; adv, indec

vasantam – residing; masc, acc, sing, pres part, √vas (1P)

eva – just so, in this manner; indec

yoginām – of yogis; masc, gen, pl

tam – him; masc, acc, sing, dem pron, *tad*

ekadantam – he who has one tooth; masc, acc, sing, epith, BV

ekam – the one; masc, acc, sing, num, adj

eva – just so, in this manner; indec

vicintayāmi – I reflect, I think about; 1st, sing, pres, vi√cint (10P)

santatam – continuously, uninterrupted; adv, indec

महागणेशपञ्चरत्नमादरेण योऽन्वहम्
प्रजल्पति प्रभातके हृदि स्मरन् गणेश्वरम् ।
अरोगतामदोषतां सुसाहितीं सुपुत्रताम्
समाहितायुरष्टभूतिमभ्युपैति सोऽचिरात् ॥ ६ ॥

पदच्छेद

महागणेशपञ्चरत्नम् आदरेण यः अन्वहम्प्र
जल्पति प्रभातके हृदि स्मरन् गणेश्वरम् अरोगताम् अदोषताम्सु
साहितीम् सुपुत्रताम् समाहितायुः अष्टभूतिम् अभ्युपैति सः अचिरात् ।

पदपरिचय

महागणेशपञ्चरत्नम् - महान् गणेशः महागणेशः, महागणेशस्य
पञ्चरत्नम् (स्तोत्रम्), महागणेशपञ्चरत्नम्, अ, नपुं, द्वि, ए.व
आदरेण - अ, पुं, तृ, ए.व
यः - यद्, पुं, प्र, ए.व
अन्वहम् - अव्ययम्
प्रजल्पति - प्र + जल्प (व्यक्तायां वाचि), लट्, प, उ, ए.व
प्रभातके - अ, नपुं, स, ए.व
हृदि - द, नपुं, स, ए.व
स्मरन् - त, पुं, प्र, ए.व (शतृ)
गणेश्वरम् - अ, पुं, द्वि, ए.व
अरोगताम् - न रोगता, अरोगता, आ, स्त्री, द्वि, ए.व
अदोषताम् - न दोषता, अदोषता, स्त्री, द्वि, ए.व
सुसाहितीम् - ई, स्त्री, द्वि, ए.व
सुपुत्रताम् - आ, स्त्री, द्वि, ए.व
समाहितायुः - समाहितम् आयुः, समाहितायुः, स, नपुं, द्वि, ए.व
अष्टभूतिम् - इ, स्त्री, द्वि, ए.व
अभ्युपैति - अभि + उप + इण् (गतौ), लट्, प, उ, ए.व
सः - तद्, पुं, प्र, ए.व
अचिरात् - अव्ययम्

24

Phala verse

mahāgaṇeśapañcaratnamādareṇa yo'nvahaṃ
prajalpati prabhātake hṛdi smaran gaṇeśvaram |
arogatāmadoṣatāṃ susāhitīṃ suputratāṃ
samāhitāyuraṣṭabhūtimabhyupaiti so'cirāt ||

Words separated

mahā-gaṇeśa-pañcaratnam ādareṇa yaḥ anvaham prajalpati
prabhātake hṛdi smaran gaṇeśvaram arogatām adoṣatām susāhitīm
suputratām samāhita-āyuḥ aṣṭa-bhūtim abhyupaiti saḥ acirāt |

Prose

yaḥ anvaham prabhātake gaṇeśvaram hṛdi smaran ādareṇa
mahā-gaṇeśa-pañca-ratnam prajalpati, saḥ acirāt arogatām,
adoṣatām, susāhitīm, suputratām, aṣṭabhūtim, samāhita-āyuḥ
(ca) abhyupaiti |

Translation

He who respectfully recites these five gems to Gaṇeśa every morning remembering Gaṇeśa in his heart, quickly attains [good] health, becomes faultless, has a good wife and excellent sons, a long life and the eight powers.

Word by word

mahā-gaṇeśa-pañcaratnam – five gems [verses] to Gaṇeśa; neut, acc, sing, TP
ādareṇa – with respect, respectfully; masc, inst, sing, adv
yaḥ – the one; masc, nom, sign, rel pron, *yat*
anvaham – daily, day after day; adv, indec
prajalpati – utters, mutters, recites; 3rd, sing, pres, pra√jalp (1P)
prabhātake – in the morning; neut, loc, sing

अन्वय

यः अन्वहं प्रभातके गणेश्वरं हृदि स्मरन्, आदरेण महागणेशपञ्चरत्नं प्रजल्पति, सः अचिरात् अरोगताम्, अदोषतां, सुसाहितीं, सुपुत्रताम्, अष्टभूतिं, समाहितायुः (च) अभ्युपैति ।

hṛdi – in the heart; neut, loc, sing

smaran – remembering, calling to mind; masc, nom, sing, pres part, √smṛ (1P)

gaṇeśvaram – Gaṇeśvara, lord of the hordes; masc, acc, sing

arogatām – the state of being healthy, disease-free; fem, acc, sing

adoṣatām – the state of not having any faults; fem, acc, sing

susāhitīm – having a good female companion, spouse; fem, acc, sing

suputratām – the state of having excellent sons; fem, acc, sing

samāhita-āyuḥ – [long] vigorous life; neut, acc, sing

aṣṭa-bhūtim – the eight prosperities/powers; fem, acc, sing, Dvi

abhyupaiti – approaches, goes close to, achieves; 3rd, sing, pres, abhi upa ā √i (2P)

saḥ – he, that one; masc, nom, sing, pron, *tad*

acirāt – without delay, quickly; adv, indec

Bhaja Govindam
भजगोविन्दम्

About the Stotra

It is believed that Bhaja Govindam was composed by Śaṅkarā when he encountered a paṇḍita memorising grammar rules. Amused, the Ācārya spontaneously said that '*ḍukṛñ karaṇe*' (the formula for √kṛ as a metonym for grammar) would not save him when the appointed hour of his death arrived. This incident happened in Vārāṇasi when Śaṅkara was on *yātrā* (pilgrimage) with his disciples. He composed twelve verses (*dvādaśamañjari*) advising humanity not to waste precious moments on the mundane.

Bhaja Govindam tells of the futility of routine activities that we are consumed by. Only adoration of Govinda will bring liberation. Subsequent to *dvādaśamañjari* fourteen of his principal disciples composed a verse each. Pleased with their ideation, Śaṅkara composed another five verses, bringing the total to thirty-one. Originally they were called *mohamudgaram* meaning 'dispeller of delusion'. Later, the opening verse became eponymous, and it came to be called *Bhaja Govindam*. It is composed in *mātrācchandas* wherein the duration of the pronunciation of each letter is taken into account. Most of the shlokas fit the *pādakulakam* variety.

भजगोविन्दम्

भज गोविन्दं भज गोविन्दं गोविन्दं भज मूढमते ।
सम्प्राप्ते सन्निहिते काले नहि नहि रक्षति डुकृञ्करणे ॥ १ ॥

पदच्छेद

भज गोविन्दम् भज गोविन्दम् गोविन्दम् भज मूढमते सम्प्राप्ते सन्निहिते काले नहि नहि रक्षति डुकृञ्-करणे ।

पदपरिचय

भज - भज (सेवायाम्), लोट्, प, म, ए.व
गोविन्दम् - अ, पुं, द्वि, ए.व
भज - भज (सेवायाम्), लोट्, प, म, ए.व
गोविन्दम् - अ, पुं, द्वि, ए.व
गोविन्दम् - अ, पुं, द्वि, ए.व
भज - भज (सेवायाम्), लोट्, प, म, ए.व
मूढमते - मूढा मतिः यस्य सः, मूढमतिः, इ, पुं, सम्बो, ए.व
सम्प्राप्ते - अ, पुं, स, ए.व
सन्निहिते - अ, पुं, स, ए.व
काले - अ, पुं, स, ए.व
नहि - अव्ययम्
नहि - अव्ययम्
रक्षति - रक्ष (पालने), लट्, प, प्र, ए.व
डुकृञ् करणे (डुकृञ्करणे) - "डुकृञ् - करणे" इति धातुः (व्याकरणादि-शास्त्राणि इति तात्पर्यम्)

Bhaja Govindam

Verse 1

bhaja govindaṃ bhaja govindaṃ govindaṃ bhaja mūḍhamate |
samprāpte sannihite kāle nahi nahi rakṣati ḍukṛñkaraṇe ||

Words separated

bhaja govindam bhaja govindam govindam bhaja mūḍha-mate
samprāpte sannihite kāle nahi nahi rakṣati ḍukṛñ karaṇe |

Prose

mūḍhamate! (tvam) govindam bhaja, govindam bhaja, govindam
bhaja; sannihite kāle samprāpte 'ḍukṛñkaraṇe' nahi nahi rakṣati |

Translation

You fool! Revere Govinda, revere Govinda, revere Govinda.
When your time comes, the study/practice of grammatical
formulae [like] *ḍukṛñkaraṇe* will not protect you.

Word by word

bhaja – chant, revere; 2nd sing, imp, √bhaj (1P)
govindam – Govinda; masc, sing, acc, epith
bhaja – chant, revere; 2nd sing, imp, √bhaj (1P)
govindam – Govinda; masc, sing, acc, epith
govindam – Govinda; masc, sing, acc, epith

अन्वय

मूढमते! (त्वम्) गोविन्दं भज, गोविन्दं भज, गोविन्दं भज । सन्निहिते काले सम्प्राप्ते (सति) “डुकृञ्करणे” नहि नहि रक्षति ।
मूढ जहीहि धनागमतृष्णाम् कुरु सदबुद्धिं मनसि वितृष्णाम् ।
यल्लभसे निजकर्मोपात्तम् वित्तं तेन विनोदय चित्तम् ॥ २ ॥

bhaja – chant, revere; 2nd sing, imp √bhaj (1P)

mūḍha-mate – dull minded; masc, sing, voc, BV

samprāpte – arrived, obtained; masc, loc, sing, ppp, sam pra√āp (5P)

sannihite – at hand, close; masc, loc, sing, ppp, sam ni√dhā (3P)

kāle – time; masc, loc, sing

(samprāpte sannihite kāle – loc. abs)

nahi – surely not, by no means; part, indec

nahi – surely not, by no means; part, indec

rakṣati – protects, saves; 3rd sing, pres, √rakṣ (1P)

ḍukṛñ-karaṇe – verb √kṛ 'to do'; metonym for grammar

पदच्छेद

मूढ जहीहि धनागमतृष्णाम् कुरु सदबुद्धिम् मनसि वितृष्णाम् यत्लभसे निजक्र्मोपात्तम् वित्तम् तेन विनोदय चित्तम् ।

पदपरिचय

मूढ - अ, पुं, सम्बो, ए.व
जहीहि - ओहाक् (त्यागे), लोट्, प, म, ए.व
धनागमतृष्णाम् - धनस्य आगमः धनागमः, धनागमस्य तृष्णा धनागमतृष्णा,
आ, स्त्री, द्वि, ए.व
कुरु - डुकृञ् (करणे), लोट्, प, म, ए.व
सदबुद्धिम् - सती बुद्धिः, सदबुद्धिः, इ, स्त्री, द्वि, ए.व
मनसि - स, नपुं, स, ए.व
वितृष्णाम् - आ, स्त्री, द्वि, ए.व
यत् - यत्, नपुं, द्वि, ए.व
लभसे - डुलभष् (प्राप्तौ), लट्, आ, म, ए.व
निजकर्मोपात्तम् - निजं कर्म निजकर्म, निजकर्मणा उपात्तं निजकर्मोपात्तम्, अ, नपुं, द्वि, ए.व
वित्तम् - अ, नपुं, द्वि, ए.व
तेन - तद्, नपुं, तृ, ए.व
विनोदय - वि + नुद (प्रेरणे), लोट्, प, म, ए.व
चित्तम् - अ, नपुं, द्वि, ए.व

अन्वय

मूढ! (त्वम्) धनागमतृष्णां जहीहि। (त्वम्) मनसि वितृष्णां सदबुद्धिं कुरु । (त्वम्) निजकर्मोपात्तं यत् वित्तं लभसे, तेन चित्तं विनोदय ।

Verse 2

mūḍha jahīhi dhanāgamatṛṣṇāṃ kuru sadbuddhim manasi vitṛṣṇām I
yallabhasase nijakarmopāttaṃ vittaṃ tena vinodaya cittam II

Words separated

mūḍha jahīhi dhana-āgama-tṛṣṇām kuru sad-buddhim manasi vitṛṣṇām yat labhase nija-karma upāttam vittam tena vinodaya cittam I

Prose

mūḍha! Dhana-āgama-tṛṣṇām jahīhi, manasi vitṛṣṇām sad-buddhim kuru, nija-karma-upāttam yat vittam labhase tena cittam vinodaya I

Translation

O fool, abandon the desire to amass wealth. Think good thoughts, and inculcate dispassion in the mind. Please yourself with the wealth that arises by your own acts.

Word by word

mūḍha – fool, confused one; masc, voc, sing, ppp, √muh (4P)
jahīhi – abandon; 2nd sing, imp, √hā (3P)
dhanāgamatṛṣṇām – desire/mirage of wealth acquisition; fem, acc, sing, TP
dhana – wealth; neut noun, ic
āgama – arrival, acquisition; masc noun, ic
tṛṣṇām – desire, thirst; fem noun, ifc
kuru – do, inculcate; 2nd sing, imp, √kṛ (8P)
sad-buddhim – good sense; fem, acc, sing, KD
manasi – in the mind; neut, loc, sing

vitṛṣṇām – free from desire, dispassion; fem, sing, acc

yat – that/which; neut, acc, sing, rel pron, *yat*

labhase – you find; 2nd sing, pres, √labh (1Ā)

nijakarmopāttam – raised as a result of one's own actions; neut, acc, sing; TP

nija – of the self; adj, ic

karma – action, deeds; neut noun, ic

upātta – resulted, arisen; ppp, upa ā√dā (3P)

vittam – wealth; neut, sing, acc

tena – with/by that; neut, inst, sing, correl pron, *tad*

cittam – mind; neut, acc, sing

vinodaya – be pleased with; 2nd, sing, imp, caus, vi√nud (6P)

नारीस्तनभरनाभीदेशम् दृष्ट्वा मा गा मोहावेशम् ।
एतन्मांसवसादिविकारम् मनसि विचिन्तय वारं वारम् ॥ ३ ॥

पदच्छेद

नारीस्तनभरनाभीदेशम् दृष्ट्वा मा अगाः मोहावेशम् एतत्
मांसवसादिविकारम् मनसि विचिन्तय वारम् वारम् ।

पदपरिचय

नारीस्तनभरनाभीदेशम् - स्तनयोः भरः, स्तनभरः, नाभ्याः देशः, नाभीदेशः,
स्तनभरः च नाभीदेशः च, स्तनभरनाभीदेशः, नार्याः स्तनभरनाभीदेशः,
नारीस्तनभरनाभीदेशः, अ, पुं, द्वि, ए.व
दृष्ट्वा - अव्ययम् (क्त्वान्तम्)
मा - अव्ययम्
अगाः - इण् (गतौ), लुङ्, प, म, ए.व
मोहावेशम् - मोहस्य आवेशः, मोहावेशः, अ, पुं, द्वि, ए.व
एतत् - एतद्, नपुं, प्र, ए.व
मांसवसादिविकारम् - मांसं वसा आदिः यस्य सः मांसवसादिः, मांसवसादेः
विकारः, मांसवसादिविकारः, अ, पुं, द्वि, ए.व
मनसि - स, नपुं, स, ए.व
विचिन्तय - वि + चिति (स्मृत्याम्), लोट्, प, म, ए.व
वारम् - अव्ययम्
वारम् - अव्ययम्

अन्वय

नारीस्तनभरनाभीदेशं दृष्ट्वा (त्वम्) मोहावेशं मा अगाः ।
एतत् मांसवसादिविकारम् (इति) वारं वारं मनसि विचिन्तय ।

Verse 3

nārīstanabharanābhīdeśaṃ dṛṣṭvā mā gā mamohāveśam |
etanmāṃsavasādivikāraṃ manasi vicintaya vāraṃ vāram ||

Words separated & Prose

nārī stanabhara nābhīdeśam dṛṣṭvā moha āveśam mā gāḥ etat
māṃsa-vasā-ādi vikāram vāram vāram manasi vicintaya |

Translation

Seeing the swelling breasts and the midriff of a woman, do not be deluded. Think to yourself repeatedly, these are only forms of meat and fat.

Word by word

nārīstanabharanābhīdeśam – breasts and midriff of a woman; masc, acc, sing, TP
nārī –woman/women; fem noun, ic
stanabhara – swelling breasts; masc noun, ic
nābhī-deśam – area surrounding/close to the navel; masc TP, ifc
dṛṣṭvā – seeing, having seen; ger, √dṛś (4P), indec
mohāveśam – possessed by infatuation; masc, acc, sing, TP
moha – infatuation, delusion; masc noun, ic
āveśam – frenzy, possession; masc noun, ifc
mā gāḥ – do not go; inj; mā – negative particle; (a)gāḥ augmentless aor, √i 2P
etat – this; neut, nom, sing, dem pron, *etad*
māṃsavasādivikāram – modification/forms of meat, fat; masc acc, sing, TP
māṃsa – flesh, meat; neut noun, ic
vasā – fat, marrow; fem noun, ic
ādi – beginning with, etc.; masc noun, ic

vikāram – alteration, modification; masc noun, ifc
vāram-vāram – again and again; adv, indec
manasi – in the mind, mentally; neut, loc, sing
vicintaya – having considered; 2nd sing, imp, vi√cint (10P)

नलिनीदलगतजलमतितरलम् तद्वज्जीवितमतिशयचपलम् ।
विद्धिव्याध्यभिमानग्रस्तम् लोकं शोकहतं च समस्तम् ॥ ४ ॥

पदच्छेद

नलिनीदलगतजलमतितरलम् तद्वत् जीवितम् अतिशयचपलम् विद्धि व्याध्यभिमानग्रस्तम् लोकम् शोकहतम् च समस्तम् ।

पदपरिचय

नलिनीदलगतजलम् - नलिन्याः दलम्, नलिनीदलम्, नलिनीदले गतं जलम्, नलिनीदलगतजलम्,
अ, नपुं, प्र, ए.व
अतितरलम् - अतिशयेन तरलम्, अतितरलम्, अ, नपुं, प्र, ए.व
तद्वत् - अव्ययम्
जीवितम् - अ, नपुं, प्र, ए.व
अतिशयचपलम् - अतिशयेन चपलम्, अतिशयचपलम्, अ, नपुं, प्र, ए.व
विद्धि - विद (ज्ञाने), लोट्, प, म, ए.व
व्याध्यभिमानग्रस्तम् - व्याधिश्च अभिमानश्च, व्याध्यअभिमानौ, व्याद्यभमानाभ्यां ग्रस्तः, व्याध्यभिमानग्रस्तः, अ, पुं, द्वि, ए.व (क्तान्तम्)
लोकम् - अ, पुं, द्वि, ए.व
शोकहतम् - शोकेन हतः, शोकहतः, अ, पुं, द्वि, ए.व (क्तान्तम्)
च - अव्ययम्
समस्तम् - अ, पुं, द्वि, ए.व

अन्वय

(यद्वत्) नलिनीदलगतजलम् अतितरलं, तद्वत् जीवितम् अतिशयचपलं (भवति) । (त्वम्) समस्तं लोकं व्याध्यभिमानग्रस्तं, शोकहतं च विद्धि ।

Verse 4

nalinīdalagatajalamatitaralaṃ tadvajjīvitamatiśayacapalam |
viddhi vyādhyabhimānagrastaṃ lokaṃ śokahataṃ ca samastam ||

Words separated

nalinī-dala-gata-jalam ati-taralam tadvat jīvitam atiśaya-capalam
viddhi vyādhi-abhimāna-grastam lokam śoka-hatam ca samastam |

Prose

[yadvat] nalinī-dala-gata-jalam ati-taralam [asti] tadvat jīvitam
atiśaya-capalam [asti] viddhi samastam lokam vyādhi-abhimāna-
grastam śoka-hatam ca |

Translation

In the same way that water on a lotus leaf is extremely
tremulous, life is exceedingly unsteady. Know the whole world
to be seized by illness, pride and afflicted by unhappiness.

Word by word

nalinīdalagatajalam – water on the leaf of a lotus; neut, nom,
sing, TP
nalinī – lotus; fem noun, ic
dala – leaf, petal; neut noun, ic
gata – gone to, fallen on; ppp, √gam (1P), ic
jalam – water, water droplet; neut noun, ifc
ati-taralam – extremely tremulous, unsteady; neut, nom,
sing, adj
tadvat – in the same way; correl, indec
jīvitam – life; neut, nom, sing
atiśaya – very, extremely; indec
capalam – unsteady; nom, neut, sing, adj

भजगोविन्दम्

46

viddhi – know; 2nd, sing, imp, √vid (2P)
vyādhyabhimānagrastam – afflicted by disease and pride; masc, acc, sing, TP
vyādhi – disease, ailment; masc, noun, ic
abhimāna – pride, conceit; masc noun, ic
grastam – seized, afflicted by; ppp, √gras (1U), ifc
lokam – world; masc, acc, sing
śokahatam – afflicted by unhappiness, masc, acc, sing, TP
śoka – unhappiness, anguish; masc noun, ic
hatam – hit by, afflicted; ppp, √han (2P)
ca – and; conj
samastam – all, whole; adj, masc, acc, sing, ppp, sam√as (4P)

यावद्वित्तोपार्जनसक्तः तावन्निजपरिवारो रक्तः ।
पश्चाज्जीवति जर्जरदेहे वार्तां कोऽपि न पृच्छति गेहे ॥ ५ ॥

पदच्छेद

यावत् वित्तोपार्जनसक्तः तावत् निजपरिवारः रक्तः पश्चात् जीवति
जर्जरदेहे वार्ताम् कः अपि न पृच्छति गेहे ।

पदपरिचय

यावत् - अव्ययम्
वित्तोपार्जनसक्तः - वित्तस्य उपार्जनम्, वित्तोपार्जनम्, वित्तोपार्जने
सक्तः वित्तोपार्जनसक्तः,
अ, पुं, प्र, ए.व (क्तान्तम्)
तावत् - अव्ययम्
निजपरिवारः - निजः परिवारः निजपरिवारः, अ, पुं, प्र, ए.व
रक्तः - अ, पुं, प्र, ए.व (क्तानत्म्)
पश्चात् - अव्ययम्
जीवति - जीव (प्राणधारणे), लट्, प, प्र, ए.व
जर्जरदेहे - जर्जरः देहः, जर्जरदेहः, अ, पुं, स, ए.व
वार्ताम् - अ, स्त्री, द्वि, ए.व
कः - किम्, पुं, प्र, ए.व
अपि- अव्ययम्
न - अव्ययम्
पृच्छति - प्रच्छ (ज्ञीप्सायाम्), लट्, प, प्र, ए.व
गेहे - अ, पुं, स, ए.व

अन्वय

यावत् वित्तोपार्जनसक्तः, तावत् निजपरिवारः रक्तः (भवति) । पश्चात्
जर्जरदेहे जीवति (सति), गेहे कः अपि वार्तां न पृच्छति ।

48

Verse 5

yāvadvittopārjanasaktaḥ tāvannijaparivāro raktaḥ |
paścājjīvati jarjaradehe vārtāṃ ko'pi na pṛcchati gehe ||

Words separated & Prose

yāvat vitta-upārjana-saktaḥ tāvat nija-parivāraḥ raktaḥ paścāt jīvati jarjara-dehe kaḥ apigehe vārtām na pṛcchati |

Translation

Till such time that one is able to earn wealth, till then one's family is attached; later [when] one lives in an infirm body, no one at home inquires about [one].

Word by word

yāvat – as long, as much; rel, indec
vittopārjanasaktaḥ – one is able to make a living; masc, nom, sing, TP
vitta – wealth, acquisition, property; neut noun, ic
upārjana – procure, earn, acquire; neut noun, ic
saktaḥ – able to; ppp, √sañj (1P), ifc
tāvat – till then, that much; correl, indec
nijaparivāraḥ – [one's] own family; masc, nom, sing, KD
nija – one's own, innate; adj; ic
parivāraḥ – family; masc noun, ifc
raktaḥ – attached; masc, nom, sing, ppp, √rañj (4P)
paścāt – later, after; adv
jīvati – lives; 3rd, sing, pres, √jīv (1P)
jarjaradehe – in [an] infirm body; masc, loc, sing, KD
jarjara – decrepit, decayed, infirm; adj, ic
dehe – in (a) body; masc noun, ifc
vārtām – news, information; fem, acc, sing

na – no, not; part, indec
kaḥ – he/one; masc, nom, sing, inter pron, *kim*
api – and, also; conj, indec
pṛcchati – asks, inquires; 3rd, sing, pres, √praś (6P)
gehe – at home, in the house; neut, loc, sing

यावत्पवनो निवसति देहे तावत्पृच्छति कुशलं गेहे ।
गतवति वायौ देहापाये भार्या बिभ्यति तस्मिन् काये ॥ ६ ॥

पदच्छेद

यावत् पवनः निवसति देहे तावत् पृच्छति कुशलम् गेहे गतवति वायौ देहापाये भार्याः बिभ्यति तस्मिन् काये ।

पदपरिचय

यावत् - अव्ययम्
पवनः - अ, पुं, प्र, ए.व
निवसति - नि + वस (निवासे), लट्, प, प्र, ए.व
देहे - अ, पुं, स, ए.व
तावत् - अव्ययम्
पृच्छति - प्रच्छ (ज्ञीप्सायाम्), लट्, प, प्र, ए.व
कुशलम् - अ, पुं, द्वि, ए.व
गेहे - अ, पुं, स, ए.व
गतवति - त, पुं, स, ए.व (क्तवतु)
वायौ - उ, पुं, स, ए.व
देहापाये - देहस्य अपायः देहापायः, अ, पुं, स, ए.व
भार्याः - आ, स्त्री, प्र, ब.व
बिभ्यति - ञिभी (भये), लट्, प, प्र, ब.व
तस्मिन् - तद्, पुं, स, ए.व
काये- अ, पुं, स, ए.व

अन्वय

यावत् पवनः देहे निवसति, तावत् गेहे कुशलं पृच्छति । देहापाये, वायौ गतवति (सति), तस्मिन् काये भार्याः बिभ्यति ।

Verse 6

yāvatpavano nivasati dehe tāvatpṛcchati kuśalaṃ gehe |
gatavati vāyau dehāpāye bhāryā bibhyati tasmin kāye ||

Words separated

yāvat pavanaḥ nivasati dehe tāvat pṛcchati kuśalam gehe gatavati
vāyau deha-apāye bhāryāḥ bibhyati tasmin kāye |

Prose

yāvat pavanaḥ dehe nivasati tāvat gehe kuśalam pṛcchati; deha-
apāye vāyau gatavati (sati) tasmin kāye bhāryāḥ bibhyati |

Translation

Till such time as breath dwells in the body, till then one is
asked after; when the breath is departing and the [living] body
is destroyed, [even] wives fear that form.

Word by word

yāvat – as long, as much; rel, indec
pavanaḥ – wind, breath; masc, nom, sing
nivasati – lives, dwells; 3rd, sing, pres, ni√vas (1P)
dehe – in the body; masc, loc, sing
tāvat – till then, that much; correl, indec
pṛcchati – asks, inquires; 3rd, sing, pres, √praś (6P)
kuśalam – welfare, wellness; masc, acc, sing
gehe – at home, in the house; loc, neut, sing
gatavati – going, departing; masc, loc, sing, ppa, √gam (1P)
vāyau – wind, breath; loc, sing, masc
(*gatavati vāyau* – loc. abs)
dehāpāye – destruction of the body; masc, loc, sing, TP
deha – body; masc/neut, loc, sing

apāye – destruction, loss; masc, loc, sing
bhāryāḥ – wives; fem, nom, plural
bibhyati – fear; 3rd, pl, pres, √bhī (3P)
tasmin – (in) that; masc, loc, sing, dem pron, *tad*
kāye – body; masc, loc, sing

बालस्तावत् क्रीडासक्तः तरुणस्तावत् तरुणीसक्तः ।
वृद्धस्तावत् चिन्तामग्नः परमे ब्रह्मणि कोऽपि न लग्नः ॥ ७ ॥

पदच्छेद

बालः तावत् क्रीडासक्तः तरुणः तावत् तरुणीसक्तः वृद्धः तावत्
चिन्तामग्नः परमे ब्रह्मणि कः अपि न लग्नः।

पदपरिचय

बालः - अ, पुं, प्र, ए.व
तावत् - अव्ययम्
क्रीडासक्तः - क्रीडायाम् सक्तः क्रीडासक्तः, अ, पुं, प्र, ए.व (क्तान्तम्)
तरुणः - अ, पुं, प्र, ए.व
तावत् - अव्ययम्
तरुणीसक्तः - तरुण्याम् सक्तः तरुणीसक्तः, अ, पुं, प्र, ए.व (क्तान्तम्)
वृद्धः - अ, पुं, प्र, ए.व
तावत् - अव्ययम्
चिन्तामग्नः - चिन्तायां मग्नः चिन्तामग्नः, अ, पुं, प्र, ए.व (क्तान्तम्)
परमे - अ, नपुं, स, ए.व
ब्रह्मणि - न, नपुं, स, ए.व
कः - किम्, पुं, प्र, ए.व
अपि - अव्ययम्
न - अव्ययम्
लग्नः - अ, पुं, प्र, ए.व (क्तान्तम्)

अन्वय

बालः तावत् क्रीडासक्तः, तरुणः तावत् तरुणीसक्तः, वृद्धः तावत्
चिन्तामग्नः (च भवति) । परमे ब्रह्मणि कः अपि लग्नः न (भवति) ।

Verse 7

bālastāvat krīḍāsaktaḥ taruṇastāvat taruṇīsaktaḥ |
vṛddhastāvat cintāmagnaḥ parame brahmaṇi ko'pi na lagnaḥ ||

Words separated & Prose

bālaḥ tāvat krīḍā saktaḥ taruṇaḥ tāvat taruṇī saktaḥ vṛddhaḥ tāvat
cintā magnaḥ parame brahmaṇi kaḥ api lagnaḥ na (bhavati) |

Translation

Till one is a boy one is attached to play, as a youth to a young
woman, in old age to anxiety; no one is intent on the supreme
brahman.

Word by word

bālaḥ – boy; nom, masc, sing
tāvat – till then, till such time; correl, indec
krīḍāsaktaḥ – attached to play; masc, nom, sing, TP
krīḍā – play; fem noun, ic
saktaḥ – engrossed, stuck on; adj, ppp, √sañj (1P), ifc
taruṇaḥ – youth, young man; nom, masc, sing
tāvat – till then, till such time; correl, indec
taruṇīsaktaḥ – attached to a young woman; masc, nom, sing, TP
taruṇī – young woman; fem, nom, sing, ic
saktaḥ – engrossed, stuck on; adj, ppp, √sañj (1P), ifc
vṛddhaḥ – old man, aged; masc, nom, sing
tāvat – till then, till such time; correl, indec
cintāmagnaḥ – immersed in worry; masc, nom, sing, TP
cintā – worry; fem noun, ic
magnaḥ – immersed, plunged; adj, ppp, √majj (6P), ifc
parame – in the highest; loc, neut, sing, adj
brahmaṇi – the ultimate reality, substratum of the universe;
loc, neut, sing

भजगोविन्दम्

kaḥ – who, one; masc, nom, sing, inter pron, *kim*
api – and, also; conj, indec
na – no; part, indec
lagnaḥ – fixed on, intent on; masc, nom, sing, adj, ppp, √lag (1P)

का ते कान्ता कस्ते पुत्रः संसारोऽयमतीव विचित्रः ।
कस्य त्वं वा कुत आयातः तत्त्वं चिन्तय तदिह भ्रातः ॥ ८ ॥

पदच्छेद

का ते कान्ता कः ते पुत्रः संसारः अयम् अतीव विचित्रः कस्य त्वम् वा कुतः आयातः तत्वम् चिन्तय तत् इह भ्रातः ।

पदपरिचय

का - किम्, स्त्री, प्र, ए.व
ते - तद्, पुं, ष, ए.व
कान्ता - आ, स्त्री, प्र, ए.व
कः - किम्, पुं, प्र, ए.व
ते - युष्मद्, ष, ए.व
पुत्रः - अ, पुं, प्र, ए.व
संसारः - अ, पुं, प्र, ए.व
अयम् - इदम्, पुं, प्र, ए.व
अतीव - अव्ययम्
विचित्रः - अ, पुं, प्र, ए.व
कस्य - किम्, पुं, ष, ए.व
त्वम् - युष्मद्, प्र. ए.व
वा - अव्ययम्
कुतः - अव्ययम्
आयातः - अ, पुं, प्र, ए.व (क्तान्तम्)
तत्त्वम् - तस्य भावः, तत्त्वम्, अ, नपुं, द्वि, ए.व
चिन्तय - चिति (स्मृत्याम्), लोट्, प, म, ए.व
तत् - तद्, नपुं, द्वि, ए.व
इह - अव्ययम्
भ्रातः - ऋ, पुं, सम्बो, ए.व

अन्वय

ते कान्ता का, ते पुत्रः कः, त्वं कस्य, कुतः आयातः वा । भ्रातः! अयं संसारः अतीव विचित्रः (अस्ति) । इह (त्वम्) तत् तत्वम् चिन्तय ।

Verse 8

kā te kāntā kaste putraḥ saṃsāro'yamatīva vicitraḥ |
kasya tvaṃ vā kuta āyātaḥ tattvaṃ cintaya tadiha bhrātaḥ ||

Words separated

kā te kāntā kaḥ te putraḥ saṃsāraḥ atīva vicitraḥ kasya tvam vā kutaḥ āyātaḥ tattvam cintaya tat iha bhrātaḥ |

Prose

te kāntā kā? te putraḥ kaḥ? tvam kasya? kutaḥ āyātaḥ vā? ayamsaṃsāraḥ atīva vicitraḥ iha tat tattvam cintaya bhrātaḥ! |

Translation

Who is your beloved? Who your son? This world is exceedingly curious. Whose are you? And where have you come from? Consider the meaning of this here, brother!

Word by word

kā – who; fem, nom, sing, inter pron, *kim*
te – your; masc, gen, sing, enc, *tad*
kāntā – beloved; fem, nom, sing, adj, ppp, √kam (4P)
kaḥ – who; masc, nom, sing, inter pron, *kim*
te – your; masc, gen, sing, enc, *tad*
putraḥ – son; masc, nom, sing
saṃsāraḥ – world; masc, nom, sing
ayam – this; masc, nom, sing, dem pron, *idam*
atīva – exceedingly, excessively; adv, indec
vicitraḥ – wonderful, strange; masc, nom, sing, adj
kasya – of whom, whose; masc, gen, sing, poss pron, *kim*
tvam – you; nom, sing, per pron, *yuṣmad*
vā – or; conj, indec

kutaḥ – from where; indec
āyātaḥ – arrived, come from; masc, nom, sing, adj, ppp, ā√yā
(1P)
tattvam – essence, nature, truth; neut, acc, sing
cintaya – think, consider; 3rd, sing, imp, √cint (10P)
tat – that; neut, acc, sing, dem pron, *tad*
iha – here; indec
bhrātaḥ – brother; masc, voc, sing

सत्सङ्गत्वे निस्सङ्गत्वम् निस्सङ्गत्वे निर्मोहत्वम् ।
निर्मोहत्वे निश्चलतत्त्वम् निश्चलतत्त्वे जीवन्मुक्तिः ॥ ९ ॥

पदच्छेद

सत्सङ्गत्वे निस्सङ्गत्वम् निस्सङ्गत्वे निर्मोहत्वम् निर्मोहत्वे
निश्चलतत्त्वम् निश्चलतत्त्वे जीवन्मुक्तिः ।

पदपरिचय

सत्सङ्गत्वे - सतां सङ्गः सत्सङ्गः सत्सङ्गस्य भावः, सत्सङ्गत्वम्,
अ, नपुं, स, ए.व
निस्सङ्गत्वम् - निर्गतः सङ्गः यस्मात् सः, निस्सङ्गः, तस्य भावः
निस्सङ्गत्वम्,
अ, नपुं, प्र, ए.व
निस्सङ्गत्वे - अ, नपुं, स, ए.व
निर्मोहत्वम् - निर्गतः मोहः यस्मात् सः, निर्मोहः, तस्य भावः निर्मोहत्वम्,
अ, नपुं, प्र, ए.व
निर्मोहत्वे - अ, नपुं, स, ए.व
निश्चलतत्त्वम् - निश्चलं तत्त्वम्, निश्चलतत्त्वम्, अ, नपुं, प्र, ए.व
निश्चलतत्त्वे - अ, नपुं, स, ए.व
जीवन्मुक्तिः - जीवन्नेव मुक्तिः जीवन्मुक्तिः, इ, स्त्री, प्र, ए.व

अन्वय

सत्सङ्गत्वे निस्सङ्गत्वं (भवति) । निस्सङ्गत्वे निर्मोहत्वं (भवति) ।
निर्मोहत्वे निश्चलतत्त्वं (भवति) । निश्चलतत्त्वे जीवन्मुक्तिः (भवति) ।

Verse 9

satsaṅgatve nissaṅgatvaṃ nissaṅgatve nirmohatvam |
nirmohatve niścalatattvaṃ niścalatattve jīvanmuktiḥ ||

Words separated & Prose

sat-saṅgatve nis-saṅgatvam nis-saṅgatve nir-mohatvam nir-mohatve niś-cala-tattvam niś-cala-tattve jīvan-muktiḥ |

Translation

Being in the company of good people gives rise to non-attachment; non-attachment gives rise to freedom from illusion; freedom from illusion leads to [an understanding of] immutable reality, [which] gives rise to emancipation while alive.

Word by word

satsaṅgatve – in the companionship of good people; neut, loc, sing

nissaṅgatvam – non-attachment; neut, nom, sing

nissaṅgatve – in/from non-attachment; neut, loc, sing

nirmohatvam – freedom from delusion; neut, nom, sing

nirmohatve – in/from freedom from delusion; neut, loc, sing

niścalatattvam – immutable reality; neut, nom, sing

niścalatattve – in/from [an understanding of] immutable reality; neut, loc, sing

jīvanmuktiḥ – liberation, emancipation while still alive; fem, nom, sing

वयसि गते कः कामविकारः शुष्के नीरे कः कासारः ।
क्षीणे वित्ते कः परिवारः ज्ञाते तत्त्वे कः संसारः ॥ १० ॥

पदच्छेद

वयसि गते कः कामविकारः शुष्के नीरे कः कासारः क्षीणे वित्ते कः परिवारः ज्ञाते तत्त्वे कः संसारः ।

पदपरिचय

वयसि - स, नपुं, स, ए.व
गते - अ, नपुं, स, ए.व (क्तान्तम्)
कः - किम्, पुं, प्र, ए.व
कामविकारः - कामस्य विकारः, अ, पुं, प्र, ए.व
शुष्के - अ, नपुं, स, ए.व
नीरे - अ, नपुं, स, ए.व
कः - किम्, पुं, प्र, ए.व
कासारः - अ, पुं, प्र, ए.व
क्षीणे - अ, नपुं, स, ए.व
वित्ते - अ, नपुं, स, ए.व
कः - किम्, पुं, प्र, ए.व
परिवारः - अ, पुं, प्र, ए.व
ज्ञाते- अ, नपुं, स, ए.व (क्तान्तम्)
तत्त्वे - अ, नपुं, स, ए.व
कः - किम्, पुं, प्र, ए.व
संसारः - अ, पुं, प्र, ए.व

अन्वय

गते वयसि कः कामविकारः । शुष्के नीरे कः कासारः । वित्ते क्षीणे (सति) कः परिवारः । ज्ञाते तत्त्वे (सति) कः संसारः ।

Verse 10

vayasi gate kaḥ kāmavikāraḥ śuṣke nīre kaḥ kāsāraḥ |
kṣīṇe vitte kaḥ parivāraḥ jñāte tattve kaḥ saṃsāraḥ ||

Words separated & Prose

vayasi gate kaḥ kāma-vikāraḥ śuṣke nīre kaḥ kāsāraḥ kṣīṇe vitte
kaḥ parivāraḥ jñāte tattve kaḥ saṃsāraḥ |

Translation

When youth is gone, what [use] is [any] form of lust? When water dries up, wither [the] lake? When wealth attenuates where is the family? [And] when the essence of the universe is known, [of] what [relevance] is the cycle of worldly existence?

Word by word

vayasi – youth, vigorous young age; neut, loc, sing
gate – when gone; neut, loc, sing, ppp, √gam (1P)
(vayasi gate – loc. abs)
kaḥ – what/who/where; masc, nom, sing, inter pron, *kim*
kāma-vikāraḥ – form(s) of passion; masc, nom, sing, TP
śuṣke – dried up; neut, loc, sing, adj
nīre – water; neut, loc, sing
(śuṣke nīre – loc. abs)
kaḥ – what/who/where; masc, nom, sing, inter pron, *kim*
kāsāraḥ – lake; masc, nom, sing
kṣīṇe – attenuated, reduced; neut, loc, sing, adj
vitte – wealth, money; neut, loc, sing
(kṣīṇe vitte – loc. abs)
kaḥ – what/who/where; masc, nom, sing, inter pron, *kim*
parivāraḥ – family, dependants; masc, nom, sing
jñāte – known; neut, loc, sing, ppp, √jñā (9P)

tattve – essence, truth, nature; neut, loc, sing
(jñāte tattve – loc. abs)
kaḥ – what/who/where; masc, nom, sing, inter pron, *kim*
saṃsāraḥ – cycle of worldly existence; masc, nom, sing

मा कुरु धनजनयौवनगर्वम् हरति निमेषात् कालः सर्वम् ।
मायामयमिदामखिलं हित्वा ब्रह्मपदं त्वं प्रविश विदित्वा ॥ ११ ॥

पदच्छेद

मा कुरु धनजनयौवनगर्वम् हरति निमेषात् कालः सर्वम् मायामयम् इदम् अखिलम् हित्वा ब्रह्मपदम् त्वम् प्रविश विदित्वा ।

पदपरिचय

मा - अव्ययम्
कुरु - डुकृञ् (करणे), लोट्, प, म, ए.व
धनजनयौवनगर्वम् - धनञ्च जनश्च यौवनञ्च धनजनयौवनानि, धनजनयौवनानां गर्वः, धनजनयौवनगर्वः, अ, पुं, द्वि, ए.व
हरति - हृञ् (हरणे), लट्, प, प्र, ए.व
निमेषात् - अ, पुं, प, ए.व
कालः - अ, पुं, प्र, ए.व
सर्वम् - अ, नपुं, द्वि, ए.व
मायामयम् - मायायाः रूपं यस्य सः, मायामयः, अ, नपुं, द्वि, ए.व
इदम् - इदम्, नपुं, द्वि, ए.व
अखिलम् - अ, नपुं, द्वि, ए.व
हित्वा - अव्ययम् (क्त्वान्तम्)
ब्रह्मपदम् - ब्रह्मणः पदं ब्रह्मपदम्, अ, नपुं, द्वि, ए.व
त्वम् - युष्मद्, प्र, ए.व
प्रविश - प्र + विश (प्रवेशने), लोट्, प, म, ए.व
विदित्वा - अव्ययम् (क्त्वान्तम्)

अन्वय

(त्वम्) धनजनयौवनगर्वं मा कुरु । कालः (एतत्) सर्वं निमेषात् हरति ।
इदं विदित्वा, मायामयम्
अखिलं हित्वा, त्वं ब्रह्मपदं प्रविश ।

Verse 11

mā kuru dhanajanayauvanagarvaṃ harati nimeṣāt kālaḥ sarvam |
māyāmayamidam akhilaṃ hitvā brahmapadaṃ tvaṃ praviśa
viditvā ||

Words separated

mā kuru dhana-jana yauvana-garvam harati nimeṣāt kālaḥ
sarvam māyāmayam idam akhilam hitvā brahma-padam tvam
praviśa viditvā |

Prose

dhanajanayauvanagarvam mā kuru, nimeṣāt kālaḥ sarvam harati,
idam akhilam māyāmayam viditvā hitvā (ca), tvam brahma-
padam praviśa |

Translation

Do not take pride in wealth, people, or youth; Time takes all
(these) away in an instant. Abandon all these [things] knowing
them to have an illusory nature [and] enter [the realm of]
brahman.

Word by word

mā – don't; part, indec
kuru – do; 3rd, sing, imp, √kṛ (8P)
dhanajanayauvanagarvam – pride [in] wealth, people and
youth; masc, acc, sing, TP
dhana – wealth, money; neut noun, ic
jana – people; masc noun, ic
yauvana – youth; neut noun, ic
garvam – pride; masc noun, ifc
harati – steals, takes away; 3rd, sing, pres, √hṛ (1P)

71

nimeṣāt – in an instant; masc, abl, sing
kālaḥ – time; masc, nom, sing
sarvam – all; neut, acc, sing
māyāmayam – constituted of *māya*; illusory; neut, acc, sing
idam – this; neut, acc, sing, dem pron, *ayam*
akhilam – all, complete; neut, acc, sing
hitvā – having abandoned, left; ger, √hā (3P), indec
brahma-padam – the state, the realm of brahman; neut, acc, sing
tvam – you; nom, sing, per pron, *yuṣmad*
praviśa – enter; 2nd, sing, imp, pra√viś (6P)
viditvā – having known, knowing; ger, √vid (2P), indec

दिनयामिन्यौ सायं प्रातः शिशिरवसन्तौ पुनरायातः ।
कालः क्रीडति गच्छत्यायुः तदपि न मुञ्चत्याशावायुः ॥ १२ ॥

पदच्छेद

दिनयामिन्यौ सायम् प्रातः शिशिरवसन्तौ पुनः आयातः कालः क्रीडति
गच्छति आयुः तत् अपि न मुञ्चति आशावायुः ।

पदपरिचय

दिनयामिन्यौ - दिनञ्च यामिनी च दिनयामिन्यौ, ई, स्त्री, प्र, द्वि.व
सायम् - अ, नपुं, प्र, ए.व
प्रातः - अव्ययम्
शिशिरवसन्तौ - शिशिरश्च वसन्तश्च शिशिरवसन्तौ, अ, पुं, प्र, द्वि.व
पुनः - अव्ययम्
आयातः - आ + या (प्रापणे), लट्, प, प्र, द्वि.व
कालः - अ, पुं, प्र, ए.व
क्रीडति - क्रीडृ (विहारे), लट्, प, प्र, ए.व
गच्छति - गमलृ (गतौ), लट्, प, प्र, ए.व
आयुः - स, नपुं, प्र, ए.व
तदपि - अव्ययम्
न - अव्ययम्
मुञ्चति - मुच (प्रमोचने), लट्, प, प्र, ए.व
आशावायुः - आशा एव वायुः आशावायुः, उ, पुं, प्र, ए.व

अन्वय

दिनयामिन्यौ, सायं प्रातः (च), शिशिरवसन्तौ (च) पुनः आयातः । कालः
क्रीडति, आयुः गच्छति, तत् अपि (तदपि) आशावायुः न मुञ्चति ।

Verse 12

dinayāminyau sāyaṃ prātaḥ śiśiravasantau punarāyātaḥ |
kālaḥ krīḍati gacchatyāyuḥ tadapi na muñcatyāśāvāyuḥ ||

Words separated & Prose

dina-yāminyau sāyam prātaḥ śiśira-vasantau punaḥ āyātaḥ; kālaḥ krīḍati gacchati āyuḥ tat api na muñcati āśā-vāyuḥ |

Translation

Day and night, evening and morning, winter and spring come again and again. Time dallies and life passes, yet one does not let go of breath that is desire.

Word by word

dinayāminyau – day and night; fem, nom, dual, DV
dina – day; neut noun, ic
yāminyau – night; fem noun, ifc
sāyam – evening; neut, nom, sing
prātaḥ – [in the] morning, dawn; adv, indec
śiśiravasantau – winter and spring; masc, nom, dual, DV
śiśira – cold, winter; masc noun ic
vasantau – spring; masc noun, ifc
punaḥ – again; adv, indec
āyātaḥ – (two) come; 3rd, dual, pres, ā√yā (2P)
kālaḥ – time; masc, nom, sing
krīḍati – plays; 3rd, sing, pres, √krīḍ (1P)
gacchati – goes; 3rd, sing, pres, √gam (1P)
āyuḥ – age; neut, nom, sing
tadapi – even so, nevertheless; adv, indec
na – not, no; part, indec
muñcati – releases, frees; 3rd sing, pres, √muc (6P)
āśāvāyuḥ – breath that is desire; masc, nom, sing, KD

का ते कान्ताधनगतचिन्ता वातुल किं तव नास्ति नियन्ता ।
त्रिजगति सज्जनसङ्गतिरेका भवति भवार्णवतरणे नौका ॥ १३ ॥

पदच्छेद

का ते कान्ताधनगतचिन्ता वातुल किम् तव न अस्ति नियन्ता त्रिजगति
सज्जनसङ्गतिः एका भवति भवार्णवतरणे नौका ।

पदपरिचय

का - किम्, स्त्री, प्र, ए.व
ते - युष्मद्, ष, ए.व
कान्ताधनगतचिन्ता - कान्ता च धनं च कान्ताधने, कान्ताधने गता
कान्ताधनगता, कान्ताधनगता चिन्ता, कान्ताधनगतचिन्ता, आ, स्त्री,
प्र, ए.व
वातुल - अ, पुं, सम्बो, ए.व
किम् - अव्ययम्
तव - युष्मद्, ष, ए.व
न - अव्ययम्
अस्ति - अस (भुवि), लट्, प, प्र, ए.व
नियन्ता - ऋ, पुं, प्र, ए.व
त्रिजगति - त्रयाणां जगतां समाहारः, त्रिजगत्, त, नपुं, स, ए.व
सज्जनसङ्गतिः - सज्जनानां सङ्गतिः, सज्जनसङ्गतिः, इ, स्त्री, प्र, ए.व
एका - आ, स्त्री, प्र, ए.व
भवति - भू (सत्तायाम्) लट्, प, प्र, ए.व
भवार्णवतरणे - भवः एव अर्णवः, भवार्णवः, भवार्णवस्य तरणम्,
भवार्णवतरणम्, अ, नपुं, स, ए.व
नौका - आ, स्त्री, प्र, ए.व

अन्वय

वातुल! ते का कान्ताधनगतचिन्ता । त्रिजगति तव नियन्ता नास्ति किम् ।
भवार्णवतरणे सज्जनसङ्गतिः एका नौका भवति ।

Verse 13

kā te kāntādhanagatacintā vātula kiṃ tava nāsti niyantā |
trijagati sajjanasaṅgatirekā bhavati bhavārṇavataraṇe naukā ||

Words separated

kā te kāntā-dhana-gata-cintā vātula kim tava na asti niyantā tri-jagati sajjana-saṅgatiḥ ekā bhavati bhava-arṇava-taraṇe naukā |

Prose

vātula! te kā kāntā-dhana-gata-cintā; tava niyantā na asti, kim? trijagati bhava-arṇava-taraṇe sajjana-saṅgatiḥ ekā naukā bhavati |

Translation

You fool! Why the worry relating to wealth and your beloved? Don't you have someone who governs you? In the three worlds, the company of the good is the boat which helps you cross the ocean of existence.

Word by word

kā – who/what; fem, nom, sing, inter pron, *kim*
te – your; gen, sing, poss pron, enc, *yuṣmad*
kāntādhanagatacintā – worry pertaining to the beloved and wealth; fem, nom, sing, TP
kāntā – beloved; fem, nom, sing, ic
dhanagata – referring to, pertaining to wealth; TP, ic
cintā – worry, concern; fem noun, ifc
vātula – insane, crazy one; masc voc, sing
kim – what; neut, nom, sing, inter pron, *kim*
tava – your; gen, sing, poss pron, *yuṣmad*
na – not, no; part, indec
asti – is; 3rd, sing, pres, √as (2P)

niyantā – governer, controller, ordainer; masc, nom, sing

trijagati – in the three worlds; neut, loc, sing, Dvi

sajjana-saṅgatiḥ – the company of good people; fem, nom, sing, TP

ekā – alone, only; fem, nom, sing, num, adj

bhavati – becomes, is; 3rd, sing, pres, √bhū (1P)

bhavārṇavataraṇe – for crossing the ocean of existence; neut, loc, sing; TP

bhava – existence; masc noun, ic

arṇava – ocean; masc noun, ic

taraṇe – crossing; neut noun, ifc

naukā – boat; fem, nom, sing

जटिलो मुण्डी लुञ्छितकेशः काषायाम्बरबहुकृतवेषः ।
पश्यन्नपि च न पश्यति मूढो ह्युदरनिमित्तं बहुकृतवेषः ॥ १४ ॥

पदच्छेद

जटिलः मुण्डी लुञ्छितकेशः काषायाम्बरबहुकृतवेषः पश्यन् अपि च न पश्यति मूढः हि उदरनिमित्तम् बहुकृतवेषः ।

पदपरिचय

जटिलः - अ, पुं, प्र, ए.व
मुण्डी - न, पुं, प्र, ए.व
लुञ्छितकेशः - लुञ्छितः केशः यस्य सः, लुञ्छितकेशः, अ, पुं, प्र, ए.व
काषायाम्बरबहुकृतवेषः - काषायम् अम्बरं काषायाम्बरम्, काषायाम्बरैः बहुकृतः वेषः येन सः, काषायाम्बरबहुकृतवेषः, अ, पुं, प्र, ए.व
पश्यन् - त, पुं, प्र, ए.व (शतृ)
अपि - अव्ययम्
च - अव्ययम्
न - अव्ययम्
पश्यति - दृशिर् (प्रेक्षणे), लट्, प, प्र, ए.व
मूढः - अ, पुं, प्र, ए.व
हि - अव्ययम्
उदरनिमित्तम् - उदरम् एव निमित्तम्, उदरनिमित्तम्, अ, नपुं, द्वि, ए.व
बहुकृतवेषः - बहुधा कृतः वेषः येन सः, बहुकृतवेषः, अ, पुं, प्र, ए.व

अन्वय

जटिलः, मुण्डी, लुञ्छितकेशः, काषायाम्बरबहुकृतवेषः उदरनिमित्तं बहुकृतवेषः, मूढः, (तम्) पश्यन् अपि च न पश्यति हि ।

Verse 14

jaṭilo muṇḍī luñcitakeśaḥ kāṣāyāmbarabahukṛtaveṣaḥ |
paśyannapi ca na paśyati mūḍho hyudaranimittaṃ bahukṛtaveṣaḥ ||

Words separated

jaṭilaḥ muṇḍī luñcita-keśaḥ kāṣāya-ambara-bahukṛta-veṣaḥ;
mūḍhaḥ paśyan api ca na paśyati udara-nimittam hi bahukṛta-
veṣaḥ |

Prose

jaṭilaḥ muṇḍī luñcita-keśaḥ kāṣāya-ambara-bahukṛta-veṣaḥ;
udara-nimittam hi bahukṛta-veṣaḥ; mūḍhaḥ paśyan api ca na
paśyati |

Translation

An ascetic with matted locks, another with a shaven head,
one who has pulled his hair out, one by whom ochre robes are
donned; the fool even though seeing does not see that [these]
many guises are [merely] for the purpose of [filling] the belly.

Word by word

jaṭilaḥ – one with matted hair; masc, nom, sing
muṇḍī – one with a shaven head; masc, nom, sing
luñcita-keśaḥ – one whose hair has been plucked out; masc,
nom, sing, BV
kāṣāyāmbarabahukṛtaveṣaḥ – by whom ochre robes have
been much donned; masc, nom, sing, BV
kāṣāya – ochre, reddish-brown; adj, ic
ambara – robe, clothing; neut noun, ic
bahukṛta – much done, often donned; KD, ic
veṣaḥ – apparel, artificial exterior; masc noun, ifc

paśyan – seeing; masc, nom, sing, pres part, √paś (4P)

api – also, even; conj, indec

ca – and; conj, indec

na – no, not; part, indec

paśyati – sees; 3rd, sing, pres, √paś (4P)

hi – indeed; part; indec

udaranimittam – stomach as the motive, the cause; neut, acc, sing, KD

udara – stomach; neut noun, ic

nimittam – sake, cause, reason; neut noun, ifc

bahukṛtaveṣaḥ – by whom many exterior appearances are donned, masc, nom, sing, BV

अङ्गं गलितं पलितं मुण्डम् दशनविहीनं जातं तुण्डम् ।
वृद्धो याति गृहीत्वा दण्डम् तदपि न मुञ्चत्याशापिण्डम् ॥ १५ ॥

पदच्छेद

अङ्गम् गलितम् पलितम् मुण्डम् दशनविहीनम् जातम् तुण्डम् वृद्धः याति
गृहीत्वा दण्डम् तदपि न मुञ्चति आशापिण्डम् ।

पदपरिचय

अङ्गम् - अ, नपुं, प्र, ए.व
गलितम् - अ, नपुं, प्र, ए.व (क्तान्तम्)
पलितम् - अ, नपुं, प्र, ए.व (क्तान्तम्)
मुण्डम् - अ, नपुं, प्र, ए.व
दशनविहीनम् - दशनैः विहीनम्, दशनविहीनम्, अ, नपुं, प्र, ए.व
जातम् - अ, नपुं, प्र, ए.व (क्तान्तम्)
तुण्डम् - अ, नपुं, प्र, ए.व
वृद्धः - अ, पुं, प्र, ए.व
याति - या (प्रापणे), लट्, प, प्र, ए.व
गृहीत्वा - अव्ययम् (क्त्वान्तम्)
दण्डम् - अ, पुं, द्वि, ए.व
तत् - तद्, नपुं, प्र, ए.व.
अपि - अव्ययम्
न - अव्ययम्
मुञ्चति - मुचि (कल्कने), लट्, प, प्र, ए.व
आशापिण्डम् - आशायाः पिण्डः, अ, पुं, द्वि, ए.व

अन्वय

अङ्गं गलितम्, मुण्डं पलितम्, तुण्डं दशनविहीनं जातम् । वृद्धः दण्डं
गृहीत्वा याति । तत् अपि (तदपि), आशापिण्डं न मुञ्चति ।

Verse 15

aṅgaṃ galitaṃ palitaṃ muṇḍaṃ daśanavihīnaṃ jātaṃ tuṇḍam |
vṛddho yāti gṛhītvā daṇḍaṃ tadapi na muñcatyāśāpiṇḍam ||

Words separated & Prose

aṅgam galitam palitam muṇḍam daśana-vihīnam jātam tuṇḍam
vṛddhaḥ yāti gṛhītvā daṇḍam tadapi na muñcati āśā-piṇḍam |

Translation

The old man walks with a stick, his body debilitated, his hair
greyed, his mouth has become toothless, yet he does not let
go of the mass of hopes.

Word by word

aṅgam – body; neut, nom, sing
galitam – decayed, perishing; neut, nom, sing, ppp, √gal (1P), adj
palitam – grey, hoary; neut, nom, sing, adj
muṇḍam – head; neut, nom, sing
daśanavihīnam – devoid of teeth; neut, nom, sing, TP
daśana – teeth; neuter noun ic
vihīnam – devoid of; ppp, vi√hā (3P), ifc
jātam – has become; neut, nom, sing, ppp, √jan (4Ā)
tuṇḍam – mouth; neut, nom, sing
vṛddhaḥ – old man; masc, nom, sing
yāti – goes, walks; 3rd, sing, pres, √yā (2P)
gṛhītvā – holding, having taken hold; ger, √grah (9P), indec
daṇḍam – staff, stick; masc, acc, sing
tadapi – even so; indec
na – no, not; part, indec
muñcati – releases, lets go; 3rd, sing, pres, √muc (6P)
āśāpiṇḍam – agglomeration of hope, desire; masc, acc, sing, TP
āśā – desire, hope; fem noun, ic
piṇḍam – agglomeration, body, sum; masc noun, ifc

अग्रे वह्निः पृष्ठे भानुः रात्रौ चुबुकसमर्पितजानुः ।
करतलभिक्षस्तरुतलवासः तदपि न मुञ्चत्याशापाशः ॥ १६ ॥

पदच्छेद

अग्रे वह्निः पृष्ठे भानुः रात्रौ चुबुकसमर्पितजानुः करतलभिक्षः तरुतलवासः
तत् अपि न मुञ्चति आशापाशः ।

पदपरिचय

अग्रे - अ, नपुं, स, ए.व
वह्निः - इ, पुं, प्र, ए.व
पृष्ठे - अ, नपुं, स, ए.व
भानुः - उ, पुं, प्र, ए.व
रात्रौ - इ, स्त्री, स, ए.व
चुबुकसमर्पितजानुः - चुबुके समर्पितं जानुः येन, चुबुकसमर्पितजानुः, उ,
पुं, प्र, ए.व
करतलभिक्षः - करतले भिक्षा यस्य सः, करतलभिक्षः, अ, पुं, प्र, ए.व
तरुतलवासः - तरुतले वासः यस्य सः, तरुतलवासः, अ, पुं, प्र, ए.व
तद् - तद्, नपुं, प्र, ए.व
अपि - अव्ययम्
न - अव्ययम्
मुञ्चति - मुचि (कल्कने), लट्, प, प्र, ए.व
आशापाशः - आशायाः पाशः, अ, पुं, प्र, ए.व

अन्वय

अग्रे वह्निः, पृष्ठे भानुः, रात्रौ चुबुकसमर्पितजानुः, करतलभिक्षः,
तरुतलवासः (च), तत् अपि (तदपि) आशापाशः न मुञ्चति ।

Verse 16

agre vahniḥ pṛṣṭhe bhānuḥ rātrau cubukasamarpitajānuḥ |
karatalabhikṣastarutalavāsaḥ tadapi na muñcatyāśāpāśaḥ ||

Words separated & Prose

agre vahniḥ pṛṣṭhe bhānuḥ rātrau cubuka-samarpita-jānuḥ kara-
tala-bhikṣaḥ taru-tala-vāsaḥ tadapi āśāpāśaḥ na muñcati |

Translation

He has fire in front of him and the sun behind; at night he
dwells under a tree with his knees held to his chin, alms in
hand, yet the noose of hope does not let him free.

Word by word

agre – in front, before, anterior; neut, loc, sing
vahniḥ – fire; masc, nom, sing
pṛṣṭhe – behind, posterior; neut, loc, sing
bhānuḥ – sun; masc, nom, sing
rātrau – at night, in the night; fem, loc, sing
cubukasamarpitajānuḥ – he whose knees are [presented] at
his chin; masc, nom, sing, BV
cubuka – chin; neut noun, ic
samarpita – offered to, given to; ppp, sam√ṛ (1P), ic
jānuḥ – knee(s); neut noun, ifc
karatalabhikṣaḥ – in whose hand there are alms; masc, nom,
sing, BV
kara-tala – palm of hand; TP, ic
bhikṣaḥ – alms; fem noun, ifc
tarutalavāsaḥ – whose dwelling is under a tree; masc, nom,
sing, BV

tadapi – even so; indec
na – no, not; part, indec
muñcati – releases, lets loose; 3rd, sing, pres, √muc (6P)
āśā-pāśaḥ – the noose that is hope, desire; masc, nom, sing, KD

कुरुते गङ्गासागरगमनम् व्रतपरिपालनमथवा दानम् ।
ज्ञानविहीनः सर्वमतेन मुक्तिं भजति न जन्मशतेन ॥ १७ ॥

पदच्छेद

कुरुते गङ्गासागरगमनम् व्रतपरिपालनम् अथवा दानम् ज्ञानविहीनः
सर्वमतेन मुक्तिम् भजति न जन्मशतेन ।

पदपरिचय

कुरुते - डुकृञ् (करणे), लट्, आ, प्र, ए.व
गङ्गासागरगमनम् - गङ्गया सङ्गतः सागरः, गङ्गासागरः, गङ्गासागरं
गमनम्, गङ्गासागरगमनम्, अ, नपुं, द्वि, ए.व
व्रतपरिपालनम् - व्रतस्य परिपालनम्, अ, नपुं, द्वि, ए.व
अथवा - अव्ययम्
दानम् - अ, नपुं, द्वि, ए.व
ज्ञानविहीनः - ज्ञानेन विहीनः, ज्ञानविहीनः, अ, पुं, प्र, ए.व
सर्वमतेन - सर्वेषां मतम्, सर्वमतम्, अ, नपुं, तृ, ए.व
मुक्तिम् - इ, स्त्री, द्वि, ए.व
न - अव्ययम्
भजति - भज (सेवायाम्), लट्, प, प्र, ए.व
जन्मशतेन - जन्मनां शतम्, जन्मशतम्, अ, नपुं, तृ, ए.व

अन्वय

गङ्गासागरगमनम्, व्रतपरिपालनम् अथवा दानं (च) कुरुते । सर्वमतेन
ज्ञानविहीनः, (सः) जन्मशतेन (अपि) मुक्तिं न भजति ।

Verse 17

kurute gaṅgāsāgaragamanaṃ vrataparipālanamathavā dānam |
jñānavihīnaḥ sarvamatena muktiṃ na bhajati janmaśatena ||

Words separated & Prose

gaṅgā-sāgara-gamanam vrata-pari-pālanam athavā dānam (ca)
kurute, sarva-matena jñāna-vihīnaḥ (saḥ) janmaśatena (api)
muktim na bhajati |

Translation

One may travel to the confluence of the Gaṅgā and the ocean,
undertake vows, give charity, [however] without knowledge
one will not achieve liberation even in a hundred lifetimes,
according to all [schools of] thought.

Word by word

kurute – does, performs; 3rd, sing, pres, √kṛ (1Ā)
gaṅgā-sāgara-gamanam – going to the confluence of the Gaṅgā
and the ocean, a pilgrimage; neut, acc, sing, TP
vrata-paripālanam – observation of vows; neut, acc, sing, TP
athavā – or, alternatively; adv, indec
dānam – charity, gift for religious merit; neut, acc, sing
jñāna-vihīnaḥ – devoid of [true] knowledge; masc, nom,
sing, TP
sarvamatena – by/with all thoughts, all schools of thought;
neut, inst, sing
muktim – release, liberation; fem, acc, sing
na – no, not; part, indec
bhajati – achieve, does not receive as his share; 3rd, sing, pres,
√bhaj (1P)
janma-śatena – with/in a hundred lifetimes; neut, inst, sing

सुरमन्दिरतरुमूलनिवासः शय्या भूतलमजिनं वासः ।
सर्वपरिग्रहभोगत्यागः कस्य सुखं न करोति विरागः ॥ १८ ॥

पदच्छेद

सुरमन्दिरतरुमूलनिवासः शय्या भूतलम् अजिनम् वासः सर्वपरिग्रहभोगत्यागः कस्य सुखम् न करोति विरागः ।

पदपरिचय

सुरमन्दिरतरुमूलनिवासः - सुराणां मन्दिरं सुरमन्दिरम्, सुरमन्दिरस्य तरुः सुरमन्दिरतरुः, तस्य मूलम्, सुरमन्दिरतरुमूलम्, सुरमन्दिरतरुमूले निवासः यस्य सः, सुरमन्दिरतरुमूलनिवासः,
अ, पुं, प्र, ए.व
शय्या - आ, स्त्री, प्र, ए.व
भूतलम् - भूः एव तलम्, भूतलम्, अ, नपुं, प्र, ए.व
अजिनम् - अ, नपुं, प्र, ए.व
वासः - अ, पुं, प्र, ए.व
सर्वपरिग्रहभोगत्यागः - परिग्रहाश्च भोगाश्च परिग्रहभोगाः, सर्वे च ते परिग्रहभोगाः, सर्वपरिग्रहभोगाः, सर्वपरिग्रहभोगानां त्यागः, सर्वपरिग्रहभोगत्यागः, अ, पुं, प्र, ए.व
कस्य - किम्, पुं, ष, ए.व
सुखम् - अ, नपुं, दवि, ए.व
न - अव्ययम्
करोति - डुकृञ् (करणे), लट्, प, प्र, ए.व
विरागः - अ, पुं, प्र, ए.व

अन्वय

सुरमन्दिरतरुमूलनिवासः, भूतलं शय्या, अजिनं वासः, सर्वपरिग्रहभोगत्यागः, विरागः (च) कस्य सुखं न करोति ।

Verse 18

suramandiratarumūlanivāsaḥ śayyā bhūtalamajinaṃ vāsaḥ |
sarvaparigrahabhogatyāgaḥ kasya sukhaṃ na karoti virāgaḥ ||

Words separated & Prose

Sura-mandira-taru-mūla-nivāsaḥ, bhūtalam śayyā, ajinam vāsaḥ,
sarvaparigrahabhogatyāgaḥ, virāgaḥ kasya sukham na karoti |

Translation

One who dwells under a tree or in a temple, whose bed is the
surface of the earth, whose garment is a deer-skin, who has
[thus] abandoned the enjoyment of all possessions – to which
such person does being desireless not bring delight?

Word by word

suramandiratarumūlanivāsaḥ – one whose dwelling is at the
base of a tree, in a temple; masc, nom, sing, BV
sura – deity, shining one; masc noun, ic
mandira – temple, resting place; neut noun, ic
taru – tree; masc noun, ic
mūla – root, base; neut noun, ic
nivāsaḥ – dwelling, habitation; masc noun, ifc
śayyā – bed; fem, nom, sing
bhū-talam – surface of the earth; neut, nom, sing, TP
ajinam – deerskin, garb of ascetic in ancient times; neut,
nom, sing
vāsaḥ – cladding, clothing; neut, nom, sing, TP
sarvaparigrahabhogatyāgaḥ – one who has renounced the
enjoyment of all possessions <u>or</u> one who has given up all
possessions and enjoyment; masc, nom, sing, TP
sarva – all; adj, ic
parigraha – possessions, acquisitions; masc noun, ic

bhoga – experience, enjoyment; masc noun, ic

tyāgaḥ – renunciation, abandonment; masc noun, ifc

kasya – of whom, to whom; masc, gen, sing, inter pron, *kim*

sukham – happiness, delight; neut, acc, sing

na – no, not; part, indec

karoti – does, brings, bestows; 3rd, sing, pres, √kṛ (1P)

virāgaḥ – dispassion, indifference to worldly things; masc, nom, sing

योगरतो वा भोगरतो वा सङ्गरतो वा सङ्गविहीनः ।
यस्य ब्रह्मणि रमते चित्तम् नन्दति नन्दति नन्दत्येव ॥ १९ ॥

पदच्छेद

योगरतः वा भोगरतः वा सङ्गरतः वा सङ्गविहीनः यस्य ब्रह्मणि रमते चित्तम् नन्दति नन्दति नन्दति एव ।

पदपरिचय

योगरतः - योगे रतः, योगरतः, अ, पुं, प्र, ए.व
वा - अव्ययम्
भोगरतः - भोगे रतः, भोगरतः, अ, पुं, प्र, ए.व
वा - अव्ययम्
सङ्गरतः - सङ्गे रतः, सङ्गरतः, अ, पुं, प्र, ए.व
वा - अव्ययम्
सङ्गविहीनः - सङ्गेन विहीनः, सङ्गविहीनः, अ, पुं, प्र, ए.व
यस्य - यद्, पुं, ष, ए.व
ब्रह्मणि - न, नपुं, स, ए.व
रमते - रमु (क्रीडायाम्), लट्, आ, प्र, ए.व
चित्तम् - अ, नपुं, प्र, ए.व
नन्दति - टुनदि (समृद्धौ), लट्, प, प्र, ए.व
नन्दति - टुनदि (समृद्धौ), लट्, प, प्र, ए.व
नन्दति - टुनदि (समृद्धौ), लट्, प, प्र, ए.व
एव - अव्ययम्

अन्वय

योगरतः वा, भोगरतः वा, सङ्गरतः वा, सङ्गविहीनः (वा), यस्य चित्तं
ब्रह्मणि रमते (सः) नन्दति, नन्दति, नन्दति एव ।

Verse 19

yogarato vā bhogarato vā saṅgarato vā saṅgavihīnaḥ |
yasya brahmaṇi ramate cittaṃ nandati nandati nandatyeva ||

Words separated

yoga-rataḥ vā bhoga-rataḥ vā saṅga-rataḥ vā saṅga-vihīnaḥ yasya brahmaṇi ramate cittam nandati nandati nandati eva |

Prose

yogarataḥ vā bhogarataḥ vā saṅgarataḥ vā saṅgavihīnaḥ yasya cittaṃ brahmaṇi ramate [saḥ] eva nandati nandati nandati

Translation

Be he intent upon yoga or find delight in [objects of] enjoyment, be delighted by company or solitude; he whose mind delights in *brahman*, only he is pleased, he is satisfied, he is glad.

Word by word

yoga-rataḥ – one who is engrossed in, enjoys yoga; masc, nom, sing, TP
vā – or; conj, indec
bhoga-rataḥ – one who is engrossed in enjoyment; masc, nom, sing, TP
vā – or; conj, indec
saṅga-rataḥ – one who is pleased by company, engrossed in company; masc, nom, sing, TP
vā – or; conj, indec
saṅga-vihīnaḥ – one who is without company, in solitude; masc, nom, sing, TP
yasya – of whom, whose; masc, gen, sing, rel pron, *yat*
brahmaṇi – in brahman, in the ultimate reality; neut, loc, sing

ramate – enjoys, delights, pleases; 3rd, sing, pres, √ram (1Ā)

cittam – mind, intelligence, heart; neut, nom, sing

nandati – rejoices, delights, is glad; 3rd, sing, pres, √nand (1P)

nandati – rejoices, delights, is glad; 3rd, sing, pres, √nand (1P)

nandati – rejoices, delights, is glad; 3rd, sing, pres, √nand (1P)

eva – only, indeed; indec

भगवद्गीता किञ्चिदधीता गङ्गाजललवकणिका पीता ।
सकृदपि येन मुरारिसमर्चा क्रियते तस्य यमेन न चर्चा ॥ २० ॥

पदच्छेद

भगवद्गीता किञ्चित् अधीता गङ्गाजललवकणिका पीता सकृत् अपि येन मुरारिसमर्चा क्रियते तस्य यमेन न चर्चा ।

पदपरिचय

भगवद्गीता - आ, स्त्री, प्र, ए.व
किञ्चित् - अव्ययम्
अधीता - आ, स्त्री, प्र, ए.व (क्तान्तम्)
गङ्गाजललवकणिका - गङ्गायाः जलम्, गङ्गाजलम्, लवस्य कणिका,
लवकणिका, गङ्गजलस्य लवकणिका, गङ्गाजललवकणिका, आ, स्त्री,
प्र, ए.व
पीता - आ, स्त्री, प्र, ए.व (क्तान्तम्)
सकृत् - अव्ययम्
अपि - अव्ययम्
येन - यद्, पुं, तृ, ए.व
मुरारिसमर्चा - मुरारेः समर्चा, मुरारिसमर्चा, आ, स्त्री, प्र, ए.व
क्रियते - डु कृञ् (करणे), लट्, आ, प्र, ए.व (कर्मणि)
तस्य - तद्, पुं, ष, ए.व
यमेन - अ, पुं, तृ, ए.व
न - अव्ययम्
चर्चा - आ, स्त्री, प्र, ए.व

अन्वय

(येन) भगवद्गीता किञ्चित् अधीता, (येन) गङ्गाजललवकणिका पीता,
येन सकृत् अपि मुरारिसमर्चा क्रियते, यमेन तस्य चर्चा न क्रियते ।

Verse 20

bhagavadgītā kiñcidadhītā gaṅgājalalavakaṇikā pītā |
sakṛdapi yena murārisamarcā kriyate tasya yamena na carcā ||

Words separated

bhagavadgītā kiñcit adhītā gaṅgā-jala-lava-kaṇikā pītā, sakṛt api
yena murārisamarcā kriyate tasya yamena na carcā |

Prose

(yena) bhagavadgītā kiñcit adhītā; (yena) gaṅgā-jala-lava-kaṇikā
pītā; yena sakṛt api murārisamarcā kriyate tasya yamena carcā
na [kriyate]

Translation

Death does not concern itself with one who has studied the
Bhagvad Gitā [even] a little, who has drunk the tiniest bit of
Gaṅgā-water, who has performed the worship of Murāri even
once.

Word by word

bhagavadgītā – song of the Lord; fem, nom, sing
kiñcit – a little, some; indec
adhītā – studied, read; fem, nom, sing, fem, ppp, adhi√i (2P)
gaṅgājalalavakaṇikā – a tiny portion of a particle of Gaṅgā's
water; fem, nom, sing
gaṅgā – holy river; fem prop, ic
jala – water; neut noun, ic
lava – particle, little bit; masc noun, ic
kaṇikā – drop, atom; fem noun, ifc
pītā – drunk; fem, nom, sing, fem, ppp, √pā (1P)
sakṛt – once; indec

api – also, indeed; conj, indec

yena – by the one, by him; masc, inst, sing, rel pron, *yat*

murārisamarcā – adoration, worship of Murāri/Govinda; fem, nom, sing, TP

murāri – masc epith, ic

samarcā – adoration, worship; fem noun, ifc

kriyate – is done, is performed; 3rd· sing, pass, √kṛ (8P)

tasya – of him, about him; masc, gen, sing, dem pron, *tad*

yamena – by Yama, by death; masc, inst, sing

na – no, not; part, indec

carcā – inquiry, concern oneself with; fem, nom, sing

पुनरपि जननं पुनरपि मरणम् पुनरपि जननीजठरे शयनम् ।
इह संसारे बहुदुस्तारे कृपयाऽपारे पाहि मुरारे ॥ २१ ॥

पदच्छेद

पुनः अपि जननम् पुनः अपि मरणम् पुनः अपि जननीजठरे शयनम् इह
संसारे बहुदुस्तारे कृपया अपारे पाहि मुरारे ।

पदपरिचय

पुनः - अव्ययम्
अपि - अव्ययम्
जननम् - अ, नपुं, प्र, ए.व
पुनः - अव्ययम्
अपि - अव्ययम्
मरणम् - अ, नपुं, प्र, ए.व
पुनः - अव्ययम्
अपि - अव्ययम्
जननीजठरे - जनन्याः जठरः, जननीजठरः, अ, पुं, स, ए.व
शयनम् - अ, नपुं, प्र, ए.व
इह - अव्ययम्
संसारे - अ, पुं, स, ए.व
बहुदुस्तारे - दुःखेन तार्यते इति दुस्तारः, बहुः दुस्तारः, बहुदुस्तारः, अ,
पुं, स, ए.व
कृपया - आ, स्त्री, तृ, ए.व
अपारे - अ, पुं, स, ए.व
पाहि - पा (रक्षणे), लोट्, प, म, ए.व
मुरारे - मुरस्य अरिः, मुरारिः, इ, पुं, सम्बो, ए.व

अन्वय

पुनः अपि जननं, पुनः अपि मरणं, पुनः अपि जननीजठरे शयनं (च) ।
मुरारे! (त्वम्) इह बहुदुस्तारे, अपारे, संसारे कृपया (माम्) पाहि ।

Verse 21

punarapi jananaṃ punarapi maraṇaṃ punarapi jananījaṭhare
śayanam |
iha saṃsāre bahudustāre kṛpayā'pāre pāhi murāre ||

Words separated

punaḥ api jananam punaḥ api maraṇam punaḥ api jananī-jaṭhare
śayanam iha saṃsāre bahudustāre kṛpayā apāre pāhi murāre |

Prose

punaḥ api jananaṃ, punaḥ api maraṇaṃ, punaḥ api jananījaṭhare
śayanam [ca] murāre, iha bahudustāre apāre saṃsāre kṛpayā
[mām] pāhi |

Translation

Birth again, death again, resting again in the mother's womb;
this cycle has no shore and is very difficult to cross. Murāri,
with your grace, protect me in this *saṃsāra*!

Word by word

punaḥ – again; adv, indec
api – also, indeed; conj, indec
jananam – birth; neut, nom, sing
punaḥ – again; adv, indec
api – also, indeed; conj, indec
maraṇam – death; neut, nom, sing
api – also, indeed; conj, indec
jananījaṭhare – in the womb of the mother; fem, loc, sing, TP
jananī – mother; fem noun, ic
jaṭharaḥ – stomach, abdomen, womb; masc noun, ifc
śayanam – resting, sleeping; neut, nom, sing

भजगोविन्दम्

iha – this; adv, indec

saṃsāre – world, cycle of birth and death; masc, loc, sing

bahu-dustāre – very difficult to cross; masc, loc sing, adj

kṛpayā – with/by your grace, favour, compassion; fem, inst, sing

apāre – without a shore; masc, loc, sing

pāhi – protect [me]; 2nd sing, imp, √pā (2P)

murāre – Murāri; masc, voc, sing

रथ्याचर्पटविरचितकन्थः पुण्यापुण्यविवर्जितपन्थः ।
योगी योगनियोजितचित्तो रमते बालोन्मत्तवदेव ॥ २२ ॥

पदच्छेद

रथ्याचर्पटविरचितकन्थः पुण्यापुण्यविवर्जितपन्थाः योगी
योगनियोजितचित्तः रमते बालोन्मत्तवत् एव ।

पदपरिचय

रथ्याचर्पटविरचितकन्थः - रथ्यायाः चर्पटः, रथ्याचर्पटः, रथ्याचर्पटेन
विरचिता कन्था यस्य सः, रथ्याचर्पटविरचितकन्थः, अ, पुं, प्र, ए.व
पुण्यापुण्यविवर्जितपन्थः - पुण्यं च अपुण्यं च पुण्यापुण्ये, पुण्यापुण्याभ्यां
विवर्जितः पन्थाः यस्य सः, पुण्यापुण्यविवर्जितपन्थः, अ, पुं, प्र, ए.व
योगी - न, पुं, प्र, ए.व
योगनियोजितचित्तः - योगे नियोजितम्, योगनियोजितम्, योगनियोजितं
चित्तं यस्य सः, योगनियोजितचित्तः, अ, पुं, प्र, ए.व
रमते - रमु (क्रीडायाम्), लट्, आ, प्र, ए.व
बालोन्मत्तवत् - अव्ययम्
एव - अव्ययम्

अन्वय

रथ्याचर्पटविरचितकन्थः, पुण्यापुण्यविवर्जितपन्थः, योगनियोजितचित्तः,
योगी बालोन्मत्तवत् एव रमते ।

Verse 22

rathyācarpaṭaviracitakanthaḥ puṇyāpuṇyavivarjitapanthaḥ |
yogī yoganiyojitacitto ramate bālonmattavadeva ||

Words separated & Prose

rathyā-carpaṭa-viracita-kanthaḥ puṇyāpuṇyavivarjitapanthaḥ yogī
yoga-niyojita-cittaḥ ramate bala-unmattavat eva |

Translation

The one whose patched garment is made with tatters from the
road, whose path is beyond good and bad, whose mind is fixed
on yoga, that yogi indeed rejoices as a wild child.

Word by word

rathyācarpaṭaviracitakanthaḥ – he whose garment is made
of rags found on the road; masc, nom, sing, BV
rathyā – road, of the road; fem noun, ic
carpaṭa – tatters, rags; masc noun, ic
viracita – made of, made with; ppp, vi√rac (10P), ic
kanthaḥ – patched garment; fem noun, (*kanthā*), ifc
puṇyāpuṇyavivarjitapanthaḥ – whose path excludes merit
and demerit; masc, nom, sing, BV
puṇya – merit, virtue; adj, ic
apuṇya – demerit, impure; adj, ic
vivarjita – avoided, free from, excluded; caus, ppp, vi√vṛj (7P)
panthaḥ – pathway; masc noun, (*pathin*), ifc
yogī – one who is engaged in yoga; masc, nom, sing
yoganiyojitacittaḥ – whose mind is bound to yoga; masc,
nom, sing, BV
yoga – yoga; masc noun, ic
niyojita – bound, fastened; ppp, ni√yuj (7P), ic

cittaḥ – mind, heart; neut noun, ifc
ramate – rejoices, is pleased; 3rd, sing, pres, √ram (1P)
bālonmattavat – crazed, mad, childlike; adv, indec
bāla – child, boy; masc noun
unmatta – mad, crazy; ppp, ut√mad (4P)
vat – like; suffix indicating likeness or quality
eva – indeed, thus; indec

कस्त्वं कोऽहं कुत आयातः का मे जननी को मे तातः ।
इति परिभावय सर्वमसारम् विश्वं त्यक्त्वा स्वप्नविचारम् ॥ २३ ॥

पदच्छेद

कः त्वम् कः अहं कुतः आयातः का मे जननी कः मे तातः इति परिभावय
सर्वम् असारम् विश्वम् त्यक्त्वा स्वप्नविचारम् ।

पदपरिचय

कः - किम्, पुं, प्र, ए.व
त्वम् - युष्मद्, प्र, ए.व
कः - किम्, पुं, प्र, ए.व
अहम् - अस्मद्, प्र, ए.व
कुतः - अव्ययम्
आयातः - अ, पुं, प्र, ए.व (क्तान्तम्)
का - किम्, स्त्री, प्र, ए.व
मे - अस्मद्, ष, ए.व
जननी - ई, स्त्री, प्र, ए.व
कः - किम्, पुं, प्र, ए.व
मे - अस्मद्, ष, ए.व
तातः - अ, पुं, प्र, ए.व
इति - अव्ययम्
परिभावय - परि + भू (सत्तायाम् - णिचि), लोट्, प, म, ए.व
सर्वम् - अ, नपुं, द्वि, ए.व
असारम् - अ, नपुं, द्वि, ए.व
विश्वम् - अ, नपुं, द्वि, ए.व
त्यक्त्वा - क्त्वान्तम् अव्ययम्
स्वप्नविचारम् - स्वप्नस्य विचारः, स्वप्नविचारः, अ, पुं, द्वि, ए.व

अन्वय

स्वप्नविचारं सर्वम् असारं विश्वं त्यक्त्वा, त्वं कः, अहं कः, कुतः
आयातः, मे जननी का, मे तातः कः इति परिभावय ।

112

Verse 23

kastvaṃ ko'haṃ kuta āyātaḥ kā me jananī ko me tātaḥ |
iti paribhāvaya sarvamasāram viśvaṃ tyaktvā svapnavicāram ||

Words separated

kaḥ tvam kaḥ aham kutaḥ āyātaḥ kā me jananī kaḥ me tātaḥ iti paribhāvaya sarvam asāram viśvam tyaktvā svapnavicāram |

Prose

svapnavicāram asāram viśvam sarvam tyaktvā, tvam kaḥ, aham kaḥ, kutaḥ āyātaḥ, me jananī kā, me tātaḥ kaḥ iti paribhāvaya |

Translation

Having abandoned this world, knowing it to be without essence, to be the reflection of a dream, consider: *Who am I? Who are you? Where have I come from? Who is my mother, and who is my father?*

Word by word

kaḥ – who; masc, nom, sing, inter pron, *kim*
tvam – you; nom, sing, per pron, *yuṣmad*
kaḥ – who; masc, nom, sing, inter pron, *kim*
aham – I; nom, sing, per pron, *asmad*
kutaḥ – from where; adv, indec
āyātaḥ – arrived, come from; masc, nom, sing, ppp, ā√yā (2P)
kā – who; fem, nom, sing, inter pron, *kim*
me – my; gen, sing, per pron, enc, *asmad*
jananī – mother; fem, nom, sing
kaḥ – who; masc, nom, sing, inter pron, *kim*
me – my; gen, sing, pron, enc, *asmad*
tātaḥ – father; masc, nom, sing

भजगोविन्दम्

iti – this; indec

paribhāvaya – consider, think; 2nd, sing, imp, caus, pari√bhū (1P)

sarvam – all, entire; neut, acc, sing, adj

asāram – without essence; neut, acc, sing, adj

viśvam – world; neut, acc, sing

tyaktvā – having abandoned; ger, √tyaj (1P), indec

svapnavicāram – reflection of a dream, born of a dream; masc, acc, sing, TP

त्वयि मयि चान्यत्रैको विष्णुः व्यर्थं कुप्यसि मय्यसहिष्णुः ।
भव समचित्तः सर्वत्र त्वम् वाञ्छस्यचिराद्यदि विष्णुत्वम् ॥ २४ ॥

पदच्छेद

त्वयि मयि च अन्यत्र एकः विष्णुः व्यर्थम् कुप्यसि मयि असहिष्णुः भव समचित्तः सर्वत्र त्वम् वाञ्छसि अचिरात् यदि विष्णुत्वम् ।

पदपरिचय

त्वयि - युष्मद्, स, ए.व
मयि - अस्मद्, स, ए.व
च - अव्ययम्
अन्यत्र - अव्ययम्
एकः - अ, पुं, प्र, ए.व
विष्णुः - उ, पुं, प्र, ए.व
व्यर्थम् - अव्ययम्
कुप्यसि - कुप (क्रोधे), लट्, प, म, ए.व
मयि - अस्मद्, स, ए.व
असहिष्णुः - न सहिष्णुः, असहिष्णुः, उ, पुं, प्र, ए.व
भव - भू (सत्तायाम्), लोट्, प, म, ए.व
समचित्तः - समं चित्तं यस्य सः, समचित्तः, अ, पुं, प्र, ए.व
सर्वत्र - अव्ययम्
त्वम् - युष्मद्, प्र, ए.व
वाञ्छसि - वाछि (इच्छायाम्), लट्, प, म.पु, ए.व
अचिरात् - अव्ययम्
यदि - अव्ययम्
विष्णुत्वम् - अ, नपुं, द्वि, ए.व

अन्वय

त्वयि, मयि, अन्यत्र च, एकः विष्णुः । मयि असहिष्णुः (त्वम्) व्यर्थं कुप्यसि । यदि त्वम् अचिरात् विष्णुत्वं वाञ्छसि, (तर्हि) सर्वत्र समचित्तः भव ।

Verse 24

tvayi mayi cānyatraiko viṣṇuḥ vyarthaṃ kupyasi mayyasahiṣṇuḥ |
bhava samacittaḥ sarvatra tvaṃ vāñchasyacirādyadi viṣṇutvam ||

Words separated

tvayi mayi ca anyatra ekaḥ viṣṇuḥ vyartham kupyasi mayi a-sahiṣṇuḥ bhava sama-cittaḥ sarvatra tvam vāñchasi acirāt yadi viṣṇutvam

Prose

tvayi, mayi, anyatra ca, ekaḥ viṣṇuḥ; asahiṣṇuḥ vyartham mayi [tvam] kupyasi; yadi tvam acirāt viṣṇutvam vāñchasi, [tarhi] sarvatra samacittaḥ bhava.

Translation

In you, in me, elsewhere, there is [but] one Viṣṇu; impatient, you are annoyed with me needlessly. If you wish to attain Viṣṇu-hood quickly, be even-minded in all.

Word by word

tvayi – in you; loc, sing, per pron, *yuṣmad*
mayi – in me; loc, sing, per pron, *asmad*
ca – and; conj, indec
anyatra – elsewhere; adv, indec
ekaḥ – one; masc, nom, sing, num, adj
viṣṇuḥ – Viṣṇu; masc, nom, sing, prop
vyartham – needlessly, uselessly; adv, indec
kupyasi – you are angry; 2nd, sing, pres, √kup (4P)
mayi – in me/on me; loc, sing, per pron, *asmad*
asahiṣṇuḥ – impatient; masc, nom, sing, adj
bhava – be, become; 2nd, sing, imp, √bhū (1P)

117

samacittaḥ – even-minded, equanimous; masc, nom, sing, adj
sarvatra – everywhere, in every case; adv, indec
tvam – you; nom, sing, *yuṣmad*
vāñchasi – you wish, desire; 2nd, sing, pres, √vāñch (1P)
acirāt – without delay, quickly; adv, indec
yadi – if; conj, indec
viṣṇutvam – the state of being Viṣṇu, Viṣṇu-hood; neut, acc, sing

शत्रौ मित्रे पुत्रे बन्धौ मा कुरु यत्नं विग्रहसन्धौ ।
सर्वस्मिन्नपि पश्यात्मानम् सर्वत्रोत्सृज भेदज्ञानम् ॥ २५ ॥

पदच्छेद

शत्रौ मित्रे पुत्रे बन्धौ मा कुरु यत्नम् विग्रहसन्धौ सर्वस्मिन् अपि पश्य आत्मानम् सर्वत्र उत्सृज भेदज्ञानम् ।

पदपरिचय

शत्रौ - उ, पुं, स, ए.व
मित्रे - अ, नपुं, स, ए.व
पुत्रे - अ, पुं, स, ए.व
बन्धौ - उ, पुं, स, ए.व
मा - अव्ययम्
कुरु - डुकृञ् (करणे), लोट्, प, म, ए.व
यत्नम् - अ, पुं, द्वि, ए.व
*विग्रहसन्धौ - विग्रहश्च सन्धिश्च, विग्रहसन्धिः, इ, पुं, स, ए.व
सर्वस्मिन् - अ, पुं, स, ए.व
अपि - अव्ययम्
पश्य - दृशिर् (प्रेक्षणे), लोट्, प, म.पु, ए.व
आत्मानम् - न, पुं, द्वि, ए.व
सर्वत्र - अव्ययम्
उत्सृज - उत् + सृज (विसर्गे), लोट्, प, म.पु, ए.व
भेदज्ञानम् - भेदस्य ज्ञानम्, भेदज्ञानम्, अ, नपुं, द्वि, ए.व

(अवधेयम् - विग्रहसन्धिः, विग्रहसन्धौ चेति प्रथमाविभक्तिः, अत्र आर्षप्रयोगः)

अन्वय

(त्वम्) शत्रौ, मित्रे, पुत्रे, बन्धौ विग्रहसन्धौ यत्नं मा कुरु । सर्वस्मिन् अपि आत्मानं पश्य । सर्वत्र भेदज्ञानम् उत्सृज ।

Verse 25

śatrau mitre putre bandhau mā kuru yatnaṃ vigrahasandhau |
sarvasminnapi paśyātmānaṃ sarvatrotsṛja bhedājñānam ||

Words separated

śatrau mitre putre bandhau mā kuru yatnam vigraha-sandhau
sarvasmin api paśya ātmānam sarvatra utsṛja bheda-ajñānam |

Prose

[tvam] śatrau mitre putre bandhau vigraha-sandhau yatnam mā
kuru; sarvasmin api ātmānam paśya; sarvatra bheda-ajñānam
utsṛja |

Translation

Do not make an effort to separate yourself from or attach
yourself to an enemy, a friend, a relative, a son; see the self
in everything, and give up the false sense of otherness in
every case.

Word by word

śatrau – with reference to the enemy; masc, loc, sing
mitre – with reference to a friend; neut, loc, sing
putre – with reference to son; masc, nom, sing
bandhau – with reference to a relative; masc, loc, sing
mā – do not; part, adv
kuru – do, make; 2nd, sing, imp, √kṛ (8P)
yatnam – effort; masc, acc, sing
vigraha-sandhau – separation and joining; masc, nom, dual,
DV*
sarvasmin – in everything; masc, loc, sing
api – also; conj, indec

भजगोविन्दम्

ātmānam – yourself; masc, acc, sing
paśya – see; 2nd, sing, imp, √dṛś (4P)
sarvatra – everywhere, in every case; adv, indec
utsṛja – cease, stop; 2nd, sing, imp, ut√sṛj (6P)
bheda-ajñānam – ignorance that causes the sense of difference, separation; neut, acc, sing, TP

the composer uses this copulative compound as a locative of reference

कामं क्रोधं लोभं मोहं त्यक्त्वात्मानं भावय कोऽहम् ।
आत्मज्ञानविहीना मूढास्ते पच्यन्ते नरकनिगूढाः ॥ २६ ॥

पदच्छेद

कामम् क्रोधम् लोभम् मोहम् त्यक्त्वा आत्मानम् भावय कः अहम् आत्मज्ञानविहीनाः मूढाः ते पच्यन्ते नरकनिगूढाः ।

पदपरिचय

कामम् - अ, पुं, द्वि, ए.व
क्रोधम् - अ, पुं, द्वि, ए.व
लोभम् - अ, पुं, द्वि, ए.व
मोहम् - अ, पुं, द्वि, ए.व
त्यक्त्वा - क्त्वान्तम् अव्ययम्
आत्मानम् - न्, पुं, द्वि, ए.व
भावय - भू (सत्तायाम्), लोट्, प, म, ए.व (णिचि)
कः - किम्, पुं, प्र, ए.व
अहम् - अस्मद्, प्र, ए.व
आत्मज्ञानविहीनाः - आत्मनः ज्ञानम्, आत्मज्ञानम्, आत्मज्ञानेन विहीनः, आत्मज्ञानविहीनः,
अ, पुं, प्र, ब.व
मूढाः - अ, पुं, प्र, ब.व
ते - तद्, पुं, प्र, ब.व
पच्यन्ते - डुपचष् (पाके), लट्, आ, म, ब.व (कर्मणि)
नरकनिगूढाः - नरके निगूढः, नरकनिगूढः, अ, पुं, प्र, ब.व

अन्वय

कामम्, क्रोधम्, लोभम्, मोहम् (च) त्यक्त्वा अहं कः (इति) आत्मानं भावय । ते आत्मज्ञानविहीनाः मूढाः नरकनिगूढाः पच्यन्ते ।

Verse 26

kāmaṃ krodhaṃ lobhaṃ mohaṃ tyaktvātmānaṃ bhāvaya ko'ham l
ātmajñānavihīnā mūḍhāḥ te pacyante narakanigūḍhāḥ ॥ 27 ॥

Words separated

kāmam krodham lobham moham tyaktvā ātmānam bhāvaya kaḥ aham ātma-jñāna-vihīnāḥ mūḍhāḥ te pacyante naraka-nigūḍhāḥ l

Prose

kāmam krodham lobham moham tyaktvā, kaḥ aham ātmānam bhāvaya; te ātma-jñāna-vihīnāḥ mūḍhāḥ naraka-nigūḍhāḥ pacyante l

Translation

Abandoning desire, anger, greed and delusion, consider: *Who am I?* Those fools who lack self-knowledge are tormented [in] invisible hells.

Word by word

kāmam – desire; masc, acc, sing
krodham – anger; masc, acc, sing
lobham – greed; masc, acc, sing
moham – delusion; masc, acc, sing
tyaktvā – having abandoned; ger, √tyaj (1P), indec
ātmānam – one's self; mac, acc, sing
bhāvaya – cause yourself to know, consider; 2nd, sing, imp, caus, √bhū (iP)
kaḥ – who; masc, nom, sing, inter pron, *kim*
aham – I; nom, sing, pron, *asmad*

भजगोविन्दम्

126

ātma-jñāna-vihīnāḥ – those who are devoid of self-knowledge; masc, nom, pl, TP

mūḍhāḥ – fools, deluded ones; masc, nom, pl

te – they; masc, nom, pl, demons pron, *tad*

pacyante – are tormented, are heated; 3rd pl, pass, √pac (1U)

naraka-nigūḍhāḥ – concealed, hidden hells; masc, nom, pl, TP

गेयं गीता नामसहस्रम् ध्येयं श्रीपतिरूपमजस्रम् ।
नेयं सज्जनसङ्गे चित्तम् देयं दीनजनाय च वित्तम् ॥ २७ ॥

पदच्छेद

गेयम् गीता नामसहस्रम् ध्येयम् श्रीपतिरूपम् अजस्रम् नेयम् सज्जनसङ्गे
चित्तम् देयम् दीनजनाय च वित्तम् ।

पदपरिचय

गेयम् - अ, नपुं, प्र, ए.व
गीता - आ, स्त्री, प्र, ए.व
नामसहस्रम् - नाम्नां सहस्रम्, नामसहस्रम्, अ, नपुं, प्र, ए.व
ध्येयम् - अ, नपुं, प्र, ए.व
श्रीपतिरूपम् - श्रीपतेः रूपम्, श्रीपतिरूपम्, अ, नपुं, प्र, ए.व
अजस्रम् - अव्ययम्
नेयम् - अ, नपुं, प्र, ए.व
सज्जनसङ्गे - सज्जनानां सङ्गः, सज्जनसङ्गः, अ, पुं, स, ए.व
चित्तम् - अ, नपुं, प्र, ए.व
देयम् - अ, नपुं, प्र, ए.व
दीनजनाय - दीनः जनः, दीनजनः, अ, पुं, च, ए.व
च - अव्ययम्
वित्तम् - अ, नपुं, प्र, ए.व

अन्वय

गीता नामसहस्रं (च) गेयम्, श्रीपतिरूपम् अजस्रं ध्येयम्, सज्जनसङ्गे
चित्तं नेयम्, दीनजनाय वित्तं देयं च ।

Verse 27

geyaṃ gītā nāmasahasraṃ dhyeyaṃ śrīpatirūpamajasram |
neyaṃ sajjanasaṅge cittaṃ deyaṃ dīnajanāya ca vittam ||

Words separated

geyam gītā nāma-sahasram dhyeyam śrīpati-rūpam ajasram neyam
sajjana-saṅge cittam deyam dīna-janāya ca vittam |

Prose

gītā nāmasahasram [ca] geyam, śrīpatirūpam ajasram dhyeyam,
sajjanasaṅge cittam neyam, dīnajanāya vittam deyam ca |

Translation

The *Gītā* and *Sahasranāma* are to be chanted; the form of the
husband of Lakṣmī is to be meditated upon; the mind should
be led to the company of good people and wealth should be
given [in charity] to the poor.

Word by word

geyam – should be sung; neut, nom, sing, g*ive, √gai (1P)
gītā – song, that which has been sung; fem, nom, sing, ppp,
√gai (1P)
nāma-sahasram – thousand names, usually of a deity; neut,
nom, sing, TP
dhyeyam – should be meditated upon; neut, nom, sing, g*ive,
√dhyā (4P)
śrīpatirūpam – the form of the lord of Śrī; neut, nom, sing
ajasram – perpetually; adv, indec
neyam – lead, ought to be led; neut, nom, sing, g*ive, √nī (1P)
saj-jana-saṅge – into the company of good people; masc, loc,
sing, TP

129

भजगोविन्दम्

130

cittam – mind, heart; neut, nom, sing
deyam – ought to be given; neut, nom, sing, g*ive, √dā (3P)
dīna-janāya – to/for poor people; masc, dat, sing, KD
ca – and; conj, indec
vittam – wealth, money; neut, nom, sing

सुखतः क्रियते रामाभोगः पश्चाद्धन्त शरीरे रोगः ।
यद्यपि लोके मरणं शरणम् तदपि न मुञ्चति पापाचरणम् ॥ २८ ॥

पदच्छेद

सुखतः क्रियते रामाभोगः पश्चात् हन्त शरीरे रोगः यद्यपि लोके मरणम्
शरणम् तदपि न मुञ्चति पापाचरणम् ।

पदपरिचय

सुखतः - अव्ययम्
क्रियते - डुकृञ् (करणे), लट्, आ, प्र, ए.व (कर्मणि)
रामाभोगः - रामायाः भोगः, रामाभोगः, अ, पुं, प्र, ए.व
पश्चात् - अव्ययम्
हन्त - अव्ययम्
शरीरे - अ, नपुं, स, ए.व
रोगः - अ, पुं, प्र, ए.व
यद्यपि - अव्ययम्
लोके - अ, पुं, स, ए.व
मरणम् - अ, नपुं, प्र, ए.व
शरणम् - अ, नपुं, प्र, ए.व
तत् - तद्, नपुं, प्र, ए.व.
अपि - अव्ययम्
न - अव्ययम्
मुञ्चति - मुचि (कल्कने), लट्, प, प्र, ए.व
पापाचरणम् - पापस्य आचरणम्, पापाचरणम्, अ, नपुं, द्वि, ए.व

अन्वय

सुखतः रामाभोगः क्रियते । हन्त, पश्चात् शरीरे रोगः (भवति) । यद्यपि
लोके मरणं शरणं, तत् अपि (तदपि) पापाचरणं न मुञ्चति ।

Verse 28

sukhataḥ kriyate rāmābhogaḥ paścāddhanta śarīre rogaḥ I
yadyapi loke maraṇaṃ śaraṇaṃ tadapi na muñcati pāpācaraṇam II

Words separated & Prose

sukhataḥ kriyate rāmābhogaḥ paścāt hanta śarīre rogaḥ yadyapi loke maraṇam śaraṇam tadapi pāpācaraṇam na muñcati I

Translation

Happily, [carnal] pleasures are enjoyed with a woman; alas, later disease arises in the body; in this world death [is the final] refuge, yet one does not let go of sinful behaviour.

Word by word

sukhataḥ – happily, joyfully; adv, indec
kriyate – is done, is performed; 3rd, sing, pass, √kṛ (8P)
rāmābhogaḥ – enjoyment of a woman; masc, nom, sing, TP
rāmā – young woman, charming, mistress; fem noun, ic
bhogaḥ – enjoyment; masc noun, ifc
paścāt – after, later; adv, indec
hanta – alas, oh; exclamation, indec
śarīre – in the body; neut, loc, sing
rogaḥ – disease; masc, nom, sing
yadyapi – even though, although; indec
loke – world; masc, loc, sing
maraṇam – death; neut, nom, sing
śaraṇam – refuge, place of rest; neut, nom, sing
tadapi – even so, nevertheless; indec
na – no, not; part, indec
muñcati – lets go, gives up; 3rd, sing, pres, √muc (6P)
pāpācaraṇam – bad behaviour, evil conduct; neut, acc, sing, TP
pāpa – evil, wicked, vile; masc noun, ic
ācaraṇam – conduct, behaviour; neut noun, ifc

अर्थमनर्थं भावय नित्यम् नास्ति ततः सुखलेशः सत्यम् ।
पुत्रादपि धनभाजां भीतिः सर्वत्रैषा विहिता रीतिः ॥ २९ ॥

पदच्छेद

अर्थम् अनर्थम् भावय नित्यम् न अस्ति ततः सुखलेशः सत्यम् पुत्रात्
अपि धनभाजाम् भीतिः सर्वत्र एषा विहिता रीतिः ।

पदपरिचय

अर्थम् - अ, पुं, द्वि, ए.व
अनर्थम् - न अर्थः अनर्थः, अ, पुं, द्वि, ए.व
भावय - भू (सत्तायाम्), लोट्, प, म, ए.व (णिचि)
नित्यम् - अव्ययम्
न - अव्ययम्
अस्ति - अस (भुवि), लट्, प, प्र, ए.व
ततः - अव्ययम्
सुखलेशः - सुखस्य लेशः, सुखलेशः, अ, पुं, प्र, ए.व
सत्यम् - अ, नपुं, प्र, ए.व
पुत्रात् - अ, पुं, प, ए.व
अपि - अव्ययम्
धनभाजाम् - धनस्य भाक्, धनभाक्, ज, पुं, ष, ब.व
भीतिः - इ, स्त्री, प्र, ए.व
सर्वत्र - अव्ययम्
एषा - आ, स्त्री, प्र, ए.व
विहिता - आ, स्त्री, प्र, ए.व (क्तान्तम्)
रीतिः - इ, स्त्री, प्र, ए.व

अन्वय

अर्थं नित्यं अनर्थं भावय । सत्यं, ततः सुखलेशः (अपि) नास्ति । पुत्राद्
अपि धनभाजां भीतिः (भवति) । एषा रीतिः सर्वत्र विहिता (अस्ति) ।

Verse 29

arthamanartham bhāvaya nityaṃ nāsti tataḥ sukhaleśaḥ satyam |
putrādapi dhanabhājāṃ bhītiḥ sarvatraiṣā vihitā rītiḥ ||

Words separated & Prose

artham nityam anartham bhāvaya na asti tataḥ sukhaleśaḥ, satyam; putrāt api dhanabhājām bhītiḥ sarvatra eṣā vihitā rītiḥ |

Translation

Always consider wealth worthless. Truth is, there is not a trace of happiness in it. The rich fear even a son; this is the established custom everywhere.

Word by word

artham – wealth, money; masc, acc, sing
anartham – worthless, useless, calamity; masc, acc, sing, nañ
bhāvaya – consider; 3rd, sing, imp, caus, √bhū (1P)
nityam – always, perpetually; adv, indec
na – no, not; part, indec
asti – is; 3rd, sing, pres, √as (2P)
tataḥ – from it, thither; abl, indec
sukhaleśaḥ – a trace of happiness; masc, nom, sing, TP
sukha – happiness, joy; masc noun, ic
leśaḥ – trace, tiny amount; masc noun, ifc
satyam – true, real, reality; neut, nom, sing
putrāt – from/of the son; masc, abl, sing
api – even, also; conj, indec
dhanabhājām – of those who enjoy wealth, the rich; masc, gen, pl
dhana – wealth, money; neut noun
bhājām – of those who enjoy; masc noun, *(bhāk)*, ifc

भजगोविन्दम्

136

bhītiḥ – fear; fem, nom, sing
sarvatra – everywhere, in all cases; indec
eṣā – this; fem, nom, sing, dem pron, *etad*
vihitā – established, ordained; fem, nom, sing, ppp, vi√dhā (3P)
rītiḥ – custom, practice; fem, nom, sing

प्राणायामं प्रत्याहारम् नित्यानित्यविवेकविचारम् ।
जाप्यसमेतसमाधिविधानम् कुर्ववधानं महदवधानम् ॥ ३० ॥

पदच्छेद

प्राणायामम् प्रत्याहारम् नित्यानित्यविवेकविचारम्
जाप्यसमेतसमाधिविधानम् कुरु अवधानम् महदवधानम् ।

पदपरिचय

प्राणायामम् - प्राणानाम् आयामः, प्राणायामः, अ, पुं, द्वि, ए.व
प्रत्याहारम् - अ, पुं, द्वि, ए.व
नित्यानित्यविवेकविचारम् - नित्यं च अनित्यं च नित्यानित्ये, नित्यानित्ययोः विवेकः, नित्यानित्यविवेकः, नित्यानित्यविवेकस्य विचारः, नित्यानित्यविवेकविचारः, अ, पुं, द्वि, ए.व
जाप्यसमेतसमाधिविधानम् - जाप्येन समेतं जाप्यसमेतम्, समाधेः विधानम्, समाधिविधानम्, जाप्यसमेतं समाधिविधानम्, जाप्यसमेतसमाधिविधानम्, अ, नपुं, द्वि, ए.व
कुरु - डुकृञ् (करणे), लोट्, प, म, ए.व
अवधानम् - अ, नपुं, द्वि, ए.व
महदवधानम् - महत् अवधानम्, महदवधानम्, अ, नपुं, द्वि, ए.व

अन्वय

(त्वम्) प्राणायामम्, प्रत्याहारम्, नित्यानित्यविवेकविचारम्, जाप्यसमेतसमाधिविधानं (च) कुरु । (त्वम्) (तेषु) अवधानं कुरु, महदवधानं (कुरु) ।

Verse 30

prāṇāyāmaṃ pratyāhāraṃ nityānityavivekavicāram |
jāpyasametasamādhividhānaṃ kurvavadhānaṃ mahadavadhānam ||

Words separated

prāṇāyāmam pratyāhāram nitya-anitya-viveka-vicāram jāpya-
sameta-samādhi-vidhānam kuru avadhānam mahad-avadhānam |

Prose

[tvam] prāṇāyāmam pratyāhāram nitya-anitya-viveka-vicāra,
jāpya-sameta-samādhi-vidhānam [ca] kuru; [tvam teṣu]
avadhānam, mahad-avadhānam kuru |

Translation

Practice control of breath and withdrawal of senses; deliberate
on the distinction between the permanent and the transitory;
perform meditation along with uttering prayers; [with]
attention, great attention!

Word by word

prāṇāyāmam – control of the breath; masc, acc, sing
pratyāhāram – withdrawal of the senses; masc, acc, sing
nityānityavivekavicāram – reflection on the difference
between the permanent and the impermanent; masc, acc,
sing, TP
nitya – perpetual, permanent, eternal; adj, ic
anitya – impermanent, transitory; adj, ic
viveka – investigation, distinction; masc noun, ic
vicāram – deliberation, consideration; masc noun, ifc
jāpyasametasamādhividhānam – performance of meditation
with uttering of prayers; neut, acc, sing, TP

jāpya – to be muttered, uttered, prayer; g*ive, √jap (1P), ic

sameta – having come together, coming together with; ppp, sam√i (2P), ic

samādhi – meditation, intense fixing of mind; masc noun, ic

vidhānam – performance, accomplishing; neut noun, ifc

kuru – do, perform; 2nd, sing, imp, √kṛ (8P)

avadhānam – intentness, attentiveness; neut, acc, sing

mahad-avadhānam – great attentiveness; neut, acc, sing, KD

गुरुचरणाम्बुजनिर्भरभक्तः संसारादचिराद्भव मुक्तः ।
सेन्द्रियमानसनियमादेवम् द्रक्ष्यसि निजहृदयस्थं देवम् ॥ ३१ ॥

पदच्छेद

गुरुचरणाम्बुजनिर्भरभक्तः   संसारात्   अचिरात्   भव   मुक्तः
सेन्द्रियमानसनियमात् एवम् द्रक्ष्यसि निजहृदयस्थम् देवम् ।

पदपरिचय

गुरुचरणाम्बुजनिर्भरभक्तः - गुरोः चरणः गुरुचरणः, गुरुचरणः एव
अम्बुजम्, गुरुचरणाम्बुजम्, निर्भरा भक्तिः, निर्भरभक्तिः, गुरुचरणाम्बुजे
निर्भरभक्तिः यस्य सः, गुरुचरणाम्बुजनिर्भरभक्तः, अ, पुं, प्र, ए.व
संसारात् - अ, पुं, प, ए.व
अचिरात् - अव्ययम्
भव - भू (सत्तायाम्), लोट्, प, म, ए.व
मुक्तः - मुक्तः, अ, पुं, प्र, ए.व (क्तान्तम्)
सेन्द्रियमानसनियमात् - इन्द्रियाणि मानसं च इन्द्रियमानसम्, इन्द्रियमानसेन
सह, सेन्द्रियमानसम्, सेन्द्रियमानसस्य नियमः, सेन्द्रियमानसनियमः, अ,
पुं, प, ए.व
एवम् - अव्ययम्
द्रक्ष्यसि - दृशिर् (प्रेक्षणे), लृट्, प, म, ए.व
निजहृदयस्थम् - निजं हृदयम्, निजहृदयम्, यः निजहृदये तिष्टति सः,
निजहृदयस्थः,
अ, पुं, द्वि, ए.व
देवम् - अ, पुं, द्वि, ए.व

अन्वय

गुरुचरणाम्बुजनिर्भरभक्तः, संसारात् अचिरात् मुक्तः भव । एवं
सेन्द्रियमानसनियमात् (त्वम्) निजहृदयस्थं देवम् द्रक्ष्यसि ।

Verse 31

gurucaraṇāmbujanirbharabhaktaḥ saṃsārādacirādbhava muktaḥ |
sendriyamānasaniyamādevaṃ drakṣyasi nijahṛdayasthaṃ devam ||

Words separated & Prose

guru-caraṇa-ambuja-nirbhara-bhaktaḥ, (tvam) samsārāt acirāt muktaḥ bhava; sa-indriya-mānasa-niyamāt, evam drakṣyasi nija-hṛdaya-stham devam |

Translation

Ardently devoted to the lotus feet of the guru, be speedily released from the cycle of birth and death; through the discipline of sense organs and the mind, you will see the lord situated in your own heart.

Word by word

gurucaraṇāmbujanirbharabhaktaḥ – deeply devoted to the lotus feet of the guru; masc, nom, sing, TP
guru – teacher, preceptor; masc noun, ic
caraṇa – foot/feet; masc, neut noun, ic
ambuja – born of water, lotus; masc/neut noun, ic
nirbhara – excessive, deep, ardent; adj, ic
bhaktaḥ – devoted, faithful; masc adj, ppp, √bhaj (1P), ifc
saṃsārāt – from this world/cycle of birth and death; masc, abl, sing
acirāt – without delay, soon, speedily; indec
bhava – be; 2nd, sing, imp, √bhū (1P)
muktaḥ – free, released; masc, nom, sing, adj, ppp, √muc (6P)
sendriyamānasaniyamāt – as a result of mental discipline [and that of] the sense organs; masc, abl, sing, TP
sa – with, accompanied by; (*saha,* ic)
indriya – sense organ(s); neut noun, ic

mānasa – of the mind; adj, ic

niyamāt – from/with discipline; masc noun, ifc

evam – in this way; indec

drakṣyasi – you will see; 2nd, sing, fut, √dṛś (4P)

nijahṛdayastham – situated in your own heart; masc, acc, sing, TP

nija – innate, one's own; adj, ic

hṛdaya – heart; neut noun, ic

stham – situated, standing; bound form, √sthā (1P), ifc

devam – lord, god; masc, acc, sing

मूढः कश्चन वैयाकरणो डुकृञ्करणाध्ययनधुरीणः ।
श्रीमच्छङ्करभगवच्छिष्यैर्बोधित आसीच्छोधितकरणः ॥ ३२ ॥

पदच्छेद

मूढः कश्चन वैयाकरणः डुकृञ्करणाध्ययनधुरीणः श्रीमच्छङ्करभगवच्छिष्यैः
बोधितः आसीत् शोधितकरणः ।

पदपरिचय

मूढः - अ, पुं, प्र, ए.व
कश्चन - अव्ययम्
वैयाकरणः - अ, पुं, प्र, ए.व
डुकृञ्करणाध्ययनधुरीणः - डुकृञ्करणस्य (व्याकरणशास्त्रस्य) अध्ययनम्,
डुकृञ्करणाध्ययनम्, डुकृञ्करणाध्ययने धुरीणः, डुकृञ्करणाध्ययनधुरीणः,
अ, पुं, प्र, ए.व
श्रीमच्छङ्करभगवच्छिष्यैः - श्रीमान् चासौ शङ्करश्च श्रीमच्छङ्करः, स एव
भगवान् श्रीमच्छङ्करभगवान्, तस्य शिष्याः, श्रीमच्छङ्करभगवच्छिष्याः,
अ, पुं, तृ, ब.व
बोधितः - अ, पुं, प्र, ए.व (क्तान्तम्)
आसीत् - अस (भुवि), लङ्, प, प्र.पु, ए.व
शोधितकरणः - शोधितं करणं यस्य सः, शोधितकरणः, अ, पुं, प्र, ए.व

अन्वय

डुकृञ्करणाध्ययनधुरीणः, कश्चन मूढः वैयाकरणः श्रीमच्छङ्करभगवच्छिष्यैः
बोधितः शोधितकरणः आसीत् ।

Verse 32

mūḍhaḥ kaścana vaiyākarano ḍukṛñkaraṇādhyayanadhurīṇaḥ ।
śrīmacchaṅkarabhagavacchiṣyairbodhita āsīcchodhitakaraṇaḥ ॥

Words separated

mūḍhaḥ kaścana vaiyākaraṇaḥ ḍukṛñkaraṇa-adhyayana-dhurīṇaḥ
śrīmad śaṅkara bhagavad śiṣyaiḥ bodhitaḥ āsīt śodhita-karaṇaḥ ।

Prose

kaścana mūḍhaḥ vaiyākaraṇaḥ ḍukṛñkaraṇa-adhyayana-dhurīṇaḥ
śodhita-karaṇaḥ bodhitaḥ āsīt śrīmad śaṅkara bhagavad śiṣyaiḥ ।

Translation

A foolish grammarian was engrossed in grammar; he was made aware of and cleansed by the students of *bhagavān* Śri Śaṅkarācārya.

Word by word

mūḍhaḥ – foolish, fool; masc, nom, sing
kaścana – some, one; indec
vaiyākaraṇaḥ – grammarian; masc, nom, sing
ḍukṛñkaraṇādhyayanadhurīṇaḥ – yoked to the study of '*ḍukṛñkaraṇa*'; masc, nom, sing, TP
ḍukṛñkaraṇa – grammatical formula of √kṛ
adhyayana – study; neut noun, ic
dhurīṇaḥ – harnessed, yoked; masc noun, ifc
śrīmacchaṅkarabhagavacchiṣyaiḥ – by the students of Śrimad Śaṅkarācārya; masc, inst, pl, TP
śrimad – characterized by splendour; adj, ic
śaṅkarācārya – Śaṅkarācārya; masc, prop, ic
bhagavad – glorious, illustrious, divine; adj, ic

भजगोविन्दम्

148

śiṣyaiḥ – by the students; masc, inst, pl

bodhitaḥ – informed, awakened; masc, nom, sing, caus, ppp, √budh (1P)

āsīt – was; 3rd, sing, impf, √as (2P)

śodhitakaraṇaḥ – one who has been cleansed/purified; masc, nom, sing, BV

भज गोविन्दं भज गोविन्दं गोविन्दं भज मूढमते ।
नामस्मरणादन्यमुपायम् नहि पश्यामो भवतरणे ॥ ३३ ॥

पदच्छेद

भज गोविन्दम् भज गोविन्दम् गोविन्दम् भज मूढमते नामस्मरणात्
अन्यम् उपायम् न हि पश्यामः भवतरणे ।

पदपरिचय

भज - भज (सेवायाम्), लोट्, प, म, ए.व
गोविन्दम् - गां (पृथ्वीं धेनुं वा) विन्दति इति गोविन्दः, अ, पुं, द्वि, ए.व
भज - भज (सेवायाम्), लोट्, प, म, ए.व
गोविन्दम् - गां (पृथ्वीं धेनुं वा) विन्दति इति गोविन्दः, अ, पुं, द्वि, ए.व
गोविन्दम् - गां (पृथ्वीं धेनुं वा) विन्दति इति गोविन्दः, अ, पुं, द्वि, ए.व
भज - भज (सेवायाम्), लोट्, प, म, ए.व
मूढमते - मूढा मतिः यस्य सः, मूढमतिः, इ, पुं, सम्बो, ए.व
नामस्मरणात् - नाम्नः स्मरणम्, नामस्मरणम्, अ, नपुं, प, ए.व
अन्यम् - अ, पुं, द्वि, ए.व
उपायम् - अ, पुं, द्वि, ए.व
न - अव्ययम्
हि - अव्ययम्
पश्यामः - दृशिर् (प्रेक्षणे), लट्, प, उ, ब.व
भवतरणे - भवस्य तरणम्, भवतरणम्, अ, नपुं, स, ए.व

अन्वय

मूढमते! (त्वम्) गोविन्दं भज, गोविन्दं भज, गोविन्दं भज । भवतरणे
नामस्मरणात् अन्यम् उपायं न हि पश्यामः ।

Verse 33

bhaja govindaṃ bhaja govindaṃ govindaṃ bhaja mūḍhamate |
nāmasmaraṇādanyamupāyaṃ nahi paśyāmo bhavataraṇe ||

Words separated & Prose

mūḍhamate govindam bhaja govindam bhaja govindam bhaja
bhavataraṇe nāma-smaraṇāt anyam upāyam na hi paśyāmaḥ |

Translation

You fool! Revere Govinda, revere Govinda, revere Govinda!
Other than remembering [his] name, we do not see any other
means to cross the ocean of existence.

Word by word

bhaja – chant, revere; 2nd sing, imp, √bhaj (1P)
govindam – Govinda, Kṛṣṇa; masc, sing, acc, epith
bhaja – chant, revere; 2nd sing, imp, √bhaj (1P)
govindam – Govinda, Kṛṣṇa; masc, sing, acc, epith
govindam – Govinda, Kṛṣṇa; masc, sing, acc, epith
bhaja – chant, revere; 2nd sing, imp, √bhaj (1P)
mūḍha-mate – dull-minded; masc, sing, voc
nāma-smaraṇāt – other than remembering [his] name; neut,
abl, sing
anyam – other; masc, acc, sing
upāyam – solution, means; masc, acc, sing
na – no, not; indec
hi – indeed; indec
paśyāmaḥ – we see; 1st, pl, pres, √dṛś (4P)
bhavataraṇe – for the purpose of crossing the ocean of
existence; neut, loc, sing

Viṣṇuṣaṭpadī Stotram

विष्णुषट्पदीस्तोत्रम्

About the Stotra

Viṣṇuṣaṭpadī is a stotra consisting of six verses written by Ādi Śaṅkarācārya. In it the devotee beseeches the lord to help him/her conquer the mind and keep it under control. With the mind well reined, there is a better understanding of the real purpose of life beyond routine activities like eating, drinking and enjoyment. Taking refuge in the lotus feet of the lord brings peace, happiness and love, and enables us to fulfil the true purpose of life. This ṣaṭpadī (consisting of six verses) is composed in the ārya metre.

विष्णुषट्पदीस्तोत्रम्

अविनयमपनय विष्णो दमय मनः शमय विषयमृगतृष्णाम् ।
भूतदयां विस्तारय तारय संसारसागरतः ॥ १ ॥

पदच्छेद

अविनयम् अपनय विष्णो दमय मनः शमय विषयमृगतृष्णाम् भूतदयाम् विस्तारय तारय संसारसागरतः ।

पदपरिचय

अविनयम् - न विनयः, अविनयः, अ, पुं, द्वि, ए.व
अपनय - अप + णीञ् (प्रापणे), लोट्, प, म, ए.व
विष्णो - उ, पुं, सम्बो, ए.व
दमय - दमु (उपशमे), लोट्, प, म, ए.व
मनः - स, नपुं, द्वि, ए.व
शमय - शमु (उपशमे), लोट्, प, म, ए.व
विषयमृगतृष्णाम् - विषयः एव मृगतृष्णा, विषयमृगतृष्णा, आ, स्त्री, द्वि, ए.व
भूतदयाम् - भूतेषु दया, भूतदया, आ, स्त्री, द्वि, ए.व
विस्तारय - विस् + तॄ (प्लवनतरणयोः), लोट्, प, म, ए.व (णिचि)
तारय - तॄ (प्लवनतरणयोः), लोट्, प, म, ए.व (णिचि)
संसारसागरतः - संसारः एव सागरः, संसारसागरः, अव्ययम् (तसिल् प्रत्ययान्तम्)

Viṣṇuṣaṭpadī Stotram

Verse 1

avinayamapanaya viṣṇo damaya manaḥ śamaya viṣayamṛgatṛṣṇām |
bhūtadayāṃ vistāraya tāraya saṃsārasāgarataḥ ||

Words separated & Prose

viṣṇo! avinayam apanaya, manaḥ damaya, viṣaya-mṛga-tṛṣṇām
śamaya, bhūta-dayām vistāraya; saṃsāra-sāgarataḥ [mām]
tāraya |

Translation

O Viṣṇu, take away my arrogance; restrain [my] mind; extinguish
the mirage of sensual desire, expand [my] compassion for [all]
beings and cause me to cross this worldly ocean.

Word by word

avinayam – pride, arrogance; masc, acc, sing
apanaya – lead away; 2nd, sing, imp, apa√nī (1P)
viṣṇo – O Viṣṇu; masc, voc, sing
damaya – restrain, subdue, discipline; 2nd, sing, imp, √dam
(4P)
manaḥ – mind, intelligence, spirit; neut, acc, sing
śamaya – extinguish, put an end to; 2nd, sing, imp, √śam (4P)
viṣaya-mṛgatṛṣṇām – the mirage/the desire for sense objects;
fem, acc, sing, TP

अन्वय

विष्णो! (त्वम्) अविनयम् अपनय, मनः दमय, विषयमृगतृष्णां शमय, भूतदयां विस्तारय । (माम्) संसारसागरतः तारय ।

bhūta-dayām – compassion for beings; fem, acc, sing, TP

vistāraya – expand, enlarge; 2nd, sing, imp, vi√stṛ (1P)

tāraya – cause me to cross, take me across; 2nd, sing, imp, caus, √tṝ (1P)

saṃsārasāgarataḥ – [from the] ocean [that is] the cycle of rebirth, the worldly ocean; abl, indec

saṃsāra – cycle of rebirth; masc noun

sāgara – ocean; masc noun

sāgaratas – from the ocean; indec

दिव्यधुनीमकरन्दे परिमलपरिभोगसच्चिदानन्दे ।
श्रीपतिपदारविन्दे भवभयखेदच्छिदे वन्दे ॥ २ ॥

पदच्छेद

दिव्यधुनीमकरन्दे परिमलपरिभोगसच्चिदानन्दे श्रीपतिपदारविन्दे
भवभयखेदच्छिदे वन्दे ।

पदपरिचय

दिव्यधुनीमकरन्दे - दिव्या चासौ धुनी, दिव्यधुनी (गङ्गा), दिव्यधुनी एव
मकरन्दः यस्मिन् तत् दिव्यधुनीमकरन्दम्, अ, नपुं, द्वि, द्वि.व
परिमलपरिभोगसच्चिदानन्दे - परिमलस्य परिभोगः
परिमलपरिभोगः, परिमलपरिभोगः एव सच्चिदानन्दः यस्मिन् तत्
परिमलपरिभोगसच्चिदानन्दम्, अ, नपुं, द्वि, द्वि.व
श्रीपतिपदारविन्दे - श्रियः पतिः श्रीपतिः, पदञ्च एतत् अरविन्दं च
पदारविन्दम्, श्रीपतेः पदारविन्दम्, श्रीपतिपदारविन्दम्, अ, नपुं, द्वि,
द्वि.व
भवभयखेदच्छिदे - भवस्य भयः भवभयः, भवभयस्य खेदः भवभयखेदः,
भवभयखेदं छिनत्ति इति भवभयखेदच्छित्, द, पुं, च, ए.व
वन्दे - वदि (अभिवादनस्तुत्योः), लट्, आ, उ, ए.व

अन्वय

(अहम्) भवभयखेदच्छिदे दिव्यधुनीमकरन्दे, परिमलपरिभोगसच्चिदानन्दे,
श्रीपतिपदारविन्दे वन्दे ।

Verse 2

divyadhunīmakarande parimalaparibhogasaccidānande |
śrīpatipadāravinde bhavabhayakhedacchide vande ||

Words separated

divya-dhunī-makarande parimala-paribhoga-sac-cid-ānande
śrīpati-pada-aravinde bhava-bhaya-kheda-cchide vande |

Prose

(aham) bhava-bhaya-kheda-cchide divya-dhunī-makarande
parimala-paribhoga-sac-cid-ānande śrīpati-pada-aravinde vande |

Translation

I salute the lotus feet of the lord of Śrī, whose nectar is the Gaṅgā, the fragrance of which is enjoyed consists of truth, thought and joy; to [those] lotus feet; [I bow] for the destruction of the fear of existence and affliction.

Word by word

divyadhunīmakarande – [lotus feet] whose nectar is the Gaṅgā; neut, acc, dual, BV
divya – divine; adj, ic
dhunī – river; fem noun, ic
makarande – honey, juice of flowers; masc noun, ifc
parimalaparibhogasaccidānande – [lotus feet] the fragrance of which that enjoyed is/consists of truth, thought and bliss; neut, acc, dual, BV
parimala – fragrance, perfume; masc noun, ic
paribhoga – enjoyment, means of enjoyment; masc noun, ic
sac-cid-ānande – truth/existence, thought and bliss; DV, ifc

161

विष्णुषट्पदीस्तोत्रम्

śrīpatipadāravinde – the lotus feet of the lord of Śrī; neut, acc, dual, TP

śrīpati – lord of Śrī, Viṣṇu; masc, sing, epith, ic

pada – foot, feet; neut noun, ic

aravinde – lotus; neut noun, ifc

bhavabhayakhedacchide – for the destruction of the fear of existence and affliction; masc, dat, sing, TP

bhava – worldly existence; masc noun, ic

bhaya – fear; neut noun, ic

kheda – affliction, depression; masc noun, ic

chide – which cuts, which destroys; masc noun, *chid*, ifc

vande – [I] salute, honour, venerate; 1st, sing, pres, √vand (1Ā)

सत्यपि भेदापगमे नाथ तवाहं न मामकीनस्त्वं ।
सामुद्रो हि तरङ्गः क्वचन समुद्रो न तारङ्गः ॥ ३ ॥

पदच्छेद

सति अपि भेदापगमे नाथ तव अहम् न मामकीनः त्वम् सामुद्रः हि
तरङ्गः क्वचन समुद्रः न तारङ्गः ।

पदपरिचय

सति - त, पुं, स, ए.व
अपि - अव्ययम्
भेदापगमे - भेदस्य अपगमः, भेदापगमः, अ, पुं, स, ए.व
नाथ - अ, पुं, सम्बो, ए.व
तव - युष्मद्, ष, ए.व
अहम् - अस्मद्, प्र, ए.व
न - अव्ययम्
मामकीनः - मम अयम् इति मामकीनः, अ, पुं, प्र, ए.व
त्वम् - युष्मद्, प्र, ए.व
सामुद्रः - समुद्रस्य अयम् इति सामुद्रः, अ, पुं, प्र, ए.व
हि - अव्ययम्
तरङ्गः - अ, पुं, प्र, ए.व
क्वचन - अव्ययम् (क्वचित्)
समुद्रः - अ, पुं, प्र, ए.व
न - अव्ययम्
तारङ्गः - तरङ्गस्य अयम् इति तारङ्गः, अ, पुं, प्र, ए.व

अन्वय

नाथ! भेदापगमे सति अपि अहं तव (अस्मि), त्वं मामकीनः न (असि) ।
तरङ्गः सामुद्रः हि (भवति), समुद्रः तारङ्गः क्वचन न (भवति) ।

Verse 3

satyapi bhedāpagame nātha tavāhaṃ na māmakīnastvaṃ |
sāmudro hi taraṅgaḥ kvacana samudro na tāraṅgaḥ ||

Words separated

sati api bheda-apagame nātha tava aham na māmakīnaḥ tvam
sāmudraḥ hi taraṅgaḥ kvacana samudraḥ na tāraṅgaḥ

Prose

nātha! bhedāpagame sati api aham tava (asmi), tvam māmakīnaḥ
na (asi); taraṅgaḥ sāmudraḥ hi (bhavati), samudraḥ tāraṅgaḥ
kvacana na (bhavati).

Translation

Lord! even though nothing separates us, I am yours [but] you
are not mine. [Just as] a wave belongs to the ocean [but] the
ocean is not of the wave anywhere.

Word by word

sati – on [there] being; masc, loc, sing
api – even though, but, also; indec
bhedāpagame – no difference, absence of duality, unity; masc,
loc, sing, TP
bheda – difference; masc noun, ic
apagama – removal, departure; masc noun, ifc
(satyapi bhedāpagame – loc. abs)
nātha – O Lord; masc, voc, sing
tava – your; gen, sing, per pron, *yuṣmad*
aham – I; nom, sing, per pron, *asmad*
na – no, not; part, indec
māmakīnaḥ – mine; masc, nom, sing, adj

विष्णुषट्पदीस्तोत्रम्

tvam – you; nom, sing, per pron, *yuṣmad*

sāmudraḥ – of the sea/ocean; masc, nom, sing, adj

hi – indeed; part, indec

taraṅgaḥ – wave; masc, nom, sing

kvacana – somewhere, anywhere; adv, indec

samudraḥ – sea, ocean; masc, nom, sing

na – not, no; part, indec

tāraṅgaḥ – of the wave; masc, nom, sing, adj

उद्धृतनग नगभिदनुज दनुजकुलामित्र मित्रशशिदृष्टे ।
दृष्टे भवति प्रभवति न भवति किं भवतिरस्कारः ॥ ४ ॥

पदच्छेद

उद्धृतनग नगभिदनुज दनुजकुलामित्र मित्रशशिदृष्टे दृष्टे भवति प्रभवति
न भवति किम् भवतिरस्कारः ।

पदपरिचय

उद्धृतनग - उद्धृतः नगः येन सः, उद्धृतनगः, अ, पुं, सम्बो, ए.व
नगभिदनुज - नगं भिनत्ति इति नगभित्, नगभिदः अनुजः, नगभिदनुजः,
अ, पुं, सम्बो, ए.व
दनुजकुलामित्र - दनुजानां कुलम्, दनुजकुलम्, दनुजकुलस्य अमित्रम्,
दनुजकुलामित्रम्,
अ, नपुं, सम्बो, ए.व
मित्रशशिदृष्टे - मित्रश्च सशिश्च यस्य दृष्टी सः, मित्रशशिदृष्टिः, इ, पुं,
सम्बो, ए.व
दृष्टे - अ, पुं, स, ए.व (क्तान्तम्)
भवति - त, पुं, स, ए.व (शतृ)
प्रभवति - त, पुं, स, ए.व (शतृ)
न - अव्ययम्
भवति - भू (सत्तायाम्), लिट्, प, प्र, ए.व
किम् - अव्ययम्
भवतिरस्कारः - भवस्य तिरस्कारः, भवतिरस्कारः, अ, पुं, प्र, ए.व

अन्वय

उद्धृतनग! नगभिदनुज! दनुजकुलामित्र! मित्रशशिदृष्टे! प्रभवति भवति
दृष्टे (सति), भवतिरस्कारः न भवति किम् ।

Verse 4

uddhṛtanaga nagabhidanuja danujakulāmitra mitraśaśidṛṣṭe |
dṛṣṭe bhavati prabhavati na bhavati kiṃ bhavatiraskāraḥ ||

Words separated

uddhṛta-naga naga-bhid-anuja danuja-kula-amitra mitra-śaśi-dṛṣṭe
dṛṣṭe bhavati prabhavati na bhavati kim bhava-tiraskāraḥ |

Prose

uddhṛtanaga! nagabhidanuja! danujakulāmitra! mitraśaśidṛṣṭe!
dṛṣṭe bhavati (sati), prabhavati na kim bhava-tiraskāraḥ? bhavati |

Translation

O Lord, who lifted the mountain, younger brother of Indra, enemy of Danu's offspring, whose eyes are the sun and the moon; when you glance [at me] does not disdain for worldly existence arise? It does.

Word by word

uddhṛtanaga – by whom the mountain was lifted; masc, voc, sing, BV
uddhṛta – lifted, uplifted; ppp, ut√dhṛ (1U), ic
naga – mountain; masc noun, ifc
nagabhidanuja – younger brother of Indra; masc, voc, sing, TP
naga-bhid – shatterer of mountains, Indra; masc, sing, epith, TP, ic
anuja – born after, male younger sibling; masc noun, ic
danujakulāmitra – enemy of the *dānavas*/offspring of Danu; masc, voc, sing, TP
danuja – born of Danu; masc, US, ic
kula – family; neut noun, ic

विष्णुषट्पदीस्तोत्रम्

amitra – not friend, enemy; masc noun, ifc

mitraśaśidṛṣṭe – whose eyes are the sun [and] moon; masc, voc, sing, BV

mitra – sun; masc noun, ic

śaśī – moon; masc noun, ic

dṛṣṭe – eye, glance; fem noun, ifc

dṛṣṭe – glance, eye; fem, loc, sing

bhavati – being/falling; pres part, loc, sing, *bhavat*

(*dṛṣṭe bhavati* – loc. abs)

prabhavati – arises, comes into being; 3rd, sing, pres, pra√bhū (1P)

na – not, no; part, indec

bhavati – is, becomes, comes to be; 3rd, sing, pres, √bhū (1P)

kim – what; inter pron, *kim*

bhavatiraskāraḥ – disdain of the world; masc, nom, sing, TP

bhava – being, worldly existence; masc noun, ic

tiraskāraḥ – contempt, disdain; masc noun, ifc

मत्स्यादिभिरवतारैरवतारवताऽवता सदा वसुधाम् ।
परमेश्वर परिपाल्यो भवता भवतापभीतोऽहम् ॥ ५ ॥

पदच्छेद

मत्स्यादिभिः अवतारैः अवतारवता अवता सदा वसुधाम् परमेश्वर
परिपाल्यः भवता भवतापभीतः अहम् ।

पदपरिचय

मत्स्यादिभिः - मत्स्यः आदिः येषां ते, मत्स्यादयः, इ, पुं, तृ, ब.व
अवतारैः - अ, पुं, तृ, ब.व
अवतारवता - त, पुं, तृ, ए.व
अवता - त, पुं, तृ, ए.व (शतृ)
सदा - अव्ययम्
वसुधाम् - आ, स्त्री, द्वि, ए.व
परमेश्वर - अ, पुं, सम्बो, ए.व
परिपाल्यः - अ, पुं, प्र, ए.व
भवता - त, पुं, तृ, ए.व
भवतापभीतः - भवस्य तापः, भवतापः, भवतापात् भीतः, भवतापभीतः,
अ, पुं, प्र, ए.व
अहम् - अस्मद्, प्र, ए.व

अन्वय

परमेश्वर! मत्स्यादिभिः अवतारैः अवतारवता, सदा वसुधाम् अवता,
भवता भवतापभीतः अहं परिपाल्यः ।

172

Verse 5

matsyādibhiravatārairavatāravatā'vatā sadā vasudhām |
parameśvara paripālyo bhavatā bhavatāpabhīto'ham ||

Words separated

matsya-ādibhiḥ avatāraiḥ avatāravatā avatā sadā vasudhām
parameśvara paripālyaḥ bhavatā bhava-tāpa-bhītaḥ aham |

Prose

parameśvara! matsyādibhiḥ avatāraiḥ avatāravatā sadā vasudhām
avatā bhavatā bhava-tāpa-bhītaḥ aham paripālyaḥ (asmi) |

Translation

Supreme Lord, who always protects the earth by means of various divine descents like the fish, etc., may I, fearful of the torments of worldly existence, be protected by you.

Word by word

matsyādibhiḥ – by means of forms beginning with a fish; masc, inst, pl
avatāraiḥ – by means of manifestations on earth; masc, inst, pl
avatāravatā – by means of descent; masc, inst, sing
avatā – by you protecting; masc, inst, sing, pres part, *avat*
sadā – always; adv, indec
vasudhām – the earth; fem, acc, sing
parameśvara – supreme lord; masc, voc, sing
paripālyaḥ – to be protected; masc, sing, g*ive, pari√pāl (10P)
bhavatā – by you; masc, inst, sing, *bhavat*
bhavatāpabhītaḥ – fearful of/terrified by the afflictions of worldly existence; masc, nom, sing, TP

विष्णुषट्पदीस्तोत्रम्

bhava – worldly existence; masc noun, ic
tāpa – torment, affliction; masc noun, ic
bhītaḥ – afraid, terrified; masc adj, ppp, √bhī (3P), ifc
aham – I; nom, sing, pron, *asmad*

दामोदर गुणमन्दिर सुन्दरवदनारविन्द गोविन्द ।
भवजलधिमथनमन्दर परमं दरमपनय त्वं मे ॥ ६ ॥

पदच्छेद

दामोदर गुणमन्दिर सुन्दरवदनारविन्द गोविन्द भवजलधिमथनमन्दर
परमम् दरम् अपनय त्वम् मे ।

पदपरिचय

दामोदर - अ, पुं, सम्बो, ए.व

गुणमन्दिर - गुणानां मन्दिरं यस्मिन्, सः, गुणमन्दिरः, अ, पुं, सम्बो,
ए.व

सुन्दरवदनारविन्द - वदनम् अरविन्दम् इव वदनारविन्दम्, सुन्दरं
वदनारविन्दं यस्य सः, सुन्दरवदनारविन्दः, अ, पुं, सम्बो, ए.व

गोविन्द - अ, पुं, सम्बो, ए.व

भवजलधिमथनमन्दर - भवः एव जलधिः, भवजलधिः, भवजलधेः मथनम्,
भवजलधिमथनम्, भवजलधिमथनाय मन्दरः, भवजलधिमथनमन्दरः, अ,
पुं, सम्बो, ए.व

परमम् - अ, पुं, द्वि, ए.व

दरम् - अ, पुं, द्वि, ए.व

अपनय - अप + णीञ् (प्रापणे), लोट्, प, म, ए.व

त्वम् - युष्मद्, प्र, ए.व

मे - अस्मद्, ष, ए.व

अन्वय

दामोदर! गुणमन्दिर! सुन्दरवदनारविन्द! गोविन्द! भवजलधिमथनमन्दर!
त्वं मे परमं दरम् अपनय ।

Verse 6

dāmodara guṇamandira sundaravadanāravinda govinda |
bhavajaladhimathanamandara paramaṃ daramapanaya tvaṃ me ||

Words separated

dāmodara guṇa-mandira sundara-vadana-aravinda govinda
bhava-jaladhi-mathana-mandara paramam daram apanaya tvam
me |

Prose

dāmodara! guṇa-mandira! sundara-vadana-aravinda! govinda!
bhava-jaladhi-mathana-mandara! tvam me paramam daram
apanaya |

Translation

Dāmodara, Govinda, in whom [good] qualities dwell, whose
face is a beautiful lotus, who is to the churning of this ocean
of worldly existence [firm] like the Mandara mountain, take
away my highest fear.

Word by word

dāmodara – Kṛṣṇa/Viṣṇu; masc, voc, sing, epith
guṇamandira – in whom qualities dwell, temple of qualities;
masc, voc, sing, TP
sundaravadanāravinda – one whose face is beautiful [like a]
lotus; masc, voc, sing, BV
sundara – beautiful, handsome, good-looking; adj, ic
vadana – face; neut noun, ic
aravinda – lotus; masc noun, ic
govinda – Kṛṣṇa/Viṣṇu; masc, voc, sing, epith

विष्णुषट्पदीस्तोत्रम्

bhavajaladhimathanamandara – Mandara [mountain] for the churning of this ocean of worldly existence; masc, voc, sing, TP

bhava – worldly existence; masc noun, ic

jaladhi – ocean; masc noun, ic

mathana – act of churning; neut noun, ic

mandara – mountain used as a rod in the churning of the ocean (Purāṇic ref.) – masc, prop, ifc

paramam – highest, utmost degree; masc, acc, sing, adj

daram – fear; masc, acc, sing

apanaya lead away, take away; 2nd, sing, imp, apa√nī (1P)

tvam – you; nom, sing, per pron, *yuṣmad*

me – my; gen, sing, per pron, enc, *asmad*

नारायण करुणामय शरणं करवाणि तावकौ चरणौ ।
इति षट्पदी मदीये वदनसरोजे सदा वसतु ॥ ७ ॥

पदच्छेद

नारायण करुणामय शरणम् करवाणि तावकौ चरणौ इति षट्पदी मदीये
वदनसरोजे सदा वसतु ।

पदपरिचय

नारायण - अ, पुं, सम्बो, ए.व
करुणामय - करुणायाः रूपं यस्य सः, करुणामयः अ, पुं, सम्बो, ए.व
शरणम् - अ, नपुं, द्वि, ए.व
करवाणि - डुकृञ् (करणे), लोट्, प, उ, ए.व
तावकौ - अ, पुं, द्वि, द्वि.व
चरणौ - अ, पुं, द्वि, द्वि.व
इति - अव्ययम्
षट्पदी - षण्णां पदानां (पद्यानां) समाहारः, षट्पदी, ई, स्त्री, प्र. ए.व
मदीये - अ, नपुं, स, ए.व
वदनसरोजे - वदनं सरोजम् इव, वदनसरोजम्, अ, नपुं, स, ए.व
सदा - अव्ययम्
वसतु - वस (निवासे), लोट्, प, प्र, ए.व

अन्वय

नारायण! करुणामय! (अहं) तावकौ चरणौ शरणं करवाणि । इति षट्पदी
मदीये वदनसरोजे सदा वसतु ।

Verse 7

nārāyaṇa karuṇāmaya śaraṇaṃ karavāṇi tāvakau caraṇau ।
iti ṣaṭpadī madīye vadanasaroje sadā vasatu ॥

Words separated

nārāyaṇa karuṇā-maya śaraṇam karavāṇi tāvakau caraṇau iti ṣaṭ-padī madīye vadana-saroje sadā vasatu ।

Prose

nārāyaṇa! karuṇāmaya! (ahaṃ) tāvakau caraṇau śaraṇam karavāṇi; iti ṣaṭpadī madīye vadana-saroje sadā vasatu ।

Translation

O merciful Nārāyaṇa, I make your two feet my refuge. May this six-part composition ever be on my lotus lips.

Word by word

nārāyaṇa – Kṛṣṇa/Viṣṇu; masc, voc, sing, epith
karuṇā-maya – constituted of mercy; masc, voc, sing, TP
śaraṇam – refuge; neut, acc, sing
karavāṇi – I make, I take; 1st, sing, imp, √kṛ (8P)
tāvakau – your, thy; masc, acc, dual
caraṇau – feet; masc, acc, dual
iti – this, thus; part, indec
ṣaṭpadī – (composition) of six parts, honeybee*; fem, nom, sing
madīye – on my; neut, loc, sing
vadanasaroje – lotus mouth, lips; neut, loc, sing
sadā – always; adv, indec
vasatu – may it reside; 3rd, sing, imp, √vas (1P)

pun on* ***ṣaṭpadī* *as a honeybee which hovers on the lotus (mouth)*

Śrī Haryaṣṭakam

श्रीहर्यष्टकम्

About the Stotra

This stotra was composed and recited in praise of Hari by Prahlāda (son of Hiraṇyakaśipu), one of the greatest devotees of Hari. The octet specifically eulogizes '*hari nāma*' (recitation of the name of Hari), considered the greatest of the great mantras by the devout. Just reciting the two letters, 'ha' and 'ri', is equivalent to all the good deeds prescribed for liberation such as pilgrimage to sacred spots, performance of various *yajñas* and giving away precious offerings. This octet sets the devotee on the path to *mokṣa* (ultimate liberation). The metre used in this octet is *anuṣṭubh*.

श्रीहर्यष्टकम्

हरिर्हरति पापानि दुष्टचित्तैरपि स्मृतः ।
अनिच्छयाऽपि संस्पृष्टो दहत्येव हि पावकः ॥ १ ॥

पदच्छेद

हरिः हरति पापानि दुष्टचित्तैः अपि स्मृतः अनिच्छया अपि संस्पृष्टः दहति एव हि पावकः ।

पदपरिचय

हरिः - इ, पुं, प्र, ए.व
हरति - हृञ् (हरणे), लट्, प, प्र, ए.व
पापानि - अ, नपुं, द्वि, ब.व
दुष्टचित्तैः - दुष्टं चित्तं यस्य सः, दुष्टचित्तः, अ, पुं, तृ, ब.व
अपि - अव्ययम्
स्मृतः - अ, पुं, प्र, ए.व (क्तान्तम्)
अनिच्छया - न इच्छा, अनिच्छा, आ, स्त्री, तृ, ए.व
अपि - अव्ययम्
संस्पृष्टः - अ, पुं, प्र, ए.व (क्तान्तम्)
दहति - दह (भस्मीकरणे), लट्, प, प्र, ए.व
एव - अव्ययम्
हि - अव्ययम्
पावकः - अ, पुं, प्र, ए.व

186

Śrī Haryaṣṭakam

Verse 1

harirharati pāpāni duṣṭacittairapi smṛtaḥ I
anicchayā'pi saṃspṛṣṭo dahaty eva hi pāvakaḥ II

Words separated

hariḥ harati pāpāni duṣṭacittaiḥ api smṛtaḥ anicchayā api saṃspṛṣṭaḥ dahati eva hi pāvakaḥ I

Prose

duṣṭacittaiḥ api smṛtaḥ hariḥ pāpāni harati anicchayā api saṃspṛṣṭaḥ pāvakaḥ dahati eva hi I

Translation

Hari removes transgressions when called to mind even inadvertently by the wicked, indeed, just as fire burns those who touch it even unintentionally.

Word by word

hariḥ – Hari/Viṣṇu; masc, nom, sing, prop
harati – steals, takes away; 3rd, sing, pres, √hṛ (1P)
pāpāni – wicked deeds, dhārmic transgressions; neuter, acc, pl
duṣṭa-cittaiḥ – by the evil-minded; masc, inst, pl, BV
api – even though, also; conj, indec

अन्वय

दुष्टचित्तैः अपि स्मृतः हरिः पापानि हरति, (यथा) अनिच्छया अपि
संस्पृष्टः पावकः दहति एव हि ।

smṛtaḥ – remembered, called to mind; masc, nom, sing, ppp, √smṛ (1P)
anicchayā – unwittingly, without wishing for; fem, inst, sing, nañ
api – even though, also; conj, indec
saṃspṛṣṭaḥ – touched; masc, nom, sing, ppp, sam√spṛś (6P)
dahati – burns; 3rd, sing, pres, √dah (1P)
eva – indeed, just so; prep, indec
hi – indeed; part, indec
pāvakaḥ – fire, purifier; masc, nom, sing

स गङ्गा स गया सेतुः स काशी स च पुष्करम् ।
जिह्वाग्रे वर्तते यस्य हरिरित्यक्षरद्वयम् ॥ २ ॥

पदच्छेद

सः गङ्गा सः गया सेतुः सः काशी सः च पुष्करम् जिह्वाग्रे वर्तते यस्य
हरिः इति अक्षरद्वयम् ।

पदपरिचय

सः - तद्, पुं, प्र, ए.व

गङ्गा - आ, स्त्री, प्र, ए.व

सः - तद्, पुं, प्र, ए.व

गया - आ, स्त्री, प्र, ए.व

सेतुः - उ, पुं, प्र, ए.व

सः - तद्, पुं, प्र, ए.व

काशी - ई, स्त्री, प्र, ए.व

सः - तद्, पुं, प्र, ए.व

च - अव्ययम्

पुष्करम् - अ, नपुं, प्र, ए.व

जिह्वाग्रे - जिह्वायाः अग्रम्, जिह्वाग्रम्, अ, नपुं, स, ए.व

वर्तते - वृतु (वर्तने), लट्, आ, प्र, ए.व

यस्य - यद्, पुं, ष, ए.व

हरिः - इ, पुं, प्र, ए.व

इति - अव्ययम्

अक्षरद्वयम् - अक्षरयोः द्वयम्, अक्षरद्वयम्, अ, नपुं, प्र, ए.व

अन्वय

यस्य जिह्वाग्रे हरिः इति अक्षरद्वयं वर्तते सः गङ्गा, सः गया, सः सेतुः,
सः काशी पुष्करम् च ।

Verse 2

sa gaṅgā sa gayā setuḥ sa kāśī sa ca puṣkaram |
jihvāgre vartate yasya harirityakṣaradvayam ||

Words separated

saḥ gaṅgā saḥ gayā setuḥ saḥ kāśī saḥ ca puṣkaram jihvā-agre vartate yasya hariḥ iti akṣara-dvayam |

Prose

yasya jihvāgre hariḥ iti akṣara-dvayaṃ vartate, saḥ gaṅgā saḥ gayā saḥ setuḥ saḥ kāśī puṣkaram ca |

Translation

Behold! He who has these two syllables 'Ha-ri' at the tip of his tongue, is Gaṅgā, Gayā, Setu and Puṣkara himself.

Word by word

saḥ – he; masc, nom, sing, dem pron, *tad*
gaṅgā – river Gaṅgā; fem, nom, sing, prop
saḥ – he; masc, nom, sing, dem pron, *tad*
gayā – Gayā, place of pilgrimage; fem, nom, sing, prop
setuḥ – Setu, place of pilgrimage; masc, nom, sing
saḥ – he; masc, nom, sing, dem pron, *tad*
kāśī – Kāśī/Benāras, place of pilgrimage; fem, nom, sing
saḥ – he; masc, nom, sing, dem pron, *tad*
ca – and; conj, indec
puṣkaram – Puṣkara, place of pilgrimage; neut, nom, sing, prop
jihvāgre – tip of tongue, front part of tongue; neut, loc, sing, TP
jihvā – tongue; fem noun, ic
agre – tip, front; neut noun, ifc
vartate – exists, is; 3rd, sing, pres, √vṛt (1Ā)

श्रीहर्यष्टकम्

yasya – of him, his; masc, gen, sing, rel pron, *yat*

hariḥ – Hari/Viṣṇu; masc, nom, sing, prop

iti – in this way, act of calling attention (Lo! Behold!); part, indec

akṣara-dvayam – two syllables, letters; neut, nom, sing, TP

वाराणस्या कुरुक्षेत्रे नैमिषारण्य एव च ।
सत्कृतं तेन येनोक्तम् हरिरित्यक्षरद्वयम् ॥ ३ ॥

पदच्छेद

वाराणस्या कुरुक्षेत्रे नैमिषारण्ये एव च सत्कृतम् तेन येन उक्तम् हरिः इति अक्षरद्वयम् ।

पदपरिचय

वारणस्याम् - ई, स्त्री, स, ए.व
कुरुक्षेत्रे - अ, नपुं, स, ए.व
नैमिषारण्ये - नैमिषम् इति आरण्यम्, नैमिषारण्यम्, अ, नपुं, स, ए.व
एव - अव्ययम्
च - अव्ययम्
सत्कृतम् - अ, पुं, द्वि, ए.व (क्तान्तम्)
तेन - तद्, पुं, तृ, ए.व
येन - यद्, पुं, तृ, ए.व
उक्तम् - अ, नपुं, प्र, ए.व (क्तान्तम्)
हरिः - इ, पुं, प्र, ए.व
इति - अव्ययम्
अक्षरद्वयम् - अक्षरयोः द्वयम्, अक्षरद्वयम्, अ, नपुं, प्र, ए.व

अन्वय

येन हरिः इति अक्षरद्वयम् उक्तम्, तेन वाराणस्या, कुरुक्षेत्रे, नैमिषारण्ये च सत्कृतम् एव ।

Verse 3

vārāṇasyāṃ kurukṣetre naimiśāraṇya eva ca |
satkṛtaṃ tena yenoktaṃ harirityakṣaradvayam ||

Words separated

vārāṇasyām kurukṣetre naimiśa-āraṇye eva ca sat-kṛtam tena yena uktam hariḥ iti akṣara-dvayam |

Prose

yena hariḥ iti akṣara-dvayam uktam, tena vārāṇasyām kurukṣetre naimiśāraṇye ca satkṛtam eva |

Translation

Virtue [and] respect [are obtained] in [holy places like] Vārāṇasī, Kurukṣetra and the forest of Naimiśa by him who utters the two syllables 'Ha-ri'.

Word by word

vārāṇasyām – in Vārāṇasī; fem, loc, sing
kurukṣetre – in Kurukṣetra, place of pilgrimage; neut, loc, sing
naimiśāraṇye – in the Naimiśa wilderness, forest; neut, loc, sing
eva – just so, in this manner, indeed; prep, indec
ca – and; conj, indec
sat-kṛtam – virtue, well done, respect; masc, acc, sing, ppp, √kṛ (8P)
tena – by him; masc, inst, sing, correl pron, *tad*
yena – by whom, by the one; masc, inst, sing, rel pron, *yat*
uktam – uttered, said, spoken; neut, nom, sing, ppp, √vac (2P)
hariḥ – Hari/Viṣṇu; masc, nom, sing, prop
iti – thus, in this way; part, indec
akṣara-dvayam – two syllables, letters; neut, nom, sing, TP

पृथिव्यां यानि तीर्थानि पुण्यान्यायतनानि च ।
प्राप्तानि तानि येनोक्तम् हरिरित्यक्षरद्वयम् ॥ ४ ॥

पदच्छेद

पृथिव्याम् यानि तीर्थानि पुण्यानि आयतनानि च प्राप्तानि तानि येन उक्तम् हरिः इति अक्षरद्वयम् ।

पदपरिचय

पृथिव्याम् - ई, स्त्री, स, ए.व
यानि - यद्, नपुं, प्र, ब.व
तीर्थानि - अ, नपुं, प्र, ब.व
पुण्यानि - अ, नपुं, प्र, ब.व
आयतनानि - अ, नपुं, प्र, ब.व
च - अव्ययम्
प्राप्तानि - अ, नपुं, प्र, ब.व (क्तान्तम्)
तानि - तद्, नपुं, प्र, ब.व
येन - यद्, पुं, तृ, ए.व
उक्तम् - अ, नपुं, प्र, ए.व (क्तान्तम्)
हरिः - इ, पुं, प्र, ए.व
इति - अव्ययम्
अक्षरद्वयम् - अक्षरयोः द्वयम्, अक्षरद्वयम्, अ, नपुं, प्र, ए.व

अन्वय

येन हरिः इति अक्षरद्वयम् उक्तम्, (तेन) पृथिव्यां यानि पुण्यानि तीर्थानि, आयतनानि च (सन्ति), तानि प्राप्तानि (भवन्ति) ।

Verse 4

pṛthivyāṃ yāni tīrthāni puṇyānyāyatanāni ca ।
prāptāni tāni yenoktam haririt yakṣaradvayam ॥

Words separated

pṛthivyām yāni tīrthāni puṇyāni āyatanāni ca prāptāni tāni yena uktam hariḥ iti akṣara-dvayam ।

Prose

yena hariḥ iti akṣara-dvayam uktam, [tena] pṛthivyām yāni puṇyāni tīrthāni āyatanāni ca [santi], tāni prāptāni [santi] ।

Translation

All the sacred places and all the pilgrimage places on earth are obtained by the one who utters the two syllables 'Ha-ri'.

Word by word

pṛthivyām – on earth; fem, loc, sing
yāni – the ones which; neut, nom, pl, rel pron, *yat*
tīrthāni – fords, places of pilgrimage; neut, nom, pl
puṇyāni – holy, pure, auspicious; neut, nom, pl, adj
āyatanāni – places for sacred fire, resting places, altars; neut, nom, pl
ca – and; conj, indec
prāptāni – obtained, achieved; neut, nom, pl, ppp, pra√āp (5P)
tāni – those; neut, nom, pl, correl pron, *tad*
yena – by whom, by the one; masc, inst, sing, rel pron, *yat*
uktam – uttered, said, spoken; neut, nom, sing, ppp, √vac (2P)
hariḥ – Hari/Viṣṇu; masc, nom, sing, prop
iti – thus, in this way; part, indec
akṣara-dvayam – two syllables, letters; neut, nom, sing, TP

गवां कोटिसहस्राणि हेमकन्यासहस्रकम् ।
दत्तं स्यात्तेन येनोक्तम् हरिरित्यक्षरद्वयम् ॥ ५ ॥

पदच्छेद

गवाम् कोटिसहस्राणि हेमकन्यासहस्रकम् दत्तम् स्यात् तेन येन उक्तम्
हरिः इति अक्षरद्वयम् ।

पदपरिचय

गवाम् - ओ, पुं, ष, ब.व
कोटिसहस्राणि - कोटीनां सहस्राणि, कोटिसहस्राणि, अ, नपुं, प्र, ब.व
हेमकन्यासहस्रकम् - हेमकन्यानां सहस्रकम्, हेमकन्यासहस्रकम्, अ, नपुं,
प्र, ए.व
दत्तम् - अ, नपुं, प्र, ए.व (क्तान्तम्)
स्यात् - अस (भुवि), वि.लिङ्, प, प्र, ए.व
तेन - तद्, पुं, तृ, ए.व
येन - यद्, पुं, तृ, ए.व
उक्तम् - अ, नपुं, प्र, ए.व (क्तान्तम्)
हरिः - इ, पुं, प्र, ए.व
इति - अव्ययम्
अक्षरद्वयम् - अक्षरयोः द्वयम्, अक्षरद्वयम्, अ, नपुं, प्र, ए.व

अन्वय

येन हरिः इति अक्षरद्वयम् उक्तम्, तेन गवां कोटिसहस्राणि,
हेमकन्यासहस्रकं (च) दत्तं स्यात् ।

Verse 5

gavāṃ koṭisahasrāṇi hemakanyāsahasrakam I
dattaṃ syāttena yenoktaṃ haririty akṣaradvayam II

Words separated

gavām koṭi-sahasrāṇi hema-kanyā-sahasrakam dattam syāt tena yena uktam hariḥ iti akṣara-dvayam I

Prose

yena hariḥ iti akṣara-dvayam uktam, tena gavām koṭisahasrāṇi hemakanyāsahasrakam (ca) dattam syāt I

Translation

By the one who utters the two syllables 'Ha-ri' [the same merit will accrue] as the giving away [*dāna*] of thousands of cows and maidens attired in gold.

Word by word

gavām – of cows; fem, gen, pl
koṭi-sahasrāṇi – many, thousands and crores; neut, nom, pl
hema-kanyā-sahasrakam – [amounting to] a thousand maidens [clad in] gold; neut, nom, sing, TP
dattam – given, given away; neut, nom, sing, ppp, √dā (3P)
syāt – would be; 3rd sing, opt, √as 2P
tena – by him, by the one; masc, inst, sing, correl pron, *tad*
yena – by whom; masc, inst, sing, rel pron, *yat*
uktam – uttered, said, spoken; neut, nom, sing, ppp, √vac (2P)
hariḥ – Hari/Viṣṇu; masc, nom, sing, prop
iti – thus, in this way; part, indec
akṣara-dvayam – two syllables, letters; neut, nom, sing, TP

ऋग्वेदोऽथ यजुर्वेद: सामवेदोऽप्यथर्वण: ।
अधीतस्तेन येनोक्तम् हरिरित्यक्षरद्वयम् ॥ ६ ॥

पदच्छेद

ऋग्वेद: अथ यजुर्वेद: सामवेद: अपि अथर्वण: अधीत: तेन येन उक्तम् हरि: इति अक्षरद्वयम् ।

पदपरिचय

ऋग्वेद: - अ, पुं, प्र, ए.व
अथ - अव्ययम्
यजुर्वेद: - अ, पुं, प्र, ए.व
सामवेद: - अ, पुं, प्र, ए.व
अपि - अव्ययम्
अथर्वण: - अ, पुं, प्र, ए.व
अधीत: - अ, पुं, प्र, ए.व (क्तान्तम्)
तेन - तद्, पुं, तृ, ए.व
येन - यद्, पुं, तृ, ए.व
उक्तम् - अ, नपुं, प्र, ए.व (क्तान्तम्)
हरि: - इ, पुं, प्र, ए.व
इति - अव्ययम्
अक्षरद्वयम् - अक्षरयो: द्वयम्, अक्षरद्वयम्, अ, नपुं, प्र, ए.व

अन्वय

येन हरि: इति अक्षरद्वयम् उक्तम्, तेन ऋग्वेद: अथ यजुर्वेद: सामवेद: अपि अथर्वण: (च) अधीत: (भवति) ।

200

Verse 6

ṛgvedo'tha yajurvedaḥ sāmavedo'pyatharvaṇaḥ |
adhītastena yenoktaṃ harirityakṣaradvayam ||

Words separated

ṛgvedaḥ atha yajurvedaḥ sāmavedaḥ api atharvaṇaḥ adhītaḥ tena yena uktaṃ hariḥ iti akṣara-dvayam |

Prose

yena hariḥ iti akṣara-dvayam uktam, tena ṛgvedaḥ atha yajurvedaḥ sāmavedaḥ api atharvaṇaḥ (ca) adhītaḥ (bhavati) |

Translation

[For] the one who utters the two syllables 'Ha-ri', it is indeed as though he has learned the four Vedas – Ṛg, Yajur, Sāma and Atharvaṇa.

Word by word

ṛgvedaḥ – Ṛgveda; masc, nom, sing
atha – moreover, certainly; conj, indec
yajurvedaḥ – Yajurveda; masc, nom, sing
sāmavedaḥ – Sāmaveda; masc, nom, sing
api – and, also; conj, indec
atharvaṇaḥ – Atharvaveda; masc, nom, sing
adhītaḥ – learned, read, meditated upon; masc, nom, sing, ppp, adhi√i (2P)
tena – by him, by that; masc, inst, sing, correl pron, *tad*
yena – by whom, by the one; masc, inst, sing, rel pron, *yat*
uktam – uttered, said, spoken; neut, nom, sing, ppp, √vac (2P)
hariḥ – Hari/Viṣṇu; masc, nom, sing
iti – thus, in this way; part, indec
akṣara-dvayam – two syllables, letters; neut, nom, sing, TP

अश्वमेधैर्महायज्ञैः वाजपेयशतैरपि ।
इष्टं स्यात्तेन येनोक्तम् हरिरित्यक्षरद्वयम् ॥ ७ ॥

पदच्छेद

अश्वमेधैः महायज्ञैः वाजपेयशतैः अपि इष्टं स्यात् तेन येन उक्तम् हरिः
इति अक्षरद्वयम् ।

पदपरिचय

अश्वमेधैः - अ, पुं, तृ, ब.व
महायज्ञैः - महान् यज्ञः, महायज्ञः, अ, पुं, तृ, ब.व
वाजपेयशतैः - वाजपेयानां शतानि, वाजपेयशतानि, अ, नपुं, तृ, ब.व
अपि - अव्ययम्
इष्टम् - अ, नपुं, प्र, ए.व (क्तान्तम्)
स्यात् - अस (भुवि), वि.लिङ्, प, प्र, ए.व
तेन - तद्, पुं, तृ, ए.व
येन - यद्, पुं, तृ, ए.व
उक्तम् - अ, नपुं, प्र, ए.व (क्तान्तम्)
हरिः - इ, पुं, प्र, ए.व
इति - अव्ययम्
अक्षरद्वयम् - अक्षरयोः द्वयम्, अक्षरद्वयम्, अ, नपुं, प्र, ए.व

अन्वय

येन हरिः इति अक्षरद्वयम् उक्तम्, तेन अश्वमेधैः महायज्ञैः, वाजपेयशतैः
अपि इष्टं स्यात् ।

Verse 7

aśvamedhairmahāyajñaiḥ vājapeyaśatairapi I
iṣṭaṃ syāttena yenoktaṃ harirityakṣaradvayam II

Words separated

aśvamedhaiḥ mahāyajñaiḥ vājapeya-śataiḥ api iṣṭam syāt tena yena uktam hariḥ iti akṣara-dvayam I

Prose

yena hariḥ iti akṣara-dvayam uktam, tena aśvamedhaiḥ mahāyajñaiḥ vājapeyaśataiḥ api iṣṭaṃ syāt I

Translation

One who utters the two syllables 'Ha-ri' would have performed the great *aśvamedhas* and a hundred *vājapeya* sacrifices.

Word by word

aśvamedhaiḥ – by horse sacrifices; masc, instr, pl
mahāyajñaiḥ – by great sacrifices; masc, instr, pl
vājapeya-śataiḥ – by a hundred *vājapeya* sacrifices; masc, instr, pl
api – even, and; conj, indec
iṣṭam – desired, worshipped by sacrifice; nom, neut, sing, ppp, √iṣ (6P)
syāt – should, would [be]; 3rd, sing, opt, √as (2P)
tena – by him; masc, inst, sing, correl pron, *tad*
yena – by whom, by the one; masc, inst, sing, rel pron, *yat*
uktam – uttered, said, spoken; neut, nom, sing, ppp, √vac (2P)
hariḥ – Hari/Viṣṇu; masc, nom, sing, prop
iti – thus, in this way; part, indec
akṣara-dvayam – two syllables, letters; neut, nom, sing, TP

प्राणप्रयाणपाथेयम् संसारव्याधिनाशनम् ।
दुःखात्यन्तपरित्राणम् हरिरित्यक्षरद्वयम् ॥ ८ ॥

पदच्छेद

प्राणप्रयाणपाथेयम् संसारव्याधिनाशनम् दुःखात्यन्तपरित्राणम् हरिः इति
अक्षरद्वयम् ।

पदपरिचय

प्राणप्रयाणपाथेयम् - प्राणानां प्रयाणम्, प्राणप्रयाणम्, प्राणप्रयाणे पाथेयम्,
प्राणप्रयाणपाथेयम्,
अ, नपुं, प्र, ए.व
संसारव्याधिनाशनम् - संसारस्य व्याधिः, संसारव्याधिः, संसारव्याधेः
नाशनम्, संसारव्याधिनाशनम्, अ, नपुं, प्र, ए.व
दुःखात्यन्तपरित्राणम् - दुःखस्य अत्यन्तम्, दुःखात्यन्तम्, दुःखात्यन्तस्य
परित्राणम्, दुःखात्यन्तपरित्राणम्, अ, नपुं, प्र, ए.व
हरिः - इ, पुं, प्र, ए.व
इति - अव्ययम्
अक्षरद्वयम् - अक्षरयोः द्वयम्, अक्षरद्वयम्, अ, नपुं, प्र, ए.व

अन्वय

हरिः इति अक्षरद्वयम्, प्राणप्रयाणपाथेयम्, संसारव्याधिनाशनम्,
दुःखात्यन्तपरित्राणं (च) (भवति) ।

Verse 8

prāṇaprayāṇapātheyaṃ saṃsāravyādhināśanam |
duḥkhātyantaparitrāṇaṃ hariityakṣaradvayam ||

Words separated

prāṇa-prayāṇa-pātheyam saṃsāra-vyādhi-nāśanam duḥkha-atyanta-paritrāṇam hariḥ iti akṣara-dvayam |

Prose

hariḥ iti akṣara-dvayam prāṇa-prayāṇa-pātheyam saṃsāra-vyādhi-nāśanam duḥkha-atyanta-paritrāṇam (ca) (bhavati) |

Translation

The two syllables 'Ha-ri' are sustenance for the soul in its journey, the destroyer of [all] ills of existence and protection from endless sorrow.

Word by word

prāṇaprayāṇapātheyam – sustenance for the journey of the soul; neut, nom, sing, TP
prāṇa – life breath; masc noun, ic
prayāṇa – departure, setting out; neut noun, ic
pātheya – food for journey; neut noun, ifc
saṃsāravyādhināśanam – destroyer of the ills of existence; neut, nom, sing, TP
saṃsāra – existence, cycle of rebirth; masc noun, ic
vyādhi – ailment; masc noun, ic
nāśanam – destroyer; neut noun, ifc
duḥkhātyantaparitrāṇam – means of protection from endless sorrow; neut, nom, sing, TP
duḥkha – sorrow; neut noun, ic

श्रीहर्यष्टकम्

atyanta – endless; adj, ic
paritrāṇa – protection, deliverance; neut noun, ifc
hariḥ – Hari/Viṣṇu; masc, nom, sing, prop
iti – thus, in this way; part, indec
akṣara-dvayam – two syllables, letters; neut, nom, sing, TP

बद्ध: परिकरस्तेन मोक्षाय गमनं प्रति ।
सकृदुच्चरितं येन हरिरित्यक्षरद्वयम् ॥ ९ ॥

पदच्छेद

बद्ध: परिकरः तेन मोक्षाय गमनम् प्रति सकृत् उच्चरितम् येन हरिः इति अक्षरद्वयम् ।

पदपरिचय

बद्ध: - अ, पुं, प्र, ए.व (क्तान्तम्)
परिकरः - अ, पुं, प्र, ए.व
तेन - तद्, पुं, तृ, ए.व
मोक्षाय - अ, पुं, च, ए.व
गमनम् - अ, नपुं, द्वि, ए.व
प्रति - अव्ययम्
सकृत् - अव्ययम्
उच्चरितम् - अ, नपुं, प्र, ए.व (क्तान्तम्)
येन - यद्, पुं, तृ, ए.व
हरिः - इ, पुं, प्र, ए.व
इति - अव्ययम्
अक्षरद्वयम् - अक्षरयोः द्वयम्, अक्षरद्वयम्, अ, नपुं, प्र, ए.व

अन्वय

येन हरिः इति अक्षरद्वयम् उच्चरितम्, तेन मोक्षाय गमनं प्रति परिकरः बद्ध: (भवति) ।

Phala verses

baddhaḥ parikarastena mokṣāya gamanaṃ prati |
sakṛduccaritaṃ yena haririty akṣaradvayam ||

Words separated

baddhaḥ parikaraḥ tena mokṣāya gamanam prati sakṛt uccaritam
yena hariḥ iti akṣara-dvayam |

Prose

yena hariḥ iti akṣara-dvayam sakṛt uccaritam, tena mokṣāya
gamanaṃ prati parikaraḥ baddhaḥ (bhavati) |

Translation

The one who has uttered the two syllables 'Ha-ri' has packed
his luggage for the journey of *mokṣa*.

Word by word

baddhaḥ – tied, packed; masc, nom, sing, ppp, √bandh (9P)
parikaraḥ – luggage, swag for belongings; masc, nom, sing
tena – by him; masc, inst, sing, pron, *tad*
mokṣāya – for [the attainment] of *mokṣa* (liberation); masc,
dat, sing
gamanam – setting out, journey; neut, acc, sing
prati – towards; indec
sakṛt – once; adv, indec
uccaritam – spoken, expressed; neut, nom, sing, adj
yena – by whom, by the one; masc, inst, sing, rel pron, *yat*
hariḥ – Hari/Viṣṇu; masc, nom, sing, prop
iti – thus, in this way; part, indec
akṣara-dvayam – two syllables, letters; neut, nom, sing, TP

हर्यष्टकमिदं पुण्यम् प्रातरुत्थाय यः पठेत् ।
आयुष्यं बलमारोग्यम् यशो वृद्धिं च विन्दति ॥ १० ॥

पदच्छेद

हर्यष्टकम् इदम् पुण्यम् प्रातः उत्थाय यः पठेत् आयुष्यम् बलम् आरोग्यम्
यशः वृद्धिम् च विन्दति ।

पदपरिचय

हर्यष्टकम् - अष्टौ पद्यानि यत्र तत्, अष्टकम्, हरेः अष्टकम्, हर्यष्टकम्,
अ, नपुं, द्वि, ए.व
इदम् - इदम्, नपुं, द्वि, ए.व
पुण्यम् - अ, नपुं, द्वि, ए.व
प्रातः - अव्ययम्
उत्थाय - ल्यबन्तम् अव्ययम्
यः - यद्, पुं, प्र, ए.व
पठेत् - पठ (व्यक्तायां वाचि), वि.लिङ्, प, प्र, ए.व
आयुष्यम् - अ, नपुं, द्वि, ए.व
बलम् - अ, नपुं, द्वि, ए.व
आरोग्यम् - अ, नपुं, द्वि, ए.व
यशः - स, नपुं, द्वि, ए.व
वृद्धिम् - इ, स्त्री, द्वि, ए.व
च - अव्ययम्
विन्दति - विद्लृ (लाभे), लट्, प, प्र, ए.व

अन्वय

यः प्रातः उत्थाय इदं पुण्यं हर्यष्टकं पठेत्, (सः) आयुष्यं, बलम्, आरोग्यं,
यशः, वृद्धिं च विन्दति ।

haryaṣṭakamidaṃ puṇyaṃ prātarutthāya yaḥ paṭhet **I**
āyuṣyaṃ balamārogyaṃ yaśo vṛddhiṃ ca vindati **II**

Words separated & Prose

haryaṣṭakam idam puṇyam prātaḥ utthāya yaḥ paṭhet āyuṣyam balam ārogyam yaśaḥ vṛddhim ca vindati **I**

Translation

He who reads this auspicious octet to Hari after getting up in the morning obtains long life, good health, fame and fortune.

Word by word

haryaṣṭakam – octet to Hari; neut, acc, sing, TP
idam – this; neut, acc, sing, dem pron, *idam*
puṇyam – pure, auspicious; neut, acc, sing, adj
prātaḥ – [in the] morning; adv, indec
utthāya – having arisen; ger, ut√sthā (1P), indec
yaḥ – he who; masc, nom, sing, rel pron, *yat*
paṭhet – should read; 3rd, sing, opt, √paṭh (1P)
āyuṣyam – longevity; neut, acc, sing
balam – strength; neut, acc, sing
ārogyam – disease-free, health; neut, acc, sing
yaśaḥ – fame; neut, acc, sing
vṛddhim – prosperity, fortune; fem, acc, sing
ca – and; conj, indec
vindati – finds, obtains; 3rd, sing, pres, act √vid (6P)

प्रह्लादेन कृतं स्तोत्रम् दुःखसागरशोषणम् ।
यः पठेत्स नरो याति तद्विष्णोः परमं पदम् ॥ ११ ॥

पदच्छेद

प्रह्लादेन कृतम् स्तोत्रम् दुःखसागरशोषणम् यः पठेत् सः नरः याति तत्
विष्णोः परमम् पदम् ।

पदपरिचय

प्रह्लादेन - अ, पुं, तृ, ए.व
कृतम् - अ, नपुं, द्वि, ए.व (क्तान्तम्)
स्तोत्रम् - अ, नपुं, द्वि, ए.व
दुःखसागरशोषणम् - दुःखस्य सागरः दुःखसागरः, दुःखसागरस्य शोषणम्,
दुःखसागरशोषणम्,
अ, नपुं, द्वि, ए.व
यः - यद्, पुं, प्र, ए.व
पठेत् - पठ (व्यक्तायां वाचि), वि.लिङ्, प, प्र, ए.व
सः - तद्, पुं, प्र, ए.व
नरः - अ, पुं, प्र, ए.व
याति - या (प्रापणे), लट्, प, प्र, ए.व
तत् - तद्, नपुं, द्वि, ए.व
विष्णोः - उ, पुं, ष, ए.व
परमम् - अ, नपुं, द्वि, ए.व
पदम् - अ, नपुं, द्वि, ए.व

अन्वय

यः (नरः) प्रह्लादेन कृतं दुःखसागरशोषणं, स्तोत्रं पठेत्, सः नरः तत्
विष्णोः परमं पदं याति ।

212

prahlādena kṛtaṃ stotraṃ duḥkhasāgaraśoṣaṇam ǀ
yaḥ paṭhetsa naro yāti tadviṣṇoḥ paramaṃ padam ǁ

Words separated & Prose

prahlādena kṛtam stotram duḥkha-sāgara-śoṣaṇam yaḥ paṭhet saḥ naraḥ yāti tad viṣṇoḥ paramam padam ǀ

Translation

He who reads this *stotra* composed by Prahlāda, which destroys the ocean of sorrows, goes to the highest abode of Viṣṇu.

Word by word

prahlādena – by Prahlāda; masc, inst, sing, prop
kṛtam – made, composed; neut, acc, sing, ppp, √kṛ (8P)
stotram – ode, eulogy; neut, acc, sing
duḥkha-sāgara-śoṣaṇam – destroyer of the ocean of sorrow; neut, acc, sing, TP
duḥkha – sorrow; neut noun, ic
sāgara – ocean; masc noun, ic
śoṣaṇa – withering, desiccating, destroying; neut noun, ifc
yaḥ – he who; masc, nom, sing, rel pron, *yat*
paṭhet – should/may read; 3rd, sing, opt, √paṭh (1P)
saḥ – he, that; masc, nom, sing, correl pron, *tad*
naraḥ – man; masc, nom, sing
yāti – goes [to], obtains; 3rd, sing, pres, √yā (2P)
tad – his; masc, gen, sing, ic
viṣṇoḥ – Viṣṇu's; masc, gen, sing
paramam – highest, most exalted; neut, acc, sing
padam – station, abode; neut, acc, sing

Śrī Hari Stotram

श्रीहरिस्तोत्रम्

About the Stotra

Composed by Swāmi Paramahaṃsa Brahmānanda, Śrī Hari Stotram is a eulogy to Viṣṇu, source of the universe. Recited with utmost concentration, it is ideal for relief from the miseries of life and birth. The divine form of the lord is described with such beauty and in such detail that it is sure to send the devotee into raptures. The metre used in this octet is *bhujaṅgaprayāta*.

श्रीहरिस्तोत्रम्

जगज्जालपालं कनत्कण्ठमालम् शरच्चन्द्रभालं महादैत्यकालम् ।
नभोनीलकायं दुरावारमायम् सुपद्मासहायं भजेऽहं भजेऽहम् ॥ १ ॥

पदच्छेद

जगज्जालपालम् कनत्कण्ठमालम् शरच्चन्द्रभालम् महादैत्यकालम् नभोनीलकायम् दुरावारमायम् सुपद्मासहायम् भजे अहम् भजे अहम् ।

पदपरिचय

जगज्जालपालम् - जगत् एव जालम्, जगज्जालम्, जगज्जालस्य पालः जगज्जालपालः, अ, पुं, द्वि, ए.व
कनत्कण्ठमालम् - कण्ठस्य माला, कण्ठमाला, कनन्ती कण्ठमाला यस्य सः, कनत्कण्ठमालः, अ, पुं, द्वि, ए.व
शरच्चन्द्रभालम् - शरदः चन्द्रः शरच्चन्द्रः, शरच्चन्द्रः भाले यस्य सः, शरच्चन्द्रभालः, अ, पुं, द्वि, ए.व
महादैत्यकालम् - महांश्चासौ दैत्यः, महादैत्यः, महादैत्यानां कालः, महादैत्यकालः, अ, पुं, द्वि, ए.व
नभोनीलकायम् - नभसः नीलम्, नभोनीलम्, नभोनीलः कायः यस्य सः, नभोनीलकायः, अ, पुं, द्वि, ए.व
दुरावारमायम् - दुरावारा माया यस्य सः, दुरावारमायः, अ, पुं, द्वि, ए.व
सुपद्मासहायम् - सुपद्मायाः सहायः, सुपद्मासहायः, अ, पुं, द्वि, ए.व
भजे - भज (सेवायाम्), लट्, आ, उ, ए.व
अहम् - अस्मद्, प्र, ए.व
भजे - भज (सेवायाम्), लट्, आ, उ, ए.व
अहम् - अस्मद्, प्र, ए.व

Śrī Hari Stotram

Verse 1

jagajjālapālaṃ kanatkaṇṭhamālam śaraccandrabhālaṃ mahādaityakālam |
nabhonīlakāyaṃ durāvāramāyam supadmāsahāyaṃ bhaje'haṃ bhaje'ham ||

Words separated & Prose

jagat-jāla-pālam kanat-kaṇṭha-mālam śarat-candra-bhālam mahā-daitya-kālam nabhaḥ-nila-kāyam durāvārā-māyam supadmā-sahāyam bhaje aham bhaje aham |

Translation

I worship, I adore Śrī Hari, protector of the net [that is the] world, who has a shining garland around his neck, whose forehead is [radiant] like the autumn moon, who spells the end for great demons, whose body has the colour of a dark cloud, whose *māyā* is incomprehensible, and who is with the consort Padmā.

Word by word

jagajjālapālam – protector of the mesh/net that is the world; masc, sing, acc, TP
jagat – world; neut noun, ic
jāla – net, mesh, web; neut noun, ic

अन्वय

अहं जगज्जालपालम्, कनत्कण्ठमालम्, शरच्चन्द्रभालम्, महादैत्यकालम्, नभोनीलकायम्, दुरावारमायम्, सुपद्मासहायं भजे, अहं भजे ।

pālam – protector; masc noun, ifc

kanatkaṇṭhamālam – who has a shining garland around his neck/at his throat; masc, acc, sing, BV

kanat – shining, pleasing; pres part, √kan (4P), ic

kaṇṭha – throat, neck; masc, noun, ic

mālam – garland, necklace; fem noun, ifc

śaraccandrabhālam – whose forehead is [radiant, brilliant] like the autumnal moon; masc, acc, sing, BV

śarad – autumn; fem noun, ic

candra – moon; masc noun, ic

bhālam – forehead; neut noun, ifc

mahādaityakālam – who is death/the end of time for great demons; masc, acc, sing, TP

mahat – great, huge, violent; adj, ic

daitya – son of Ditī, enemy of *devas*; masc noun, ic

kālam – time, time of death; masc noun, ifc

nabhonīlakāyam – whose body is the colour of a dark/blue cloud; masc, sing, acc, BV

nabhas – cloud; neut noun, ic

nīla – blue, dark, black; adj, ic

kāyam – body; masc noun, ifc

durāvāramāyam – whose *māyā* [illusory creativity] is difficult to cover [like one covers a subject or course]; masc, acc, sing, BV

durāvāra – difficult to cover, to comprehend; adj, ic

māyam – illusory creativity; fem noun, ifc

supadmāsahāyam – who is the companion of the excellent Lakṣmī; masc, acc, sing, BV

supadmā – the excellent Padmā, Lakṣmī; fem epith, ic

sahāyam – companion, spouse; masc noun, ifc

bhaje – worship, adore; 1st sing, pres, √bhaj (1Ā)

aham – I; nom, sing, pron, *asmat*

bhaje – worship, adore; 1st sing, pres, √bhaj (1Ā)

aham – I; nom, sing, pron, *asmat*

सदाम्भोधिवासं गलत्पुष्पहासम् जगत्सन्निवासं शतादित्यभासम् ।
गदाचक्रशस्त्रं लसत्पीतवस्त्रम् हसच्चारुवक्त्रं भजेऽहं भजेऽहम् ॥ २ ॥

पदच्छेद

सदा अम्भोधिवासम् गलत्पुष्पहासम् जगत्सन्निवासम् शतादित्यभासम्
गदाचक्रशस्त्रम् लसत्पीतवस्त्रम् हसच्चारुवक्त्रम् भजे अहम् भजे अहम् ।

पदपरिचय

सदा - अव्ययम्

अम्भोधिवासम् - अम्भोधौ अधिवासः यस्य सः, अम्भोधिवासः, अ, पुं,
द्वि, ए.व

गलत्पुष्पहासम् - पुष्पम् इव हासः, पुष्पहासः, गलन् पुष्पहासः यस्य सः,
गलत्पुष्पहासः,

अ, पुं, द्वि, ए.व

जगत्सन्निवासम् - जगति सन्निवासः यस्य सः, जगत्सन्निवासः, अ,
पुं, द्वि, ए.व

शतादित्यभासम् - शतानां आदित्यानां भासः यस्य सः, शतादित्यभासः,
अ, पुं, द्वि, ए.व

गदाचक्रशस्त्रम् - गदा चक्रं च यस्य शस्त्रम्, सः, गदाचक्रशस्त्रः, अ,
द्वि, प्र, ए.व

लसत्पीतवस्त्रम् - पीतं वस्त्रं, पीतवस्त्रम्, लसत् पीतवस्त्रं यस्य सः,
लसत्पीतवस्त्रः,

अ, पुं, द्वि, ए.व

हसच्चारुवक्त्रम् - चारु वक्त्रम्, चारुवक्त्रम्, हसत् चारुवक्त्रं यस्य सः,
हसच्चारुवक्त्रः,

अ, पुं, द्वि, ए.व

भजे - भज (सेवायाम्), लट्, आ, उ, ए.व

अहम् - अस्मद्, प्र, ए.व

भजे - भज (सेवायाम्), लट्, आ, उ, ए.व

अहम् - अस्मद्, प्र, ए.व

Verse 2

sadāmbhodhivāsaṃ galatpuṣpahāsaṃ jagatsannivāsaṃ śatādityabhāsam I
gadācakraśastraṃ lasatpītavastram hasaccāruvaktraṃ bhaje'haṃ bhaje'ham II

Words separated & Prose

sadā-ambhodhi-vāsam galat-puṣpa-hāsam jagat-sat-nivāsam śata-āditya-bhāsam gadā-cakra-śastram lasat-pīta-vastram hasat-cāru-vaktram bhaje aham bhaje aham I

Translation

I worship, I adore Śrī Hari, who dwells perpetually on an ocean, whose laughter is like dripping flowers, whose abode is with the good in the world, whose radiance is like a hundred suns, whose weapons are the mace and a *cakra*, who is clad in shining yellow, and whose charming face is [ever] smiling.

Word by word

sadā – always, perpetually; adv, indec
ambhodhivāsam – who dwells on an ocean; masc, acc, sing, TP
ambhodhi – ocean, receptacle of waters; masc noun, ic
vāsam – dwelling; masc noun, ifc
galatpuṣpahāsam – whose laughter is [like] dripping flowers; masc, acc, sing, BV
galat – dripping, trickling, falling down; pres part, √gal (1P), ic
puṣpa – flower; neut noun, ic
hāsam – laughter; masc noun, ifc
jagatsannivāsam – whose abode is with the good in [this] world; masc, acc, sing, BV
jagat – world; neut noun, ic
sat – good, true, real; adj, ic

अन्वय

अहं सदा अम्भोधिवासम्, गलत्पुष्पहासम्, जगत्सन्निवासम्, शतादित्यभासम्, गदाचक्रशस्त्रम्, लसत्पीतवस्त्रम्, हसच्चारुवक्त्रम् भजे, अहं भजे ।

nivāsam – abode; masc noun, ifc

śatādityabhāsam – whose brilliance is like a hundred suns; masc, acc, sing, BV

śata – a hundred; num, adj, ic

āditya – sun, son of Aditī; masc, epith, ic

bhāsam – light, lustre, brightness; masc noun, ifc

gadācakraśastram – whose weapons are the mace and the *cakra*; masc, acc, sing, BV

gadā – mace, club, bludgeon; fem noun, ic

cakra – discus, sharp weapon; neut noun, ic

śastram – weapon; neut noun, ifc

lasatpītavastram – whose garments are shining [and] yellow; masc, sing, acc BV

lasat – shining, glittering; pres part, √las (1P), ic

pīta – yellow; adj, ic

vastram – garment, clothing; neut noun, ifc

hasaccāruvaktram – whose face is pleasant [and] smiling; masc, sing, acc, BV

hasat – laughing, smiling; pres part, √has (1P), ic

cāru – pleasant, charming; adj, ic

vaktram – face; neut noun, ifc

bhaje – worship, adore; 1st sing, pres, √bhaj (1Ā)

aham – I; nom, sing, pron, *asmat*

bhaje – worship, adore; 1st sing, pres, √bhaj (1Ā)

aham – I; nom, sing, pron, *asmat*

रमाकण्ठहारं श्रुतिव्रातसारम् जलान्तर्विहारं धराभारहारम् ।
चिदानन्दरूपं मनोज्ञस्वरूपम् धृतानेकरूपं भजेऽहं भजेऽहम् ॥ ३ ॥

पदच्छेद

रमाकण्ठहारम् श्रुतिव्रातसारम् जलान्तर्विहारम् धराभारहारम् चिदानन्दरूपम् मनोज्ञस्वरूपम् धृतानेकरूपम् भजे अहम् भजे अहम् ।

पदपरिचय

रमाकण्ठहारम् - रमा कण्ठहारः यस्य सः, रमाकण्ठहारः, अ, पुं, द्वि, ए.व
श्रुतिव्रातसारम् - श्रुतीनां व्रातः, श्रुतिव्रातः, श्रुतिव्रातस्य सारः, श्रुतिव्रातसारः, अ, पुं, द्वि, ए.व
जलान्तर्विहारम् - जलान्तः विहारः यस्य सः, जलान्तर्विहारः, अ, पुं, द्वि, ए.व
धराभारहारम् - धरायाः भारः, धराभारः, धराभारस्य हारः यः, धराभारहारः, अ, पुं, द्वि, ए.व
चिदानन्दरूपम् - चित् च आनन्दश्च, चिदानन्दौ, चिदानन्दौ रूपं यस्य सः, चिदानन्दरूपः,
अ, पुं, द्वि, ए.व
मनोज्ञस्वरूपम् - मनोज्ञं स्वरूपं यस्य सः, मनोज्ञस्वरूपः, अ, पुं, द्वि, ए.व
धृतानेकरूपम् - अनेकं रूपम्, अनेकरूपम्, धृतम् अनेकरूपं येन, धृतानेकरूपः, अ, पुं, द्वि, ए.व
भजे - भज (सेवायाम्), लट्, आ, उ, ए.व
अहम् - अस्मद्, प्र, ए.व
भजे - भज (सेवायाम्), लट्, आ, उ, ए.व
अहम् - अस्मद्, प्र, ए.व

अन्वय

अहं रमाकण्ठहारम्, श्रुतिव्रातसारम्, जलान्तर्विहारम्, धराभारहारम्, चिदानन्दरूपम्, मनोज्ञस्वरूपम्, धृतानेकरूपं भजे, अहं भजे ।

Verse 3

ramākaṇṭhahāraṃ śrutivrātasāraṃ jalāntarvihāraṃ dharābhārahāram |
cidānandarūpaṃ manojñasvarūpaṃ dhṛtānekarūpaṃ bhaje'haṃ bhaje'ham ||

Words separated & Prose

ramā-kaṇṭha-hāram śruti-vrāta-sāram jala-antar-vihāram dharā-bhāra-hāram cit-ānanda-rūpam manojña-svarūpam dhṛta-aneka-rūpam bhaje aham bhaje aham

Translation

I worship, I adore Śrī Hari, who has Ramā adorning his neck like a garland, who is the essence of *śruti* treatises, whose place of recreation is the water(s), who takes away the weight of the earth, who is thought and joy, whose own form is pleasing to the mind, and who has taken many forms.

Word by word

ramākaṇṭhahāram – the garland of whose neck is Ramā; masc, acc, sing, BV
ramā – Lakṣmī; fem, epith, ic
kaṇṭha – throat, neck; masc noun, ic
hāram – necklace, garland; masc noun, ifc
śrutivrātasāram – who is the essence of the Veda; masc, acc, sing, TP
śruti – that which is heard, Veda; fem noun, ic
vrāta – religious vow or undertaking, group, multitude; masc noun, ic
sāram – essence, extract; masc/neut noun, ifc
jalāntarvihāram – whose place of recreation is in the water[s]; masc, acc, sing, BV

jala – water; neut noun, ic

antar – inside, interior; adv, indec, ic

vihāram – place of recreation, pleasure ground; masc noun, ifc

dharābhārahāram – who takes away the burden of the earth; masc, acc, sing, TP

dharā – earth; fem noun, ic

bhāra – weight, burden; masc noun, ic

hāram – he who takes away; masc noun, ic

cidānandarūpam – whose form is that of consciousness and bliss; masc, acc, sing, BV

cit – pure thought, consciousness; fem noun, ic

ānanda – bliss, joy, delight; masc noun, ic

rūpam – form; neut noun, ifc

manojñasvarūpam – whose own form is beautiful, charming to the mind; masc, acc, sing, BV

manojña – pleasing to the mind, lovely; adj, ic

svarūpam – own form; neut noun, ifc

dhṛtānekarūpam – by whom many forms have been borne/taken; masc, acc, sing, BV

dhṛta – borne, possessing, using; ppp, √dhṛ (1U), ic

aneka – not one, many; adj, ic

rūpam – form; neut noun, ifc

bhaje – worship, adore; 1st sing, pres, √bhaj (1Ā)

aham – I; nom, sing, pron, *asmat*

bhaje – worship, adore; 1st sing, pres, √bhaj (1Ā)

aham – I; nom, sing, pron, *asmat*

जराजन्महीनं परानन्दपीनम् समाधानलीनं सदैवानवीनम् ।
जगज्जन्महेतुं सुरानीककेतुम् त्रिलोकैकसेतुं भजेऽहं भजेऽहम् ॥ ४ ॥

पदच्छेद

जराजन्महीनम् परानन्दपीनम् समाधानलीनम् सदा एव अनवीनम् जगज्जन्महेतुम् सुरानीककेतुम् त्रिलोकैकसेतुम् भजे अहम् भजे अहम् ।

पदपरिचय

जराजन्महीनम् - जरा च जन्म च जराजन्मनी, जराज्न्मभ्यां हीनः, जराजन्महीनः,
अ, पुं, द्वि, ए.व
परानन्दपीनम् - परः आनन्दः, परानन्दः, परानन्देन पीनः, परानन्दपीनः, अ, पुं, द्वि, ए.व
समाधानलीनम् - समाधाने लीनः, समाधानलीनः, अ, पुं, द्वि, ए.व
सदा - अव्ययम्
एव - अव्ययम्
अनवीनम् - न नवीनम्, अनवीनम्, अ, पुं, द्वि, ए.व
जगज्जन्महेतुम् - जगतः जन्म, जगज्जन्म, जगज्जन्मनः हेतुः, जगज्जन्महेतुः, उ, पुं, द्वि, ए.व
सुरानीककेतुम् - सुराणाम् अनीकः, सुरानीकः, सुरानीकस्य केतुः, सुरानीककेतुः, उ, पुं, द्वि, ए.व
त्रिलोकैकसेतुम् - त्रयाणां लोकानाम् एकः सेतुः, त्रिलोकैकसेतुः, उ, पुं, द्वि, ए.व
भजे - भज (सेवायाम्), लट्, आ, उ, ए.व
अहम् - अस्मद्, प्र, ए.व
भजे - भज (सेवायाम्), लट्, आ, उ, ए.व
अहम् - अस्मद्, प्र, ए.व

अन्वय

अहं जराजन्महीनम्, परानन्दपीनम्, समाधानलीनम्, सदैवानवीनम्, जगज्जन्महेतुम्, सुरानीककेतुम्, त्रिलोकैकसेतुं भजे, अहं भजे ।

Verse 4

jarājanmahīnaṃ parānandapīnaṃ samādhānalīnaṃ sadaivānavīnam I jagajjanmahetuṃ surānīkaketuṃ trilokaikasetuṃ bhaje'haṃ bhaje'ham II

Words separated & Prose

jarā-janma-hīnam para-ānanda-pīnam samādhāna-līnam sadā eva a-navīnam jagat-janma-hetum sura-anīka-ketum triloka-eka-setum bhaje aham bhaje aham I

Translation

I worship, I adore [Śri Hari] who is devoid of birth and old age, filled with the highest bliss, immersed in contemplation, perpetually ancient, the cause of the creation of the world, the leader of the army of the *devas*, and the one and only causeway for the three worlds.

Word by word

jarājanmahīnam – devoid of birth and old age; masc, acc, sing, TP
jarā – old age; fem noun, ic
janma – birth; neut noun, ic
hīnam – devoid, deficient of; ppp, √hā (3P), ifc
parānandapīnam – swelling with the highest bliss; masc, acc, sing, TP
para – highest, most excellent; adj, ic
ānanda – bliss, joy, delight; masc noun, ic
pīnam – swelling with, filled with; ppp, √pi (6P), ifc
samādhānalīnam – absorbed in contemplation; masc, acc, sing, TP
samādhāna – fixing the mind in abstract contemplation; neut

श्रीहरिस्तोत्रम्

noun, ic

līnam – absorbed, immersed; ppp, √lī (4Ā), ifc

sadā – always, perpetually; adv, indec

eva – thus; indec

a-navīnam – ancient, who is not new; masc, acc, sing, adj, nañ

jagajjanmahetum – cause of the world's creation/birth; masc, acc, sing, **TP**

jagat – world; neut noun, ic

janma – birth; neut noun, ic

hetum – cause, reason, impulse; masc noun, ifc

surānīkaketum – leader of the army of the *devas*; masc, acc, sing, TP

sura – *deva*, divine being; masc noun, ic

anīka – army; masc noun, ic

ketum – leader, banner; masc noun, ic

trilokaikasetum – the one causeway of the three worlds; masc, acc, sing, TP

tri-loka – three worlds; Dvi, ic

eka – one, only; num, adj, ic

setum – ridge of earth, causeway, bridge; masc noun, ic

bhaje – worship, adore; 1st sing, pres, √bhaj (1Ā)

aham – I; nom, sing, pron, *asmat*

bhaje – worship, adore; 1st sing, pres, √bhaj (1Ā)

aham – I; nom, sing, pron, *asmat*

कृताम्नायगानं खगाधीशयानम् विमुक्तेर्निदानं हरारातिमानम् ।
स्वभक्तानुकूलं जगद्वृक्षमूलम् निरस्तार्तशूलं भजेऽहं भजेऽहम् ॥ ५ ॥

पदच्छेद

कृताम्नायगानम् खगाधीशयानम् विमुक्तेः निदानम् हरारातिमानम्
स्वभक्तानुकूलम् जगद्वृक्षमूलम् निरस्तार्तशूलम् भजे अहम् भजे अहम् ।

पदपरिचय

कृताम्नायगानम् - आम्नायस्य गानम्, आम्नायगानम्, कृतम् आम्नायगानम् येन सः, कृताम्नायगानः, अ, पुं, द्वि, ए.व

खगाधीशयानम् - खगानाम् अधीशः खगाधीशः, खगाधीशः यानं यस्य सः, खगाधीशयानः, अ, पुं, द्वि, ए.व

विमुक्तेः - इ, स्त्री, ष, ए.व

निदानम् - अ, पुं, द्वि, ए.व

हरारातिमानम् - आरातीनां मानः, आरातिमानः, आरातिमानस्य हरः, हरारातिमानः, अ, पुं, द्वि, ए.व

स्वभक्तानुकूलम् - स्वस्य भक्तः, स्वभक्तः, स्वभक्तस्य अनुकूलः, स्वभक्तानुकूलः, अ, पुं, द्वि, ए.व

जगद्वृक्षमूलम् - जगत् एव वृक्षः, जगद्वृक्षः, जगद्वृक्षस्य मूलम्, जगद्वृक्षमूलम्, अ, नपुं, द्वि, ए.व

निरस्तार्तशूलम् - आर्तस्य शूलम्, आर्तशूलम्, निरस्तम् आर्तशूलम् येन सः, निरस्तार्तशूलः, अ, पुं, द्वि, ए.व

भजे - भज (सेवायाम), लट्, आ, उ, ए.व

अहम् - अस्मद्, प्र, ए.व

भजे - भज (सेवायाम), लट्, आ, उ, ए.व

अहम् - अस्मद्, प्र, ए.व

अन्वय

अहं कृताम्नायगानम्, खगाधीशयानम्, विमुक्तेः निदानम्, हरारातिमानम्, स्वभक्तानुकूलम्, जगद्वृक्षमूलम्, निरस्तार्तशूलं भजे, अहं भजे ।

Verse 5

kṛtāmnāyagānaṃ khagādhīśayānaṃ vimukternidānaṃ harārātimānam |
svabhaktānukūlaṃ jagadvṛkṣamūlaṃ nirastārtaśūlaṃ bhaje'haṃ bhaje'ham ||

Words separated & prose

kṛta-āmnāya-gānam khaga-adhīśa-yānam vimukteḥ nidānam hara-ārāti-mānam svabhakta-anukūlam jagat-vṛkṣa-mūlam nirasta-ārta-śūlam bhaje aham bhaje aham |

Translation

I worship, I adore [Śrī Hari], by whom the Veda is sung, whose vehicle is the lord of birds, who is the primary cause of liberation, who takes away the pride of enemies [but] is favourable to his own devotees, the root of the world-tree, [and] by whom acute suffering is removed.

Word by word

kṛtāmnāyagānam – by whom the Veda has been sung*; masc, acc, sing, BV
kṛta – done by; ppp, √kṛ (8P), ic
āmnāya – Veda; masc noun, ic
gānam – singing, chanting; neut noun, ifc
khagādhīśayānam – whose vehicle is the king of birds (Garuḍa); masc, acc, sing, BV
khaga – bird/roams in the sky; masc noun, ic
adhīśa – lord, overlord; masc noun, ic
yānam – vehicle; neut noun, ic
vimukteḥ – of liberation, release; fem, gen, sing
nidānam – first, primary cause; masc, acc, sing

श्रीहरिस्तोत्रम्

harārātimānam – who takes away the pride of enemies; masc, acc, sing, TP

hara – one who takes away; masc noun, ic

ārāti – enemy; masc noun, ic

mānam – pride; masc noun, ifc

svabhaktānukūlam – well-disposed to his devotees; masc, acc, sing, TP

svabhakta – one's own devotees; masc, KD, ic

anukūlam – kind, favourable, well-disposed; adj, ifc

jagadvṛkṣamūlam – the root cause of the tree [which is the] world; masc, acc, sing, TP

jagad-vṛkṣa – the world [conceived of as a] tree; KD, ic

mūlam – root; neut noun, ifc

nirastārtaśūlam – by whom acute sorrows of the afflicted have been removed; masc, acc, sing, BV

nirasta – banished, expelled, removed; ppp, nis√as (4P), ic

ārta – one who is suffering; masc noun, ic

śūlam – acute pain, grief, sorrow; masc noun, ifc

bhaje – worship, adore; 1st sing, pres, √bhaj (1Ā)

aham – I; nom, sing, pron, *asmat*

bhaje – worship, adore; 1st sing, pres, √bhaj (1Ā)

aham – I; nom, sing, pron, *asmat*

*This translation basis Mbh 5.106.10a. It can also be analysed as 'sung by the Veda'.

समस्तामरेशं द्विरेफाभकेशम् जगद्बिम्बलेशं हृदाकाशदेशम् ।
सदा दिव्यदेहं विमुक्ताखिलेहम् सुवैकुण्ठगेहं भजेऽहं भजेऽहम् ॥ ६ ॥

पदच्छेद

समस्तामरेशम् द्विरेफाभकेशम् जगद्बिम्बलेशम् हृदाकाशदेशम् सदा दिव्यदेहम् विमुक्ताखिलेहम् सुवैकुण्ठगेहम् भजे अहम् भजे ।

पदपरिचय

समस्तामरेशम् - समस्तानाम् अमराणाम् ईशः, समस्तामरेशः, अ, पुं, द्वि, ए.व
द्विरेफाभकेशम् - द्विरेफस्य आभा, द्विरेफाभा, द्विरेफाभा केशः यस्य सः, द्विरेफाभकेशः, अ, पुं, द्वि, ए.व
जगद्बिम्बलेशम् - जगत् एव बिम्बम्, जगद्बिम्बम्, जगद्बिम्बम् लेशः यस्य सः, जगद्बिम्बमलेशः, अ, पुं, द्वि, ए.व
हृदाकाशदेशम् - हृत् एव आकाशः, हृदाकाशः, हृदाकाशे देशः यस्य सः, हृदाकाशदेशः, अ, पुं, द्वि, ए.व
सदा - अव्ययम्
दिव्यदेहम् - दिव्यः देहः यस्य सः, दिव्यदेहः अ, पुं, द्वि, ए.व
विमुक्ताखिलेहम् - अखिला ईहा अखिलेहा, विमुक्ता अखिलेहा येन सः, विमुक्ताखिलेहः, अ, पुं, द्वि, ए.व
सुवैकुण्ठगेहम् - सुवैकुण्ठं गेहं यस्य सः, सुवैकुण्ठगेहः, अ, पुं, द्वि, ए.व
भजे - भज (सेवायाम्), लट्, आ, उ, ए.व
अहम् - अस्मद्, प्र, ए.व
भजे - भज (सेवायाम्), लट्, आ, उ, ए.व
अहम् - अस्मद्, प्र, ए.व

अन्वय

अहं समस्तामरेशम्, द्विरेफाभकेशम्, जगद्बिम्बलेशम्, हृदाकाशदेशम्, सदा दिव्यदेहम्, विमुक्ताखिलेहम्, सुवैकुण्ठगेहं भजे, अहं भजे ।

Verse 6

samastāmareśaṃ dvirephābhakeśaṃ jagadbimbaleśaṃ hṛdākāśadeśam I
sadā divyadehaṃ vimuktākhilehaṃ suvaikuṇṭhagehaṃ bhaje'haṃ bhaje'ham II

Words separated & Prose

samasta-amara-īśam dvirepha-ābha-keśam jagad-bimba-leśam hṛd-ākāśa-deśam sadā divya-deham vimukta-akhila-īham su-vaikuṇṭha-geham bhaje aham bhaje aham

Translation

I worship, I adore [Śrī Hari], who is the lord of all the immortals, whose hair is the colour of a bumblebee, of whom the whole world is but a tiny particle, who is all-pervading, whose body is divine, who has no desire and whose abode is the excellent Vaikuṇṭha.

Word by word

samastāmareśam – lord of all the *devas*; masc, acc, sing, TP
samasta – all, put together; adj, ppp, sam√as (4P), ic
amara – immortal, divine being, gods; masc noun, ic
īśam – lord, ruler; masc noun, ifc
dvirephābhakeśam – whose hair is the colour of a bumblebee; masc, acc, sing, BV
dvirepha – bumblebee; masc noun, ic
ābhā – having the resemblance of; adj, ic
keśam – hair; masc noun, ifc
jagadbimbaleśam – of whom the world is but a tiny particle; masc, acc, sing, BV (or who is [every constituting] atom of the world-sphere; masc, acc, sing, TP)
jagad-bimba – the world-sphere/orb; KD, ic

श्रीहरिस्तोत्रम्

leśam – atom, smallest part; masc noun, ifc

hṛdākāśadeśam – whose territory is consciousness [that is vast as] the [all-pervading] sky; masc, acc, sing, BV

hṛt – seat of feeling and consciousness; neut noun, ic

ākāśa – sky; masc noun, ic

hṛdākāśa – consciousness [as vast and all-pervading as] the sky; KD, ic

deśam – territory, region, abode; masc noun, ifc

sadā – always, perpetually; adv, indec

divya-deham – whose body is divine; masc, acc, sing, BV

vimuktākhileham – by whom all desires have been let go, i.e., is desireless; masc, acc, sing, BV

vimukta – released, liberated; fem, ppp, vi√muc (6U)

akhila – all; fem adj, ic

īham – desire, wish; fem noun īhā, ifc

suvaikuṇṭhageham – whose home is the excellent Vaikuṇṭha; masc, acc, sing, BV

suvaikuṇṭha – the excellent Vaikuṇṭha; masc noun, ic

geham – home, dwelling, habitation; neut noun, ifc

bhaje – worship, adore; 1st sing, pres, act, √bhaj (1Ā)

aham – I; nom, sing, pron, *asmat*

bhaje – worship, adore; 1st sing, pres, act, √bhaj (1Ā)

aham – I; nom, sing, pron, *asmat*

सुरालीबलिष्ठं त्रिलोकीवरिष्ठम् गुरूणां गरिष्ठं स्वरूपैकनिष्ठम् ।
सदा युद्धधीरं महावीरवीरम् महाम्भोधितीरं भजेऽहं भजेऽहम् ॥ ७ ॥

पदच्छेद

सुरालीबलिष्ठम् त्रिलोकीवरिष्ठम् गुरूणां गरिष्ठम् स्वरूपैकनिष्ठम् सदा युद्धधीरम् महावीरवीरम् महाम्भोधितीरम् भजे अहम् भजे अहम् ।

पदपरिचय

सुरालीबलिष्ठम् - सुराणां आली, सुराली, सुराल्यां बलिष्ठः, सुरालीबलिष्ठः, अ, पुं, द्वि, ए.व
त्रिलोकीवरिष्ठम् - त्रयाणां लोकानां समाहारः त्रिलोकी, त्रिलोक्यां वरिष्ठः, त्रिलोकीवरिष्ठः, अ, पुं, द्वि, ए.व
गुरूणाम् - उ, पुं, ष, ब.व
गरिष्ठम् - अ, पुं, द्वि, ए.व
स्वरूपैकनिष्ठम् - एका निष्ठा, एकनिष्ठा, स्वरूपे एकनिष्ठा यस्य सः, स्वरूपैकनिष्ठः, अ, पुं, द्वि, ए.व
सदा - अव्ययम्
युद्धधीरम् - युद्धे धीरः, युद्धधीरः, अ, पुं, द्वि, ए.व
महावीरवीरम् - महान् चासौ वीरः महावीरः, महावीरेषु वीरः, महावीरवीरः, अ, पुं, द्वि, ए.व
महाम्भोधितीरम् - महान् चासौ अम्बोधिः महाम्बोधिः, महाम्भोधिः तीरं यस्य सः, महाम्भोधितीरः, अ, पुं, द्वि, ए.व
भजे - भज (सेवायाम्), लट्, आ, उ, ए.व
अहम् - अस्मद्, प्र, ए.व
भजे - भज (सेवायाम्), लट्, आ, उ, ए.व
अहम् - अस्मद्, प्र, ए.व

अन्वय

अहं सुरालीबलिष्ठम्, त्रिलोकीवरिष्ठम्, गुरूणां गरिष्ठम्, स्वरूपैकनिष्ठम्, सदा युद्धधीरम्, महावीरवीरम्, महाम्भोधितीरं भजे, अहं भजे ।

Verse 7

surālībaliṣṭhaṃ trilokīvariṣṭhaṃ gurūṇāṃ gariṣṭhaṃ svarūpaikaniṣṭham |
sadā yuddhadhīraṃ mahāvīravīraṃ mahāmbhodhitīraṃ bhaje'haṃ bhaje'ham ||

Words separated & Prose

surālī-baliṣṭham trilokī-variṣṭham gurūṇām gariṣṭham svarūpa-eka-niṣṭham sadā yuddha-dhīram mahā-vīra-vīram mahā-ambhodhi-tīram bhaje aham bhaje aham |

Translation

I worship, I adore [Śrī Hari] who is strongest amongst the rows of gods, most superior in the three worlds, most venerable of all teachers, who is steadfast singularly in his own form, who is always skilful and resolute in battle [and] who is the bank of the great ocean [of existence].

Word by word

surālībaliṣṭham – strongest amongst rows of gods; masc, acc, sing, TP
sura – divine beings, *devas*; masc noun, ic
ālī – row, range, continuous line; fem noun, ic
baliṣṭham – strongest; adj, sup, ifc
trilokīvariṣṭham – most eminent in the three worlds; masc, acc, sing, TP
trilokī – the three worlds; Dvi
variṣṭham – most eminent; adj, masc, sup, ifc
gurūṇām – of teachers, of venerated ones; masc, gen, pl
gariṣṭham – most venerable; masc, acc, sing, adj, sup
svarūpaikaniṣṭham – who resides firmly [and] only in his own form; masc, acc, sing, BV

svarūpa – own form; neut noun, ic

eka – one, singular; num, ic

niṣṭham – situated; ppp, ifc, nis√sthā (1P)

sadā – always, perpetually; adv, indec

yuddha-dhīram – who is skilful, steadfast in battle; masc, acc, sing, TP

mahāvīravīram – who is [most] valorous among the greatly brave; masc, acc, sing, TP

mahā – great; adj, ic

vīra – brave, valorous; masc noun, ic

vīram – brave, valorous; masc noun, ifc

mahāmbhodhitīram – who is the shore of the great ocean; masc, acc, sing, TP

mahā – great; adj, ic

ambhodhi – ocean, receptacle of water; masc noun, ic

tīram – bank, shore; masc noun, ifc

bhaje – worship, adore; 1st sing, pres, act, √bhaj (1Ā)

aham – I; nom, sing, pron, *asmat*

bhaje – worship, adore; 1st sing, pres, act, √bhaj (1Ā)

aham – I; nom, sing, pron, *asmat*

रमावामभागं तलालग्ननागम् कृताधीनयागं गतारागरागम् ।
मुनीन्द्रैः सुगीतं सुरैः सम्परीतम् गुणौघैरतीतं भजेऽहं भजेऽहम् ॥ ८ ॥

पदच्छेद

रमावामभागम् तलालग्ननागम् कृताधीनयागम् गतारागरागम् मुनीन्द्रैः सुगीतम् सुरैः सम्परीतम् गुणौघैरतीतम् भजे अहम् भजे अहम् ।

पदपरिचय

रमावामभागम् - रमा वामभागे यस्य सः, रमावामभागः, अ, पुं, द्वि, ए.व
तलालग्ननागम् - तले आलग्नः नागः यस्य सः, तलालग्ननागः, अ, पुं, द्वि, ए.व
कृताधीनयागम् - कृतः अधीनः, कृताधीनः, कृताधीनः यागः येन सः, कृताधीनयागः, अ, पुं, द्वि, ए.व
गतारागरागम् - गतः अरागः रागः च यस्मात्, गतारागरागः, अ, पुं, द्वि, ए.व
मुनीन्द्रैः - मुनीनाम् इन्द्रः, मुनीन्द्रः, अ, पुं, तृ, ब.व
सुगीतम् - अ, पुं, द्वि, ए.व
सुरैः - अ, पुं, तृ, ब.व
सम्परीतम् - अ, पुं, द्वि, ए.व
गुणौघैः - गुणानां ओघः, गुणौघः, अ, पुं, तृ, ब.व
अतीतम् - अ, पुं, द्वि, ए.व
भजे - भज (सेवायाम्), लट्, आ, उ, ए.व
अहम् - अस्मद्, प्र, ए.व
भजे - भज (सेवायाम्), लट्, आ, उ, ए.व
अहम् - अस्मद्, प्र, ए.व

अन्वय

अहं रमावामभागम्, तलालग्ननागम्, कृताधीनयागम्, गतारागरागम्, मुनीन्द्रैः सुगीतम्, सुरैः सम्परीतम्, गुणौघैरतीतं भजे, अहं भजे ।

Verse 8

ramāvāmabhāgaṃ talālagnanāgaṃ kṛtādhīnayāgaṃ gatārāgarāgam |
munīndraiḥ sugītaṃ suraiḥ samparītam guṇaughairatītaṃ bhaje'haṃ bhaje'ham ||

Words separated & Prose

ramā-vāma-bhāgam tala-ālagna-nāgam kṛta-adhīna-yāgam gata-arāga-rāgam munīndraiḥ sugītam suraiḥ samparītam guṇa-oghaiḥ atītam, bhaje aham bhaje aham |

Translation

I worship, I adore [Śrī Hari], who has Ramā on his left, a serpent at his base, who makes himself subservient to those who sacrifice, is devoid of passion and dispassion; who is sung [praised] by the lords of *munis*, surrounded by divine beings [and] who has gone beyond [the] heap of qualities.

Word by word

ramāvāmabhāgam – who has Ramā on his left side; masc, acc, sing, BV
ramā – Lakṣmī; fem epith, ic
vāma – left; adj, ic
bhāgam – part, portion; masc noun, ifc
talālagnanāgam – who has a serpent clinging at his base; masc, acc, sing, BV
tala – base, lower part, bottom; masc noun, ic
ālagna – adhered to, clung to; ppp, ā√lag (1P), ic
nāgam – snake, serpent; masc noun, ifc
kṛtādhīnayāgam – by whom subservience is offered to those who perform sacrifice; masc, acc, sing, BV
kṛta – done, performed; ppp, √kṛ (8P)

श्रीहरिस्तोत्रम्

adhīna – subject to, subservient to; adj, ic

yāgam – one who performs the Vedic sacrifice; masc noun, ifc

gatārāgarāgam – from whom passion and dispassion [both] have departed; masc, acc, sing, BV

gata – gone, departed; ppp, √gam (1P), ic

ārāga – dispassion; masc noun, ic

rāgam – passion, colour, desire; masc, noun, ifc

munīndraiḥ – by the lords of *munis*; masc, inst, pl

muni-indra – lord of *munis*; masc, TP, ic

sugītam – sung by excellent song; masc, acc, sing

suraiḥ – by *suras*, by *devas*; masc, inst, pl

samparītam – surrounded, embraced; ppp, sam pari√i (2P)

guṇaughaiḥ – with a heap of qualities; masc, inst, pl

atītam – one who has exceeded, has gone beyond; masc, acc, sing, ppp, ati√i (2P)

bhaje – worship, adore; 1st sing, pres, act, √bhaj (1Ā)

aham – I; nom, sing, pron, *asmat*

bhaje – worship, adore; 1st sing, pres, act, √bhaj (1Ā)

aham – I; nom, sing, pron, *asmat*

इदं यस्तु नित्यं समाधाय चित्तम् पठेदष्टकं कण्ठहारं मुरारेः ।
स विष्णोर्विशोकं ध्रुवं याति लोकम् जराजन्मशोकं पुनर्विन्दते नो ॥ ९ ॥

पदच्छेद

इदम् यः तु नित्यम् समाधाय चित्तम् पठेत् अष्टकम् कण्ठहारम् मुरारेः
सः विष्णोः विशोकम् ध्रुवम् याति लोकम् जराजन्मशोकम् पुनः विन्दते
नो ।

पदपरिचय

इदम् - इदम्, नपुं, द्वि, ए.व
यः - यद्, पुं, प्र, ए.व
तु - अव्ययम्
नित्यम् - अव्ययम्
समाधाय - ल्यबन्तम् अव्ययम्
चित्तम् - अ, नपुं, द्वि, ए.व
पठेत् - पठ (व्यक्तायाम्), वि.लिङ्, प, प्र, ए.व
अष्टकम् - अष्टौ पद्यानि यत्र तत्, अष्टकम्, अ, नपुं, द्वि, ए.व
कण्ठहारम् - कण्ठस्य हारः, कण्ठहारः, अ, पुं, द्वि, ए.व
मुरारेः - इ, पुं, ष, ए.व
सः - तद्, पुं, प्र, ए.व
विष्णोः - उ, पुं, ष, ए.व
विशोकम् - अ, पुं, द्वि, ए.व
ध्रुवम् - अव्ययम्
याति - या (प्रापणे), लट्, प, प्र, ए.व
लोकम् - अ, पुं, द्वि, ए.व
जराजन्मशोकम् - जरा च जन्म च जराजन्मनी, जराजन्मनोः शोकः,
जराजन्मशोकः,
अ, पुं, द्वि, ए.व
पुनः - अव्ययम्
विन्दते - विद्लृ (लाभे), लट्, आ, प्र, ए.व
नो - अव्ययम्

Phala verse

idaṃ yastu nityaṃ samādhāya cittaṃ paṭhedaṣṭakaṃ kaṇṭhahāraṃ murāreḥ I
sa viṣṇorviśokaṃ dhruvaṃ yāti lokam jarājanmaśokaṃ punarvindate na II

Words separated

idam yaḥ tu nityam samādhāya cittam paṭhet aṣṭakam kaṇṭhahāram murāreḥ, saḥ viṣṇoḥ viśokam dhruvam yāti lokam jarājanmaśokam punaḥ vindate na I

Prose

yaḥ tu nityaṃ cittaṃ samādhāya idaṃ aṣṭakam murāreḥ kaṇṭhahāram paṭhet, saḥ viśokaṃ viṣṇoḥ lokaṃ dhruvaṃ yāti punaḥ jarājanmaśokaṃ na vindate I

Translation

He who unfailingly reads this octet [which is] Murārī's garland, with resolute mind, certainly goes to Viṣṇu's abode, sorrowless, and does not obtain the pain of old age and birth again.

Word by word

idam – this; neut, acc, sing
yaḥ – he who; masc, nom, sing, rel pron, *yat*
tu – indeed; indec
nityam – perpetually, without fail; adv, indec
samādhāya – having placed firmly; g*ive, sam ā√dhā (3P)
cittam – mind; neut, acc, sing
paṭhet – shall read; 3rd, sing, opt, √paṭh (1P)
aṣṭakam – octet; neut, acc, sing
kaṇṭhahāram – garland [of the] neck; masc, acc, sing, TP

अन्वय

यः तु नित्यं चित्तं समाधाय, मुरारेः कण्ठहारम् इदं अष्टकं पठेत्, सः विशोकं, विष्णोः लोकं ध्रुवं याति, पुनः जराजन्मशोकं नो विन्दते ।

murāreḥ – of Murāri; masc, gen, sing

saḥ – he, that one; masc, nom, sing, pron, *tad*

viṣṇoḥ – of Viṣṇu; masc, gen, sing

viśokam – without sorrow, happily; adv, indec

dhruvam – most certainly; adv, indec

yāti – goes; 3rd, sing, pres, √yā (2P)

lokam – world; masc, acc, sing

jarājanmaśokam – the sorrow of old age and birth; masc, acc, sing, TP

jarā – old age; fem noun, ic

janma – birth; neut noun, ic

śokam – sorrow; masc noun, ifc

punaḥ – again; adv, indec

vindate – finds, obtains; 3rd, sing, pres, √vid (6Ā)

na – no, not; indec

Śrī Kṛṣṇāṣṭakam

श्रीकृष्णाष्टकम्

About the Stotra

There are two versions of Śrī Kṛṣṇāṣṭakam said to be composed by Ādi Śaṅkarācārya, but here we have a popular variant by an unknown author. In these verses, the devotee prays to Kṛṣṇa as *jagad guru*, the preceptor of the entire world. His physical attributes are poetically described. The *phala* (reward) verse informs us that reciting this octet in the morning while concentrating on the lord destroys sins committed in many lives. This octet has become so popular that it is recited in homes and in temples regularly. It is in the *anuṣṭubh* metre.

श्रीकृष्णाष्टकम्

वसुदेवसुतं देवम् कंसचाणूरमर्दनम् ।
देवकीपरमानन्दम् कृष्णं वन्दे जगद्गुरुम् ॥ १ ॥

पदच्छेद

वसुदेवसुतम् देवम् कंसचाणूरमर्दनम् देवकीपरमानन्दम् कृष्णम् वन्दे जगद्गुरुम् ।

पदपरिचय

वसुदेवसुतम् - वसुदेवस्य सुतः, वसुदेवसुतः, अ, पुं, द्वि, ए.व
देवम् - अ, पुं, द्वि, ए.व
कंसचाणूरमर्दनम् - कंसस्य चाणूरस्य च मर्दनः, कंसचाणूरमर्दनः, अ, पुं, द्वि, ए.व

अन्वय

(अहम) वसुदेवसुतम्, कंसचाणूरमर्दनम्, देवकीपरमानन्दम्, जगद्गुरुम्, देवम्, कृष्णं वन्दे ।

Śrī Kṛṣṇāṣṭakam

Verse 1

vasudevasutaṃ devaṃ kaṃsacāṇūramardanam I
devakīparamānandaṃ kṛṣṇaṃ vande jagadgurum II

Words separated & Prose

vasudeva-sutam devam kaṃsa-cāṇūra-mardanam devakī-parama-ānandam kṛṣṇam jagad-gurum vande I

Translation

I respectfully salute Kṛṣṇa, preceptor of the world, the son of Vasudeva, the supreme bliss of Devakī and the destroyer of Kaṃsa and Cāṇūra.

Word by word

vasudeva-sutam – son, offspring of Vasudeva; masc, acc, sing, TP
devam – divine being, god; masc, acc, sing
kaṃsa-cāṇūra-mardanam – the destroyer of Kaṃsa and Cāṇūra; masc, acc, sing, TP
devakī-parama-ānandam – supreme bliss of Devakī; masc, acc, sing, TP
kṛṣṇam – Kṛṣṇa; masc, acc, sing, prop
vande – I respectfully salute, I revere; 1st, sing, pres, √vand (1Ā)
jagad-gurum – teacher, preceptor of the world; masc, acc, sing, TP

अतसीपुष्पसङ्काशम् हारनूपुरशोभितम् ।
रत्नकङ्कणकेयूरम् कृष्णं वन्दे जगद्गुरुम् ॥ २ ॥

पदच्छेद

अतसीपुष्पसङ्काशम् हारनूपुरशोभितम् रत्नकङ्कणकेयूरम् कृष्णम् वन्दे
जगद्गुरुम् ।

पदपरिचय

अतसीपुष्पसङ्काशम् - अतसीपुष्पस्य सङ्काशः, अतसीपुष्पसङ्काशः, अ,
पुं, द्वि, ए.व
हारनूपुरशोभितम् - हारेण नूपुरेण च शोभितः, हारनूपुरशोभितः, अ, पुं,
द्वि, ए.व
रत्नकङ्कणकेयूरम् - रत्नस्य कङ्कणं, केयूरश्च यस्य सः, रत्नकङ्कणकेयूरः,
अ, पुं, द्वि, ए.व
कृष्णम् - अ, पुं, द्वि, ए.व
वन्दे - वदि (अभिवादनस्तुत्योः), लट्, आ, उ, ए.व
जगद्गुरुम् - जगतः गुरुः, जगद्गुरुः, उ, पुं, द्वि, ए.व

अन्वय

(अहम्) अतसीपुष्पसङ्काशम्, हारनूपुरशोभितम्, रत्नकङ्कणकेयूरम्,
जगद्गुरुम्, कृष्णं वन्दे ।

Verse 2

atasīpuṣpasaṅkāśaṃ hāranūpuraśobhitam |
ratnakaṅkaṇakeyūraṃ kṛṣṇaṃ vande jagadgurum ||

Words separated & Prose

atasī-puṣpa-saṅkāśam hāra-nūpura-śobhitam ratna-kaṅkaṇa-
keyūram kṛṣṇam jagad-gurum vande |

Translation

I respectfully salute Kṛṣṇa, preceptor of the world, who has the appearance of an *atasī* flower, is adorned with a garland, anklets and whose bracelets and armlets are bejewelled.

Word by word

atasīpuṣpasaṅkāśam – [who has] the appearance of an *atasī* flower (blue); masc, acc, sing, TP
atasī – hemp, flax, jute; fem noun, ic
puṣpa – flower; neut noun, ic
saṅkāśam – resembling, having the appearance of; masc noun, ifc
hāranūpuraśobhitam – adorned with a garland and anklets; masc, acc, sing, TP
hāra – garland, masc noun, ic
nūpura – anklets; neut noun, ic
śobhitam – beautified, adorned [by]; ppp, √śubh (1Ā), ifc
ratnakaṅkaṇakeyūram – whose bracelets and armlets are bejewelled; masc, acc, sing, BV
ratna – gem, jewel; neut noun, ic
kaṅkaṇa – ornament for wrist, bracelet, bangle; neut noun, ic
keyūram – armlet; neut noun, ifc
kṛṣṇam – Kṛṣṇa; masc, acc, sing, prop
vande – I respectfully salute, I revere; 1st, sing, pres, √vand (1Ā)
jagad-gurum – teacher, preceptor of the world; masc, acc, sing, TP

कुटिलालकसंयुक्तम् पूर्णचन्द्रनिभाननम् ।
विलसत्कुण्डलधरम् कृष्णं वन्दे जगद्गुरम् ॥ ३ ॥

पदच्छेद

कुटिलालकसंयुक्तम् पूर्णचन्द्रनिभाननम् विलसत्कुण्डलधरम् कृष्णम् वन्दे जगद्गुरुम् ।

पदपरिचय

कुटिलालकसंयुक्तम् - कुटिलैः अलकैः संयुक्तः, कुटिलालकसंयुक्तः, अ, पुं, द्वि, ए.व
पूर्णचन्द्रनिभाननम् - पूर्णः चन्द्रः, पूर्णचन्द्रः, पूर्णचन्द्रेण निभम्, पूर्णचन्द्रनिभम्, पूर्णचन्द्रनिभं आननं यस्य सः, पूर्णचन्द्रनिभाननः, अ, पुं, द्वि, ए.व
विलसत्कुण्डलधरम् - विलसत् कुण्डलम्, विलसत्कुण्डलम्, धरति इति धरः, विलसत्कुण्डलस्य
धरः, विलसत्कुण्डलधरः, अ, पुं, द्वि, ए.व
कृष्णम् - अ, पुं, द्वि, ए.व
वन्दे - वदि (अभिवादनस्तुत्योः), लट्, आ, उ, ए.व
जगद्गुरुम् - जगतः गुरुः, जगद्गुरुः, उ, पुं, द्वि, ए.व

अन्वय

(अहम) कुटिलालकसंयुक्तम्, पूर्णचन्द्रनिभाननम्, विलसत्कुण्डलधरम्, जगद्गुरुम्, कृष्णं वन्दे ।

Verse 3

kuṭilālakasaṃyuktaṃ pūrṇacandranibhānanam |
vilasatkuṇḍaladharaṃ kṛṣṇaṃ vande jagadgurum ||

Words separated & Prose

kuṭila-alaka-saṃyuktam pūrṇa-candra-nibha-ānanam vilasat-
kuṇḍala-dharam kṛṣṇam jagad-gurum vande ||

Translation

I respectfully salute Kṛṣṇa, preceptor of the world, whose face resembles the full moon, [who] has curly locks [of hair] and shining earrings.

Word by word

kuṭilālakasaṃyuktam – having curled lock(s) [of hair]; masc, acc, sing, TP
kuṭila – curled, curved, bent; adj, ic
alaka – lock, curl; adj, ic
saṃyuktam – having, joined to, possessing; ppp, sam√yuj, (7U), ifc
pūrṇacandranibhānanam – whose face resembles the full moon; masc, acc, sing, BV
pūrṇa – full; adj, ic
candra – moon; masc noun, ic
nibha – resembling, similar to; adj, ic
ānanam – face; neut noun, ifc
vilasatkuṇḍaladharam – wearing shining earrings; masc, acc, sing, TP
vilasat – shining, flashing, glittering; pres part, vi√las (1P), ic
kuṇḍala – earrings, ear-hoops; masc noun, ic
dharam – bearing, sporting; masc noun, ifc

kṛṣṇam – Kṛṣṇa; masc, acc, sing, prop

vande – I respectfully salute, I revere; 1st, sing, pres, √vand (1Ā)

jagad-gurum – teacher, preceptor of the world; masc, acc, sing, TP

मन्दारगन्धसंयुक्तम् चारुहासं चतुर्भुजम् ।-
बर्हिपिञ्छावचूडाङ्गम् कृष्णं वन्दे जगद्गुरुम् ॥ ४ ॥

पदच्छेद

मन्दारगन्धसंयुक्तम् चारुहासम् चतुर्भुजम् बर्हिपिञ्छावचूडाङ्गम् कृष्णम्
वन्दे जगद्गुरुम् ।

पदपरिचय

मन्दारगन्धसंयुक्तम् - मन्दारस्य गन्धेन संयुक्तः, मन्दारगन्धसंयुक्तः,
अ, पुं, द्वि, ए.व
चारुहासम् - चारुः हासः यस्य सः, चारुहासः, अ, पुं, द्वि, ए.व
चतुर्भुजम् - चत्वारः भुजाः यस्य सः, चतुर्भुजः, अ, पुं, द्वि, ए.व
बर्हिपिञ्छावचूडाङ्गम् - बर्हिपिञ्छः एव अवचूडः, बर्हिपिञ्छावचूडः,
बर्हिपिञ्छावचूडः अङ्गे यस्य सः, बर्हिपिञ्छावचूडाङ्गः, अ, पुं, द्वि, ए.व
कृष्णम् - अ, पुं, द्वि, ए.व
जगद्गुरुम् - जगतः गुरुः, जगद्गुरुः, उ, पुं, द्वि, ए.व
वन्दे - वदि (अभिवादनस्तुत्योः), लट्, आ, उ, ए.व

अन्वय

(अहम्) मन्दारगन्धसंयुक्तम्, चारुहासम्, चतुर्भुजम्, बर्हिपिञ्छावचूडाङ्गम्,
जगद्गुरुम्, कृष्णं वन्दे ।

Verse 4

mandāragandhasaṃyuktaṃ cāruhāsaṃ caturbhujam I
barhipiñchāvacūḍāṅgaṃ kṛṣṇaṃ vande jagadgurum II

Words separated & Prose

mandāra-gandha-saṃyuktam cāru-hāsam catur-bhujam barhi-piñcha-avacūḍāṅgam kṛṣṇam jagad-gurum vande II

Translation

I respectfully salute Kṛṣṇa, preceptor of world, who has four arms, whose laughter is charming, who has the fragrance of *mandāra** [and] has a peacock feather on his crown.

Word by word

mandāragandhasaṃyuktam – having the fragrance of *mandāra*; masc, acc, sing, TP
mandāra – divine tree; masc noun, ic
gandha – fragrance; masc noun, ic
saṃyuktam – connected to, joined with, having; ppp, sam√yuj (5U), ifc
cāru-hāsam – whose laughter is charming; masc, acc, sing, BV
catur-bhujam – who has four arms; masc, acc, sing, BV
barhipiñchāvacūḍāṅgam – on whose person is a crown with a peacock feather; masc, acc, sing, BV
barhi – peacock; masc noun, ic
piñcha – plume, wing; neut noun, ic
avacūḍa – pendant, crest, [as] a component of the crown; masc noun, ic
aṅgam – body, person; masc noun, ifc
kṛṣṇam – Kṛṣṇa; masc, acc, sing, prop
vande – I respectfully salute, I revere; 1st, sing, pres, √vand 1Ā
jagad-gurum – teacher, preceptor of the world; masc, acc, sing, TP

* one of the five trees of paradise

उत्फुल्लपद्मपत्राक्षम् नीलजीमूतसन्निभम् ।
यादवानां शिरोरत्नम् कृष्णं वन्दे जगद्गुरुम् ॥ ५ ॥

पदच्छेद

उत्फुल्लपद्मपत्राक्षम् नीलजीमूतसन्निभम् यादवानाम् शिरोरत्नम् कृष्णम् वन्दे जगद्गुरुम् ।

पदपरिचय

उत्फुल्लपद्मपत्राक्षम् - उत्फुल्लं पद्मपत्रं उत्फुल्लपद्मपत्रम्, उत्फुल्लपद्मपत्रं इव अक्षिणी यस्य सः, उत्फुल्लपद्मपत्राक्षः, अ, पुं, द्वि, ए.व
नीलजीमूतसन्निभम् - नीलजीमूतस्य सन्निभः, अ, पुं, द्वि, ए.व
यादवानाम् - अ, पुं, ष, ब.व
शिरोरत्नम् - शिरसः रत्नम्, शिरोरत्नम्, अ, नपुं, द्वि, ए.व
कृष्णम् - अ, पुं, द्वि, ए.व
वन्दे - वदि (अभिवादनस्तुत्योः), लट्, आ, उ, ए.व
जगद्गुरुम् - जगतः गुरुः, जगद्गुरुः, उ, पुं, द्वि, ए.व

अन्वय

(अहम्) उत्फुल्लपद्मपत्राक्षम्, नीलजीमूतसन्निभम्, यादवानां शिरोरत्नम्, जगद्गुरुं कृष्णं वन्दे ।

Verse 5

utphullapadmapatrākṣaṃ nīlajīmūtasannibham I
yādavānāṃ śiroratnaṃ kṛṣṇaṃ vande jagadgurum II

Words separated

utphulla-padma-patra-akṣam nīla-jīmūta-sannibham yādavānām
śiro-ratnam kṛṣṇam jagad-gurum vande I

Translation

I respectfully salute Kṛṣṇa, crest-jewel of the Yādavas, preceptor of the world, whose eyes are like the petals of a fully blossomed lotus [and] whose colour is like that of a dark blue cloud.

Word by word

utphullapadmapatrākṣam – whose eyes are like the petals of a fully blossomed lotus; masc, acc, sing, BV
utphulla – wide open, blossomed; adj, ic
padma – lotus; neut noun, ic
patra – leaf, petal; neut noun, ic
akṣam – eye; neut noun, ifc
nīlajīmūtasannibham – who resembles a dark rain-cloud; masc, acc, sing, TP
nīla – blue, dark, black; adj, ic
jīmūta – cloud, nourisher; masc noun, ic
sannibham – resemble, look like, similar; adj; ic
yādavānām – of the Yādavas; masc, gen, pl
śiroratnam – crest jewel; masc, acc, sing, TP
śiras – head; neut noun, ic
ratnam – jewel, precious stone; neut noun, ifc
kṛṣṇam – Kṛṣṇa; masc, acc, sing, prop
vande – I respectfully salute, I revere; 1st, sing, pres, √vand (1Ā)
jagad-gurum – teacher, preceptor of the world; masc, acc, sing, TP

रुक्मिणीकेलिसंयुक्तम् पीताम्बरसुशोभितम् ।
अवाप्ततुलसीगन्धम् कृष्णं वन्दे जगद्गुरुम् ॥ ६ ॥

पदच्छेद

रुक्मिणीकेलिसंयुक्तम् पीताम्बरसुशोभितम् अवाप्ततुलसीगन्धम् कृष्णम्
वन्दे जगद्गुरुम् ।

पदपरिचय

रुक्मिणीकेलिसंयुक्तम् - रुक्मिण्याः केली, रुक्मिणीकेली, रुक्मिणीकेल्या
संयुक्तः, रुक्मिणीकेलिसंयुक्तः, अ, पुं, द्वि, ए.व
पीताम्बरसुशोभितम् - पीतम् अम्बरम्, पीताम्बरम्, पीताम्बरेण सुशोभितः,
पीताम्बरसुशोभितः,
अ, पुं, द्वि, ए.व
अवाप्ततुलसीगन्धम् - तुलस्याः गन्धः, तुलसीगन्धः, अवाप्तः तुलसीगन्धः
येन अवाप्ततुलसीगन्धः, अ, पुं, द्वि, ए.व
कृष्णम् - अ, पुं, द्वि, ए.व
वन्दे - वदि (अभिवादनस्तुत्योः), लट्, आ, उ, ए.व
जगद्गुरुम् - जगतः गुरुः, जगद्गुरुः, उ, पुं, द्वि, ए.व

अन्वय

(अहम्) रुक्मिणीकेलिसंयुक्तम्, पीताम्बरसुशोभितम्, अवाप्ततुलसीगन्धम्,
जगद्गुरुं कृष्णं वन्दे ।

Verse 6

rukmiṇīkelisaṃyuktaṃ pītāṃbarasuśobhitam |
avāptatulasīgandhaṃ kṛṣṇaṃ vande jagadgurum ||

Words separated & Prose

rukmiṇī-keli-saṃyuktam pītāṃbara-suśobhitam avāpta-tulasī-gandham kṛṣṇam jagad-gurum vande |

Translation

I respectfully salute Kṛṣṇa, preceptor of world, who is engaged in [love] play with Rukmiṇī, is resplendent in yellow garments [and] who has the fragrance of holy basil.

Word by word

rukmiṇīkelisaṃyuktam – who is engaged in [love] play with Rukmiṇī; masc, acc, sing, TP
rukmiṇī – wife of Kṛṣṇa; fem, prop, ic
keli – play, frolic, amorous sport; fem/masc noun, ic
saṃyuktam – joined with, wed, engaged in; ppp, sam√yuj (7U), ifc
pītāṃbara-suśobhitam – who is resplendent in yellow garments; masc, acc, sing, TP
avāptatulasīgandham – who has the fragrance of holy basil; masc, acc, sing, BV
avāpta – obtained, having; ppp, ava√āp (5P), ic
tulasī – holy basil; fem noun, ic
gandham – fragrance, perfume; masc noun, ifc
kṛṣṇam – Kṛṣṇa; masc, acc, sing, prop
vande – I respectfully salute, I revere; 1st, sing, pres, √vand 1Ā
jagad-gurum – teacher, preceptor of the world; masc, acc, sing, TP

गोपिकानां कुचद्वन्द्वकुङ्कुमाङ्कितवक्षसम् ।
श्रीनिकेतं महेष्वासम् कृष्णं वन्दे जगद्गुरुम् ॥ ७ ॥

पदच्छेद

गोपिकानाम् कुचद्वन्द्वकुङ्कुमाङ्कितवक्षसम् श्रीनिकेतम् महेष्वासम् कृष्णम् वन्दे जगद्गुरुम् ।

पदपरिचय

गोपिकानाम् - आ, स्त्री, ष, ब.व
कुचद्वन्द्वकुङ्कुमाङ्कितवक्षसम् - कुचयोः द्वन्द्वम्, कुचद्वन्द्वम्, कुचद्वन्द्वस्य कुङ्कुमेण अङ्कितं वक्षः यस्य सः, कुचद्वन्द्वकुङ्कुमाङ्कितवक्षाः, स, पुं, द्वि, ए.व
श्रीनिकेतम् - श्रियः निकेतः, श्रीनिकेतः, अ, पुं, द्वि, ए.व
महेष्वासम् - इषवः अस्यन्ते अनेन इति इष्वासः, महान् इष्वासः, महेष्वासः, अ, पुं, द्वि, ए.व
कृष्णम् - अ, पुं, द्वि, ए.व
वन्दे - वदि (अभिवादनस्तुत्योः), लट्, आ, उ, ए.व
जगद्गुरुम् - जगतः गुरुः, जगद्गुरुः, उ, पुं, द्वि, ए.व

अन्वय

(अहम्) गोपिकानां कुचद्वन्द्वकुङ्कुमाङ्कितवक्षसम्, श्रीनिकेतम्, महेष्वासम्, जगद्गुरुम्, कृष्णं वन्दे ।

Verse 7

gopikānāṃ kucadvandvakuṅkumāṅkitavakṣasam |
śrīniketaṃ maheṣvāsaṃ kṛṣṇaṃ vande jagadgurum ||

Words separated & Prose

gopikānām kuca-dvandva-kuṅkuma-aṅkita-vakṣasam śrī-niketam maheṣvāsam kṛṣṇam jagad-gurum vande |

Translation

I respectfully salute Kṛṣṇa, preceptor of the world, whose chest [is marked with] saffron from the breasts of the *gopis*, who is the dwelling place of Śrī, [and] who is a great archer.

Word by word

gopikānām – of the gopis; fem, gen, pl
kucadvandvakuṅkumāṅkitavakṣasam – whose chest is marked with saffron from the pairs of breasts; masc, acc, sing, BV
kuca – breast; masc noun, ic
dvandva – pair; neut noun, ic
kuṅkuma – saffron; neut noun, ic
aṅkita – marked; ppp, √aṅk (10P)
vakṣasam – chest; neut noun, ifc
śrī-niketam – the abode of [goddess] Śri; masc, acc, sing, TP
maheṣvāsam – the great archer; masc, acc, sing, KD
mahā – great; adj, ic
iṣu – arrow; masc/fem noun, ic
āsam – bow, one that throws; masc noun, ifc
kṛṣṇam – Kṛṣṇa; masc, acc, sing, prop
vande – I respectfully salute, I revere; 1st, sing, pres, √vand 1Ā
jagad-gurum – teacher, preceptor of the world; masc, acc, sing, TP

श्रीवत्साङ्कं महोरस्कम् वनमालाविराजितम् ।
शङ्खचक्रधरं देवम् कृष्णं वन्दे जगद्गुरुम् ॥ ८ ॥

पदच्छेद

श्रीवत्साङ्कम् महोरस्कम् वनमालाविराजितम् शङ्खचक्रधरम् देवम् कृष्णम् वन्दे जगद्गुरुम् ।

पदपरिचय

श्रीवत्साङ्कम् - श्रीवत्सः अङ्कः यस्य सः, श्रीवत्साङ्कः, अ, पुं, द्वि, ए.व
महोरस्कम् - महत् उरः यस्य सः, महोरस्कः, अ, पुं, द्वि, ए.व
वनमालाविराजितम् - वनोद्भवपुष्परचिता माला, वनमाला, वनमालया विराजितः, वनमालाविराजितः, अ, पुं, द्वि, ए.व
शङ्खचक्रधरम् - शङ्खं चक्रं च शङ्खचक्रे, धरति इति धरः, शङ्खचक्रयोः धरः, शङ्खचक्रधरः,
अ, पुं, द्वि, ए.व
देवम् - अ, पुं, द्वि, ए.व
कृष्णम् - अ, पुं, द्वि, ए.व
वन्दे - वदि (अभिवादनस्तुत्योः), लट्, आ, उ, ए.व
जगद्गुरुम् - जगतः गुरुः, जगद्गुरुः, उ, पुं, द्वि, ए.व

अन्वय

(अहम्) श्रीवत्साङ्कम्, महोरस्कम्, वनमालाविराजितम्, शङ्खचक्रधरम्, जगद्गुरुम्, देवं कृष्णं वन्दे ।

Verse 8

śrīvatsāṅkaṃ mahoraskaṃ vanamālāvirājitam |
śaṅkhacakradharaṃ devaṃ kṛṣṇaṃ vande jagadgurum ||

Words separated & Prose

śrīvatsa-aṅkam mahā-uraskam vana-mālā-virājitam śaṅkha-cakra-dharam devam kṛṣṇam jagad-gurum vande ||

Translation

I respectfully salute Kṛṣṇa, preceptor of world, who is broad-chested, is made lustrous by a garland of forest flowers [and] has the *śrīvatsa* mark [on his chest].

Word by word

śrīvatsa-aṅkam – who is marked by [the] *śrīvatsa* [mark]; masc, acc, sing, BV
mahoraskam – whose chest is broad; masc, acc, sing, BV
mahā – great, large; adj, ic
uraska – chest, breast; neut noun, ifc
vanamālāvirājitam – made lustrous by a garland of forest flowers; masc, acc, sing, TP
vana – forest; neut noun, ic
mālā – garland, necklace; fem noun, ic
virājitam – made shining, lustrous, brilliant; ppp, vi√rāj (1U), ifc
śaṅkhacakradharam – who bears a conch and a discus; masc, acc, sing, TP
śaṅkha – conch; masc/neut noun, ic
cakra – discus, circle, wheel; neut noun, ic
dharam – bearing, holding; masc noun, ifc
devam – divine being, god; masc, acc, sing
kṛṣṇaṃ – Kṛṣṇa; masc, acc, sing, prop
vande – I respectfully salute, I revere; 1st, sing, pres, √vand 1Ā
jagad-gurum – teacher, preceptor of the world; masc, acc, sing, TP

कृष्णाष्टकमिदं पुण्यम् प्रातरुत्थाय यः पठेत् ।
कोटिजन्मकृतं पापम् स्मरणेन विनश्यति ॥ ९ ॥

पदच्छेद

कृष्णाष्टकम् इदम् पुण्यम् प्रातः उत्थाय यः पठेत् कोटिजन्मकृतम् पापम्
स्मरणेन विनश्यति ।

पदपरिचय

कृष्णाष्टकम् - अष्टौ पद्यानि यत्र तत्, अष्टकम्, कृष्णस्य अष्टकम्,
कृष्णाष्टकम्,
अ, नपुं, द्वि, ए.व
इदम् - इदम्, नपुं, द्वि, ए.व
पुण्यम् - अ, नपुं, द्वि, ए.व
प्रातः - अव्ययम्
उत्थाय - ल्यबन्तम् अव्ययम्
यः - यद्, पुं, प्र, ए.व
पठेत् - पठ (व्यक्तायां वाचि), वि. लिङ्, प, प्र, ए.व
कोटिजन्मकृतम् - कोटिजन्मसु कृतम्, कोटिजन्मकृतम्, अ, नपुं, द्वि, ए.व
पापम् - अ, नपुं, द्वि, ए.व
स्मरणेन - अ, नपुं, तृ, ए.व
विनश्यति - वि + णश (अदर्शने), लट्, प, प्र, ए.व

अन्वय

यः प्रातः उत्थाय इदं पुण्यं कृष्णाष्टकं पठेत्, (तस्य) कोटिजन्मकृतं पापं
स्मरणेन (एव) विनश्यति ।

Phala verse

kṛṣṇāṣṭakamidaṃ puṇyaṃ prātarutthāya yaḥ paṭhet |
koṭijanma kṛtaṃ pāpaṃ smaraṇena vinaśyati ||

Words separated & Prose

yaḥ prātaḥ utthāya idam puṇyam kṛṣṇāṣṭakam paṭhet (tasya)
koṭijanma kṛtam papam smaraṇena vinaśyati |

Translation

He who recites this holy octet to Kṛṣṇā from memory, after
waking up early in the morning, destroys the wrongdoings of
crores of lifetimes.

Word by word

kṛṣṇāṣṭakam – octet to Kṛṣṇa; neut, acc, sing
idam – this; neut, acc, sing, dem pron, *ayam*
puṇyam – pure, auspicious; neut, acc, sing, adj
prātar – in the morning; adv, indec
utthāya – having arisen; ger, ut√sthā (1P), indec
yaḥ – he/the one; masc, nom, sing, rel pron, *yat*
paṭhet – should read, reads, recites; 3rd, sing, opt, √paṭh (1P)
koṭi-janma-kṛtam – committed in crores of lifetimes; neut,
acc, sing, TP
pāpam – transgression, ill deed; neut, acc, sing
smaraṇena – by remembering; neut, inst, sing
vinaśyati – destroys; 3rd, sing, pres, vi√naś (4P)

Śivamānasa Pūjā

शिवमानसपूजा

About the Stotra

Said to be authored by Ādi Śaṅkarācārya, this *pūjā* transcends the binary of ritual vs. mental worship. The composer skilfully employs a panoply of ritual objects and offerings to honour Śiva – but all in the mind – hence *mānasa* (expressed in the mind). It means that revering and honouring an *iśṭa deva/ devī* mentally is no less effective than physically performing an elaborate *pūjā*. Notably, every aspect, every deed of the devotee is considered an act of adoration of the lord. Śiva is worshipped in his merciful aspect in this *pūjā*. The devotee urges him to forgive all transgressions committed knowingly or unknowingly by all the sense organs. Traditionally this stotra is chanted after Śivamahimna Stotra. The metre is *śārdūlavikrīḍitam*.

शिवमानसपूजा

रत्नैः कल्पितमासनं हिमजलैः स्नानं च दिव्याम्बरम्
नानारत्नविभूषितं मृगमदामोदाङ्कितं चन्दनम् ।
जातीचम्पकबिल्वपत्ररचितं पुष्पं च धूपं तथा
दीपं देव दयानिधे पशुपते हृत्कल्पितं गृह्यताम् ॥ १ ॥

पदच्छेद

रत्नैः कल्पितम् आसनम् हिमजलैः स्नानम् च दिव्य अम्बरम् नानारत्नबिभूषितम् मृगमदामोदाङ्कितम् चन्दनम् जातीचम्पकबिल्वपत्ररचितम् पुष्पम् च धूपम् तथा दीपम् देव दयानिधे पशुपते हृत्कल्पितम् गृह्यताम् ।

पदपरिचय

रत्नैः - अ, नपुं, तृ, ब.व
कल्पितम् - अ, नपुं, प्र, ए.व
आसनम् - अ, नपुं, प्र, ए.व
हिमजलैः - अ, नपुं, तृ, ब.व
स्नानम् - अ, नपुं, प्र, ए.व
च - अव्ययम्
दिव्याम्बरम् - दिव्यम् अम्बरम्, दिव्याम्बरम्, अ, नपुं, प्र, ए.व
नानारत्नविभूषितम् - नानारत्नैः विभूषितम्, नानारत्नविभूषितम्, अ, नपुं, प्र, ए.व
मृगमदामोदाङ्कितम् - मृगमदस्य आमोदः, मृगमदामोदः, मृगमदामोदेन अङ्कितम्, मृगमदामोदाङ्कितम्, अ, नपुं, प्र, ए.व
चन्दनम् - अ, नपुं, प्र, ए.व

Śivamānasa Pūjā

Verse 1

*ratnaiḥ kalpitamāsanaṃ himajalaiḥ snānaṃ ca divyāmbaraṃ nānāratnavibhūṣitaṃ mṛgamadāmodāṅkitaṃ candanam |
jātīcampakabilvapatraracitaṃ puṣpaṃ ca dhūpaṃ tathā dīpaṃ deva dayānidhe paśupate hṛtkalpitaṃ gṛhyatām ||*

Words separated

ratnaiḥ kalpitam āsanam himajalaiḥ snānam ca divyāmbaram nānā-ratna-vibhūṣitam mṛga-madā-āmoda-aṅkitam candanam jātī-campaka-bilva-patra-racitam puṣpam ca dhūpam tathā dīpam deva dayā-nidhe paśu-pate hṛt-kalpitam gṛhyatām ||

Prose

deva paśu-pate dayā-nidhe, hṛt-kalpitam, ratnaiḥ kalpitam āsanam, hima-jalaiḥ snānam ca, nānā-ratna-vibhūṣitam divya-ambaram, mṛga-madā-āmoda-aṅkitam candanam, dhūpam tathā dīpam (bhavatā) gṛhyatām ||

Translation

Lord Paṣupati, storehouse of mercy, accept (these things) I have created mentally: a seat formed with jewels and a bath with waters of snow; a divine robe adorned with many jewels and sandalwood paste marked with the fragrance of musk;

जातीचम्पकबिल्वपत्ररचितम् - जाती चम्पकम् बिल्वपत्रं च जातीचम्पकबिल्वपत्राणि, जातीचम्पकबिल्वपत्रैः रचितम्, जातीचम्पकबिल्वपत्ररचितम्, अ, नपुं, प्र, ए.व
पुष्पम् - अ, नपुं, प्र, ए.व
च - अव्ययम्
धूपम् - अ, नपुं, प्र, ए.व (नपुंसकलिङ्गे विशेषप्रयोगः)
तथा - अव्ययम्
दीपम् - अ, पुं, प्र, ए.व (नपुंसकलिङ्गे विशेषप्रयोगः)
देव - अ, पुं, सम्बो, ए.व
दयानिधे - दयायाः निधिः, दयानिधिः, इ, पुं, सम्बो, ए.व
पशुपते - पशूनां पतिः, पशुपतिः, इ, पुं, सम्बो, ए.व
हृत्कल्पितम् - हृदा हृदि वा कल्पितम्, हृत्कल्पितम्, अ, नपुं, प्र, ए.व
गृह्यताम् - ग्रह् (उपदाने), लोट्, आ, प्र, ए.व (कर्मणि)

अन्वय

देव! दयानिधे! पशुपते! हृत्कल्पितं, रत्नैः कल्पितम् आसनम्, हिमजलैः च स्नानम्, नानारत्नविभूषितं दिव्याम्बरम्, मृगमदामोदाङ्कितं चन्दनम्, जातीचम्पकबिल्वपत्ररचितं पुष्पं धूपं च, तथा दीपं (भवता) गृह्यताम् ।

an arrangement of flowers [including] jasmine, *campaka* and *bilva* leaves, a lamp and incense.

Word by word

ratnaiḥ – with jewels; neut, inst, pl
kalpitam – imagined, mentally formed; ppp, neut, nom, sing, √kalp, caus, √kḷp (1ĀP)
āsanam – seat; neut, nom, sing
himajalaiḥ – with icy, snowy, cold water; neut, inst, pl, KD
hima – cold, ice, snow; masc noun, ic
jalaiḥ – with water; neut noun, ifc
snānam – bath; neut, nom, sing
ca – and; conj, indec
divyāmbaram – divine robe; neut, nom, sing, KD
divya – divine; adj, ic
ambaram – garment, clothing; neut noun, ifc
nānāratnavibhūṣitam – adorned with a variety of jewels; masc, nom, sing, TP
nānā – varied, many; adj, ic
ratna – jewel, precious stone; neut noun, ic
vibhūṣitam – adorned with; adj, ppp, vi√bhūṣ (1P), ifc
mṛgamadāmodāṅkitam – marked with the fragrance of musk; neut, nom, sing TP
mṛga-madā – musk, scent of deer; fem, TP, ic
āmoda – fragrance, perfume; masc noun, ic
aṅkitam – marked; ppp, √aṅk (10U), ifc
candanam – sandal (paste); masc/neut, nom, sing
jātīcampakabilvapatraracitam – comprising *jātī*, *campaka*, and *bilva* leaves; masc, nom, sing, TP
jātī – jasmine; fem noun, ic
campaka – magnolia; masc noun, ic
bilva-patra – *bilva* leaves; neut TP, ic
racitam – made of, created with; ppp, √rac, (10PP), ifc
puṣpam – [here] an arrangement of flowers; neut, nom, sing
ca – and; conj, indec

शिवमानसपूजा

286

dhūpam* – incense; masc, nom, sing
tathā – thus, in this manner; adv, indec
dīpam* – small lamp, light; masc, nom, sing
deva – lord, shining one; masc, voc, sing
dayānidhe – storehouse of mercy; masc, voc, sing, TP
paśupate – lord of animals; masc, voc, sing, TP
hṛt-kalpitam – created in/by my heart; neut, nom, sing
gṛhyatām – may it be accepted, taken; pass, imp, sing, √grah
(9U)

*masc nouns, conjugated as neut in this verse

सौवर्णे नवरत्नखण्डरचिते पात्रे घृतं पायसम्
भक्ष्यं पञ्चविधं पयोदधियुतं रम्भाफलं पानकम् ।
शाकानामयुतं जलं रुचिकरं कर्पूरखण्डोज्ज्वलम्
ताम्बूलं मनसा मया विरचितं भक्त्या प्रभो स्वीकुरु ॥ २ ॥

पदच्छेद

सौवर्णे नवरत्नखण्डरचिते पात्रे घृतम् पायसम्   भक्ष्यम्   पञ्चविधम्
पयोदधियुतम् रम्भाफलम्
पानकम्   शाकानाम्   अयुतम् जलम् रुचिकरम् कर्पूरखण्डोज्ज्वलम्
ताम्बूलम् मनसा मया विरचितम् भक्त्या प्रभो स्वीकुरु ।

पदपरिचय

सौवर्णे - अ, नपुं, स, ए.व
नवरत्नखण्डरचिते - नवानां रत्नानां समाहारः, नवरत्नम्, नवरत्नस्य
खण्डाः, नवरत्नखण्डाः, नवरत्नखण्डैः रचितम्, नवरत्नखण्डरचितम्, अ,
नपुं, स, ए.व
पात्रे - अ, नपुं, स, ए.व
घृतम् - अ, नपुं, द्वि, ए.व
पायसम् - अ, नपुं, द्वि, ए.व
भक्ष्यम् - अ, नपुं, द्वि, ए.व
पञ्चविधम् - पञ्च विधाः अस्य इति, पञ्चविधम्, अ, नपुं, द्वि, ए.व
पयोदधियुतम् - अ, नपुं, द्वि, ए.व
रम्भाफलम् - रम्भायाः फलम्, रम्भाफलम्, अ, नपुं, द्वि, ए.व
पानकम् - अ, नपुं, द्वि, ए.व
शाकानाम् - अ, पुं, ष, ब.व
अयुतम् - अ, नपुं, द्वि, ए.व
जलम् - अ, नपुं, द्वि, ए.व
रुचिकरम् - अ, नपुं, द्वि, ए.व
कर्पूरखण्डोज्ज्वलम् - कर्पूरस्य खण्डः, कर्पूरखण्डः, कर्पूरखण्डस्य
उज्ज्वलम्, कर्पूरखण्डोज्ज्वलम्,
अ, नपुं, द्वि, ए.व
ताम्बूलम् - अ, नपुं, द्वि, ए.व
मनसा - स, नपुं, तृ, ए.व

Verse 2

*sauvarṇe navaratnakhaṇḍaracite pātre ghṛtaṃ pāyasaṃ bhakṣyaṃ pañcavidhaṃ payodadhiyutaṃ rambhāphalaṃ pānakam |
śākānāmayutaṃ jalaṃ rucikaraṃ karpūrakhaṇḍojjvalaṃ tāṃbūlaṃ manasā mayā viracitaṃ bhaktyā prabho svīkuru ||*

Words separated

sauvarṇe nava-ratna-khaṇḍa-racite-pātre ghṛtam pāyasam bhakṣyam pañcavidham payo-dadhi-yutam rambhā-phalam pānakam śākānām-ayutam jalam rucikaram karpūra-khaṇḍa-ujjvalam tāmbūlam manasā mayā viracitam bhaktyā prabho svīkuru |

Prose

prabho! mayā manasā bhaktyā viracitam sauvarṇe navaratnakhaṇḍaracite pātre ghṛtam, pāyasam, pañcavidham bhakṣyam, payodadhiyutam rambhāphalam, pānakam, śākānām-ayutam rucikaram jalam, karpūrakhaṇḍojvalam, tāmbūlam svīkuru |

Translation

Lord, accept [this offering] made by my mind with devotion: ghee, [an oblation of] milk, rice and sugar in a golden bowl encrusted with nine gems; food of five kinds, milk with curd, plantain, an appetizing drink, water cleared of impurities, a lit piece of camphor, [and] betel leaf.

Word by word

sauvarṇe – golden; neut, loc, sing, adj
navaratnakhaṇḍaracite – made of, studded with fragments of nine gems; loc, sing, neut, adj, TP cpd
nava – nine; num, adj, ic

मया - अस्मद्, तृ, ए.व
विरचितम् - अ, नपुं, द्वि, ए.व
भक्त्या - इ, स्त्री, तृ, ए.व
प्रभो - उ, पुं, सम्बो, ए.व
स्वीकुरु - स्वी + डुकृञ् (करणे), लोट्, प, म, ए.व

अन्वय

प्रभो! मया मनसा भक्त्या विरचितं सौवर्णे नवरत्नखण्डरचिते पात्रे घृतम्, पायसं, पञ्चविधं भक्ष्यम्, पयोदधियुतं रम्भाफलम्, पानकम्, शाकानाम् अयुतम्, रुचिकरं जलम्, कर्पूरखण्डोज्ज्वलम्, ताम्बूलं (च) स्वीकुरु ।

ratna – jewel, precious stone; neut noun, ic
khaṇḍa – piece, bit; masc/neut noun, ic
racite – composed of, formed of; ppp, √rac (10P), ifc
pātre – in a bowl; neut, loc, sing
ghṛtam – ghee, clarified butter; neut, acc, sing
pāyasam – preparation of milk, rice and sugar; neut, acc, sing
bhakṣyam – food; g*ive, √bhakṣ, crystallized noun, neut, acc, sing
pañcavidham – of five kinds; neut, acc, sing, adj
payodadhiyutam – milk [joined with] curd; neut, acc, sing, TP
payas – milk, drink; neut noun, ic
dadhi – curd; neut noun, ic
yutam – joined, combined; ppp, √yu (2P)
rambhāphalam – plantain fruit; neut, acc, sing, TP
pānakam – a [refreshing] drink; neut, acc, sing
śākānām – of greens, plants; masc, gen, pl
ayutam – free, not combined; negated ppp, √yu (2P)
jalam – water; neut acc, sing
rucikaram – causing interest, appetizing; neut, acc, sing, adj
karpūrakhaṇḍojjvalam – a blazing bit of camphor; neut, acc, sing, KD
karpura – camphor; neut noun, ic
khaṇḍa – bit, piece; masc, noun, ic
ujjvalam – lit, blazing; adj, ifc
tāmbūlam – betel leaf; masc, acc, sing
manasā – with/by the mind; neut, inst, sing
mayā – by me; inst, sing, pron, *asmad*
viracitam – constructed, created; neut, acc, sing, ppp, vi√rac (10P)
bhaktyā – with bhakti; fem, inst, sign, adv
prabho – lord; masc, voc, sing
svīkuru – accept; 2nd, sing, svī√kṛ (8P)

छत्रं चामरयोर्युगं व्यजनकं चादर्शकं निर्मलम्
वीणाभेरिमृदङ्गकाहलकला गीतं च नृत्यं तथा ।
साष्टाङ्गं प्रणतिः स्तुतिर्बहुविधा ह्येतत्समस्तं मया
सङ्कल्पेन समर्पितं तव विभो पूजां गृहाण प्रभो ॥ ३ ॥

पदच्छेदः

छत्रम् चामरयोः   युगम् व्यजनकम् च   आदर्शकं निर्मलम्
वीणाभेरिमृदङ्गकाहलकला   गीतम्   च नृत्यम् तथा
साष्टाङ्गम् प्रणतिः स्तुतिः बहुविधा हि एतत् समस्तम् मया सङ्कल्पेन
समर्पितम् तव विभो पूजाम् गृहाण प्रभो ।

पदपरिचयः

छत्रम् - अ, नपुं, प्र, ए.व
चामरयोः - अ, पुं, ष, द्वि.व
युगम् - अ, नपुं, प्र, ए.व
व्यजनकम् - अ, नपुं, प्र, ए.व
च - अव्ययम्
आदर्शकम् - अ, नपुं, प्र, ए.व
निर्मलम् - अ, नपुं, प्र, ए.व
वीणाभेरिमृदङ्गकाहलकलागीतम् - वीणा भेरिः मृदङ्गः काहलः, एषां
समाहारः, वीणाभेरिमृदङ्गकाहलम्, वीणाभेरिमृदङ्गकाहलस्य कला,
वीणाभेरिमृदङ्गकाहलकला, वीणाभेरिमृदङ्गकाहलकला गीतम् च
वीणाभेरिमृदङ्गकाहलकलागीतम्, अ, नपुं, प्र, ए.व
च - अव्ययम्
नृत्यम् - अ, नपुं, प्र, ए.व
तथा - अव्ययम्
साष्टाङ्गम् - अष्टाङ्गैः सहितम्, साष्टाङ्गम्, अ, नपुं, द्वि, ए.व
प्रणतिः - इ, स्त्री, प्र, ए.व
स्तुतिः - इ, स्त्री, प्र, ए.व
बहुविधा - बहवः विधाः अस्य इति बहुविधा, आ, स्त्री, प्र, ए.व
हि - अव्ययम्
एतत् - एतद्, नपुं, प्र, ए.व
समस्तम् - अ, नपुं, प्र, ए.व

Verse 3

chatraṃ cāmarayoryugaṃ vyajanakaṃ cādarśakaṃ nirmalaṃ
vīṇābherimṛdaṅgakāhalakalā gītaṃ ca nṛtyaṃ tathā I
sāṣṭāṅgaṃ praṇatiḥ stutirbahuvidhā hyetatsamastaṃ mayā
saṅkalpena samarpitaṃ tava vibho pūjāṃ gṛhāṇa prabho II

Words separated

chatram cāmarayoḥ yugam vyajanakam ca ādarśakam nirmalam vīṇā-bheri-mṛdaṅga-kāhala-kalā gītam ca nṛtyam tathā sāṣṭāṅgam praṇatiḥ stutiḥ bahu-vidhā hi etat samastam mayā saṅkalpena samarpitam tava vibho pūjām gṛhāṇa prabhu I

Prose

vibho! prabho! chatram cāmarayoḥ yugam vyajanakam ca nirmalam ādarśakam vīṇābherimṛdaṅgakāhalakalā gītam ca nṛtyam tathā sāṣṭaṅgam praṇatiḥ bahuvidhā stutiḥ, (tvaṃ) mayā samarpitam hi etat sarva tava pūjām gṛhāṇa I

Translation

Accept, O mighty all-pervading lord, all this that I have conceived of and offer you: a parasol, a pair of chowries, a fan, a spotless mirror; song and dance [accompanied by] the art of music and percussion [with instruments such as the] *vīṇā, bheri, mṛdaṅga* and *kāhala*. Thus, prostrate with all my limbs I praise you in many ways.

Word by word

chatram – umbrella, parasol; neut, nom, sing
cāmarayoḥ – of two fly whisks; neut, gen, dual
yugam – a pair; neut, nom, sing
vyajanakam – fan; neut, nom, sing

मया - अस्मद्, तृ, ए.व
सङ्कल्पेन - अ, पुं, तृ, ए.व
समर्पितम् - अ, नपुं, प्र, ए.व
तव - युष्मद्, ष, ए.व
विभो - उ, पुं, सम्बो, ए.व
पूजाम् - आ, स्त्री, द्वि, ए.व
गृहाण - ग्रह (उपादाने), लोट्, प, म, ए.व
प्रभो - उ, पुं, सम्बो, ए.व

अन्वय

विभो! प्रभो! छत्रम्, चामरयोः युगम्, व्यजनकं च निर्मलम् आदर्शकम्,
वीणाभेरिमृदङ्गकाहलकलागीतं च नृत्यं तथा साष्टङ्गं प्रणतिः, बहुविधा
स्तुतिः, (त्वं) मया समर्पितं हि एतत् सर्वं तव पूजां गृहाण ।

294

ca – and; conj

ādarśakam – mirror; masc, nom, sing

nirmalam – spotless, stainless; masc, nom, sing, adj

vīṇābherimṛdaṅgakāhalakalāgītam – song and the art [of instrumental music with] a *vīṇā*, a kettledrum, double ended drum and a large drum; neut, nom, DV

vīṇā – string instrument; fem noun, ic

bherī – kettledrum; fem noun, ic

mṛdaṅga – double-ended/two-face drum; masc noun, ic

kāhala – a large drum; masc noun, ic

kalā – art; fem noun, ic,

gītam – song; neut noun, ifc

ca – and; conj

nṛtyam – dance; neut, nom, sing

tathā – thus, in this manner; adv, indec

sāṣṭāṅgam – with eight limbs; adv, indec

praṇatiḥ – salutation, prostration; fem, nom, sing

stutiḥ – praise, laudation; noun, fem, nom, sing

bahuvidhā – in many ways, manners; adv

hi – indeed, surely; part, indec

etat – this; neut, nom, sing, dem pron, *tad*

samastam – all put together, assembled; neut, nom, sing, ppp, sam√as (1P)

mayā – by me; inst, sing, per pron, *asmad*

saṅkalpena – with determination, by forming in my mind; noun, masc, inst, sing

samarpitam – offered; caus, neut, nom, sing, ppp, sam√ṛ (1P)

tava – your; gen, sing, per pron, *yuṣmad*

vibho – omnipresent lord; masc, voc, sing

pūjām – honour, veneration; fem, acc, sing

gṛhāṇa – accept, take; 2nd, sing, imp, √grah (9P)

prabho – mighty lord; masc, voc, sing

आत्मा त्वं गिरिजा मतिः सहचराः प्राणाः शरीरं गृहं
पूजा ते विषयोपभोगरचना निद्रा समाधिस्थितिः ।
सञ्चारः पदयोः प्रदक्षिणविधिः स्तोत्राणि सर्वा गिरो
यद्यत्कर्म करोमि तत्तदखिलं शम्भो तवाराधनम् ॥ ४ ॥

पदच्छेद

आत्मा त्वम् गिरिजा मतिः सहचराः प्राणाः शरीरम् गृहम्   पूजा   ते
विषयोपभोगरचना निद्रा
समाधिस्थितिः सञ्चारः पदयोः प्रदक्षिणविधिः स्तोत्राणि सर्वाः गिरः यत्
यत् कर्म करोमि   तत् तत् अखिलं शम्भो तव आराधनम् ।

पदपरिचय

आत्मा - न, पुं, प्र, ए.व
त्वम् - युष्मद्, प्र, ए.व
गिरिजा - गिरेः जायते इति गिरिजा, आ, स्त्री, प्र, ए.व
मतिः - इ, स्त्री, प्र, ए.व
सहचराः - सह चरति इति सहचरः, अ, पुं, प्र, ब.व
प्राणाः - अ, पुं, प्र, ब.व
शरीरम् - अ, नपुं, प्र, ब.व
पूजा - आ, स्त्री, प्र, ए.व
ते - युष्मद्, ष, ए.व
विषयोपभोगरचना - विषयाणाम् उपभोगः, विषयोपभोगः, विषयोपभोगस्य
रचना, विषयोपभोगरचना, आ, स्त्री, प्र, ए.व
निद्रा - आ, स्त्री, प्र, ए.व
समाधिस्थितिः - समाधेः स्थितिः, समाधिस्थितिः, इ, स्त्री, प्र, ए.व
सञ्चारः - अ, पुं, प्र, ए.व
पदयोः - अ, नपुं, ष, द्वि.व
प्रदक्षिणविधिः - प्रगतं दक्षिणम् प्रदक्षिणम्, प्रदक्षिणस्य विधिः,
प्रदक्षिणविधिः, इ, पुं, प्र, ए.व
स्तोत्राणि - आ, नपुं, प्र, ब.व
सर्वाः - आ, स्त्री, प्र, ब.व
गिरः - रेफान्तः स्त्री, प्र, ब.व
यत् - यद्, द्वि, ए.व

Verse 4

ātmā tvaṃ girijā matiḥ sahacarāḥ prāṇāḥ śarīraṃ gṛhaṃ pūjā te viṣayopabhogaracanā nidrā samādhisthitiḥ |
sañcāraḥ padayoḥ pradakṣiṇavidhiḥ stotrāṇi sarvā giro yadyatkarma karomi tattadakhilaṃ śambho tavārādhanam ||

Words separated

ātmā tvam girijā matiḥ sahacarāḥ prāṇāḥ śarīram gṛham pūjā te viṣaya-upabhoga-racanā nidrā samādhi-sthitiḥ sañcāraḥ padayoḥ pradakṣiṇa-vidhiḥ stotrāṇi sarvāḥ giraḥ yat yat karma karomi tat tat akhilam śambho tava ārādhanam |

Prose

śambho! ātmā tvam [asi] girijā matiḥ [asti], [te] sahacarāḥ [mama] prāṇāḥ [santi] śarīraṃ gṛham [asti] viṣayopabhogaracanā te pūjā [asti] nidrā samādhisthitiḥ [asti] padayoḥ sañcāraḥ pradakṣiṇavidhiḥ [asti] sarvāḥ giraḥ stotrāṇi [santi] yat yat karma karomi tat tat akhilam tava ārādhanam [asti] |

Translation

Śambhu, you are my soul, Pārvatī is my mind, those you keep company with are my breaths; my body is your dwelling, [the] creation I experience is equivalent to doing your *pūjā*, my sleep is complete mental absorption [in you]; the movement of my feet your circumambulation, every sound [of mine] is a eulogism to you; all the acts I commit are adoration of you.

Word by word

ātmā – self; masc, nom, sing
tvam – you; nom, sing, per pron, *yuṣmad*
girijā – daughter of the mountain, Pārvatī; fem, nom, sing, epith

यत् - यद्, द्वि, ए.व
कर्म - न, नपुं, द्वि, ए.व
करोमि - डुकृञ् (करणे), लट्, प, उ, ए.व
तत् - तद्, नपुं, प्र, ए.व
तत् - तद्, नपुं, प्र, ए.व
अखिलम् - अ, नपुं, प्र, ए.व
शम्भो - उ, पुं, सम्बो, ए.व
तव - युष्मद्, ष, ए.व
आराधनम् - अ, नपुं, प्र, ए.व

अन्वय

शम्भो! (त्वम्) (मम) आत्मा असि । गिरिजा (मम) मतिः (अस्ति) । (ते) सहचराः (मम) प्राणाः सन्ति । (मम) शरीरं (ते) गृहम् (अस्ति) । (मम) विषयोपभोगरचना ते पूजा (अस्ति) । (मम) निद्रा समाधिस्थितिः अस्ति । (मम) पदयोः सञ्चारः (ते) प्रदक्षिणविधिः (अस्ति) । (मम) सर्वाः गिरः (ते) स्तोत्राणि (सन्ति) । (अहम) यत् यत् कर्म करोमि, तत् तत् अखिलं तव आराधनम् (अस्ति) ।

matiḥ – intelligence, mind, sense; fem, nom, sing
sahacarāḥ – companions; masc, nom, pl
prāṇāḥ – breaths of life; masc, nom, pl
śarīram – body; neut, nom, sing
gṛham – home, abode; neut, nom sing
pūjā – reverence, honour; fem, nom, sing
te – your; gen, sing, per pron, enc, *yuṣmad*
viṣayopabhogaracanā – creation consisting of the enjoyment of objects of the senses; fem, nom, sing, TP
viṣaya – objects [of the senses]; masc noun, ic
upabhoga – enjoyment, consuming; masc noun, ic
racanā – creation; fem noun, ifc
nidrā – sleep; fem, nom, sing
samādhisthitiḥ – the state of being in *samādhi*; fem, nom, sing, TP
samādhi – perfect absorption, concentration; masc noun, ic
sthitiḥ – situation, condition; fem noun, ifc
sañcāraḥ – wandering, walking; masc, nom, sing
padayoḥ – of the feet; neut, gen, dual
pradakṣiṇavidhiḥ – the method of circumambulation; fem, nom, sing, TP
pradakṣiṇa – moving to the right, circumambulation; masc noun, ic
vidhiḥ – method, rule; masc noun, ifc
stotrāṇi – eulogies, hymns of praise; neut, nom, pl
sarvāḥ – all; nom, fem, pl, pron
giraḥ – voice, speech; fem, nom, pl
yat – that which; acc, sing, rel pron
(*yat-yat* – each)
karma – action, deed; noun, neut, acc, sing
karomi – I do; 1st sing, pres, √kṛ (8P)
tat – that; nom, sing, correl pron, *tad*
(*tat-tat* – those)
akhilam – all; neut, nom, sing, adj
śambho – Śambhu; masc, voc, sing
tava – your; masc, gen, sing, poss pron
ārādhanam – adoration, homage; neut, nom, sing

करचरणकृतं वाक्कायजं कर्मजं वा
श्रवणनयनजं वा मानसं वापराधम् ।
विहितमविहितं वा सर्वमेतत्क्षमस्व
जय जय करुणाब्धे श्रीमहादेव शम्भो ॥ ५ ॥

पदच्छेद

करचरणकृतम् वाक्कायजम् कर्मजम् वा श्रवणनयनजम् वा मानसम् वा
अपराधम् विहितम् अविहितम् वा सर्वम् एतत् क्षमस्व
जय जय करुणाब्धे श्रीमहादेव शम्भो ।

पदपरिचय

करचरणकृतम् - करौ च चरणौ च, करचरणम्, करचरणेन कृतः,
करचरणकृतः, अ, पुं, द्वि, ए.व
वाक्कायजम् - वाक् च कायः च, वाक्कायम्, वाक्कायात् जायते इति,
वाक्कायजः, अ, पुं, द्वि, ए.व
कर्मजम् - कर्मणः जायते इति कर्मजः, अ, पुं, द्वि, ए.व
वा - अव्ययम्
श्रवणनयनजम् - श्रवणे च नयने च, श्रवणनयनम्, श्रवणनयनात् जायते
इति श्रवणनयनजः, अ, पुं, द्वि, ए.व
वा - अव्ययम्
मानसम् - मनसः अयम्, मानसः, अ, पुं, द्वि, ए.व
वा - अव्ययम्
अपराधम् - अ, पुं, द्वि, ए.व
विहितम् - अ, पुं, द्वि, ए.व
अविहितम् - अ, पुं, द्वि, ए.व
वा - अव्ययम्
सर्वम् - अ, नपुं, द्वि, ए.व
एतत् - एतद्, नपुं, द्वि, ए.व
क्षमस्व - क्षम् (सहने) लोट्, आ, म, ए.व
जय - जि (जये), लोट्, प, म, ए.व
जय - जि (जये), लोट्, प, म, ए.व
करुणाब्धे - करुणायाः अब्धिः, करुणाब्धिः, इ, पुं, सम्बो, ए.व
श्रीमहादेव - श्रीयुक्तः महादेवः, श्रीमहादेवः, अ, पुं, सम्बो, ए.व
शम्भो - उ, पुं, सम्बो, ए.व

Verse 5

karacaraṇakṛtaṃ vākkāyajaṃ karmajaṃ vā
śravaṇanayanajaṃ vā mānasaṃ vāparādham |
vihitamavihitaṃ vā sarvametatkṣamasva
jaya jaya karuṇābdhe śrīmahādeva śambho ||

Words separated

kara-caraṇa-kṛtam vāk-kāya-jam karma-jam vā śravaṇa-nayana-jam vā mānasam vā aparādham vihitam a-vihitam vā sarvam etat kṣamasva jaya jaya karuṇā-abdhe śrī-mahādeva śambho |

Prose

karuṇābdhe, kara-caraṇa-kṛtam vāk-kāya-jam karma-jam vā śravaṇa-nayana-jam vā mānasam vā, vihitam avihitaṃ vā etat sarvam aparādham kṣamasva jaya jaya śrīmahādeva! śambho!

Translation

Ocean of mercy, [all] conceivable transgressions arising from the deeds done by my hands and feet, my voice and body, born of my mind, eyes or ears, prescribed or otherwise, forgive them all. Be victorious, Śambhu, glorious, great lord.

Word by word

karacaraṇakṛtam – done by [the] hands and feet; masc, acc, sing, TP
kara – hand; masc noun, ic
caraṇa – foot; neut noun, ic
kṛtam – done; masc, sing, ppp, √kṛ (8P), ifc
vākkāyajam – born, arising from speech and body; masc, acc, sing TP
vāk – voice, speech; fem noun, ic

अन्वय

करचरणकृतं वाक्कायजं कर्मजं वा, श्रवणनयनजं वा मानसं वा, विहितम् अविहितं वा एतत् सर्वं अपराधम् (त्वम्) क्षमस्व । करुणाब्धे! श्रीमहादेव! शम्भो! (तव) जय जय

kāya – body; masc noun, ic
jam – born [of], arising from; √jan (4U), ifc
karmajam – arising from acts; masc, acc, sing, TP
karma – act, deed; neut noun, ic
jam – born [of], arising from; √jan (4U), ifc
vā – or; conj, indec
śravaṇanayanajam – arising from ears and eyes; masc, acc, sing, TP
śravaṇa – ear; neut noun, ic
nayana – eye; neut noun, ic
jam – born [of], arising from; √jan (4U), ifc
vā – or; conj, indec
mānasam – imaginable, mental; masc, acc, sing, adj
vā – or; conj, indec
aparādham – transgression, fault, offence; masc, acc, sing
vihitam – prescribed, ordained; masc, sing, ppp, vi√dhā (3P)
avihitam – not prescribed; masc, sing, ppp, vi√dhā (3P)
vā – or; conj, indec
sarvam – all; neut, acc, sing, adj
etat – this, these; neut, acc, sing, dem pron, *etad*
kṣamasva – forgive; 2nd, sing, imp, √kṣam (1Ā)
jaya – be victorious, win; pres, 2nd, sing, imp, √ji (1P)
jaya – be victorious, win; pres, 2nd, sing, imp, √ji (1P)
karuṇābdhe – ocean of mercy; masc, voc, sing
karuṇā – mercy, compassion; fem noun, ic
abdhe – ocean; masc noun, ifc
śrī-mahā-deva – great, glorious Lord; masc, voc, sing
śambho – granting happiness, beneficent; masc, voc, sing, epith

Rudrāṣṭakam

रुद्राष्टकम्

About the Stotra

Authored by Tulasidāsa (sixteenth century), this octet appears in the Uttar Kāṇḍ of *Ram Carit Mānas* (107th *dohā*). It was sung on behalf of Kākabhuśuṇḍi, an epic character. Although the deva addressed is Rudra, all the exploits mentioned are of a later age, when Śiva had become the deity we know today. It is indicative of the fact that by the time of Tulasidāsa, the distinction (if there was any) between Rudra and Śiva had ceased to exist.

The octet is notable for many deviations from Pāṇinian grammar, latitude which was taken by some distinguished composers. To the lay person such exceptions are known as '*ārṣa-prayoga*' an application allowed to seers (ṛṣis). For a Śaiva devotee verse eight is most meaningful. It says that 'I don't know anything about *pūjā, japa,* or *yoga* – but I am perpetually bowed before you,' reconfirming the bhakti belief that intent and emotion are as important as, if not more important than, formal prayer in one's relationship with the *deva*. This octet is in *bhujaṅgaprayāta* metre.

रुद्राष्टकम्

नमामीशमीशाननिर्वाणरूपम्
विभुं व्यापकं ब्रह्मवेदस्वरूपम् ।
निजं निर्गुणं निर्विकल्पं निरीहम्
चिदाकारमाकाशवासं भजेऽहम् ॥ १ ॥

पदच्छेद

नमामि ईशम् ईशाननिर्वाणरूपम् विभुम् व्यापकम् ब्रह्मवेदस्वरूपम् निजम् निर्गुणम् निर्विकल्पम् निरीहम् चिदाकारम् आकाशवासम् भजे अहम् ।

पदपरिचय

नमामि - णम (प्रह्वत्वे), लट्, प, प्र, ए.व
ईशम् - अ, पुं, द्वि, ए.व
ईशाननिर्वाणरूपम् - निर्वाणं रूपम् यस्य सः, निर्वाणरूपः, ईशानः च निर्वाणरूपः च ईशाननिर्वाणरूपः, अ, पुं, द्वि, ए.व
विभुम् - उ, पुं, द्वि, ए.व
व्यापकम् - अ, पुं, द्वि, ए.व
ब्रह्मवेदस्वरूपम् - ब्रह्म च वेदश्च ब्रह्मवेदौ, ब्रह्मवेदयोः स्वरूपं यस्य सः, ब्रह्मवेदवेदस्वरूपः,
अ, पुं, द्वि, ए.व
निजम् - अ, पुं, द्वि, ए.व
निर्गुणम् - अ, पुं, द्वि, ए.व
निर्विकल्पम् - अ, पुं, द्वि, ए.व
निरीहम् - अ, पुं, द्वि, ए.व
चिदाकारम् - चित् एव आकारः यस्य सः, चिदाकारः, अ, पुं, द्वि, ए.व
आकाशवासम् - आकाशे वासः यस्य सः, आकाशवासः, अ, पुं, द्वि, ए.व

Rudrāṣṭakam

Verse 1

namāmīśamīśānanirvāṇarupaṃ vibhuṃ vyāpakaṃ brahmavedasvarūpaṃ |
nijaṃ nirguṇaṃ nirvikalpaṃ nirīhaṃ cidākāramākāśavāsaṃ bhāje 'ham ||

Words separated

namāmi īśam īśāna-nirvāṇa-rupam vibhum vyāpakam brahma-veda-svarūpam nijam nirguṇam nirvikalpam nir-īham cid-ākāram ākāśa-vāsam bhāje aham |

Prose

[aham] īśam namāmi (yam) īśāna-nirvāṇa-rupam vibhum vyāpakam brahma-veda-svarūpam nijam nirguṇam nirvikalpam nirīham cidākāram ākāśavāsam [asti, tam aham] bhaje |

Translation

I bow to the lord Īśāna who has the form of consciousness and liberation, who is all-pervading and powerful, whose form is that of *brahman* and the Veda, who is constant, innate, devoid of [material] qualities, has no desires [and] who dwells in the sky; I worship him.

भजे - भज (सेवायाम्), लट्, आ, उ, ए.व
अहम् - अस्मद्, प्र, ए.व

अन्वय

(अहम्) ईशाननिर्वाणरूपम्, विभुम्, व्यापकम्, ब्रह्मवेदस्वरूपम्, निजम्,
निर्गुणम्, निर्विकल्पम्, निरीहम्, चिदाकारम्, आकाशवासम्, ईशं नमामि ।
अहम् (ईशम्) भजे ।

310

Word by word

namāmi – I bow; 1st sing, pres, √nam (1P)

īśam – to [the] lord; masc, acc, sing

īśānanirvāṇarupam – lord, [and] has the form of liberation; masc, acc, sing, BV

īśāna – ruler, lord; masc epith, ic

nirvāṇa – liberation, extinguishing of life/flame; neut noun, ic

rupam – form; masc noun, ifc

vibhum – almighty, all-powerful; masc, acc, sing, adj

vyāpakam – pervading, extending; masc, acc, sing, adj

brahma-veda-svarūpam – whose own form [embodies knowledge of] brahman and [the essence of] the Veda; masc, acc, sing, BV

nijam – dwelling in oneself, innate; masc, acc, sing, adj

nir-guṇam – devoid of material attributes/qualities; masc, acc, sing, adj, BV

nir-vikalpam – devoid of change, immutable; masc, acc, sing, adj, BV

nir-īham – desire-less; masc, acc, sing, adj, BV

cid-ākāram – whose form is that of consciousness; masc, acc, sing, BV

ākāśa-vāsam – whose dwelling is the sky; masc, acc, sing, BV

bhaje – revere, worship; 1st, sing, pres, √bhaj (1Ā)

aham – I; 1st, sing, pron, *asmad*

निराकारमोङ्कारमूलं तुरीयम्
गिराज्ञानगोऽतीतमीशं गिरीशम् ।
करालं महाकालकालं कृपालुम्
गुणागारसंसारपारं नतोऽहम् ॥ २ ॥

पदच्छेद

निराकारम् ओङ्कारमूलम् तुरीयम् गिराज्ञानगोऽतीतम् ईशम् गिरीशम् करालम् महाकालकालम् कृपालुम् गुणागारसंसारपारं नतः अहम् ।

पदपरिचय

निराकारम् - निर्गतः आकारः यस्मात् सः, निराकारः, अ, पुं, द्वि, ए.व
ओङ्कारमूलम् - ओङ्कारस्य मूलम्, ओङ्कारमूलम्, अ, नपुं, द्वि, ए.व
तुरीयम् - अ, पुं, द्वि, ए.व
गिराज्ञानगोऽतीतम् - गिरा च ज्ञानं च गौः च, गिराज्ञानगावः, गिराज्ञानगोभ्यः अतीतः, गिराज्ञानगोऽतीतः, अ, पुं, द्वि, ए.व (अत्र गिरा इति आकारन्तः स्त्रीङ्गः, विशेषप्रयोगः)
ईशम् - अ, पुं, द्वि, ए.व
गिरीशम् - गिरेः ईशः, गिरीशः, अ, पुं, द्वि, ए.व
करालम् - अ, पुं, द्वि, ए.व
महाकालकालम् - महान् कालः, महाकालः, महाकालस्य कालः, महाकालकालः, अ, पुं, द्वि, ए.व
कृपालुम् - कृपा विद्यते अस्मिन् इति कृपालुः, उ, पुं, द्वि, ए.व
गुणागारसंसारपारम् - गुणानां आगारः, गुणागारः, गुणागारः संसारः, गुणागारसंसारः, गुणागारसंसारस्य पारम्, गुणागारसंसारपारम्, अ, नपुं, द्वि, ए.व
नतः - अ, पुं, प्र, ए.व, क्तान्तम्
अहम् - अस्मद्, प्र, ए.व

अन्वय

अहं निराकारम्, ओङ्कारमूलम्, तुरीयम्, गिराज्ञानगोऽतीतम्, गिरीशम्, करालम्, महाकालकालम्, कृपालुम्, गुणागारसंसारपारं ईशं नतः (अस्मि) ।

Verse 2

*nirākāramoṅkāramūlaṃ turīyaṃ girājñānago'tītamīśaṃ girīśaṃ |
karālaṃ mahākālakālaṃ kṛpālaṃ guṇāgārasaṃsārapāraṃ
nato'ham ||*

Words separated & Prose

nirākāram om-kāra-mūlam turīyam girā-jñāna-go-atītam īśam
girīśam
karālam mahākāla-kālam kṛpālam guṇa-āgāra saṃsāra-pāram
nataḥ aham |*

Translation

I bow to the lord who is formless, the root [cause] of Om
[and] the fourth state of consciousness/*brahma*; who is beyond
the scope of speech, knowledge and the senses; lord of the
mountain [Kailāśa], formidable, merciful, great destroyer of
time, who embodies many qualities and helps [beings] cross
[over] to the farthest bank of the ocean of existence.

Word by word

nir-ākāram – formless; masc, acc, sing, BV
oṅkāra-mūlam – who is the essence of Om; masc, acc, sing, TP
oṅkāra – the form of Om/praṇava; TP, ic
mūlam – essence, root; neut noun, ifc
turīyam – fourth state of consciousness, pure impersonal spirit;
neut, acc, sing
girājñānago'tītam – who transcends/is beyond the scope of
voice, knowledge and the senses; masc, acc, sing, TP
girā – voice; fem noun, ic
jñāna – knowledge; neut noun, ic
go – organ of sense; masc noun/speech, fem noun, ic
atītam – gone past, left behind; ppp, ati√i (2P), ifc

313

रुद्राष्टकम्

īśam – lord; masc, acc, sing

girīśam – lord of mount Kailāśa; masc, acc, sing

karālam – formidable; masc, acc, sing, adj

mahā-kāla-kālam – great destroyer of time [itself]; masc, acc, sing, TP

kṛpālam – compassionate, kind; masc, acc, sing

guṇāgāra – the dwelling place of attributes, possessing a high number of attributes; masc, acc, sing, TP

guṇa – qualities, attributes; masc noun, ic

āgāra – a dwelling, very high number; neut noun, ifc

saṃsārapāram – bringing across/farthest bank of existence; masc, acc, sing, TP

saṃsāra – circuit of mundane existence, cycle of rebirth in this world; masc noun, ic

pāram – bringing across/farthest shore, bank; adj, ifc

nataḥ – bent; masc, ppp, √nam (1P)

aham – I; 1st, sing, pron, *asmad*

*girā in this verse deviates from Pāṇinian rules

तुषाराद्रिसङ्काशगौरं गभीरम्
मनोभूतकोटिप्रभाश्रीशरीरम् ।
स्फुरन्मौलिकल्लोलिनीचारुगङ्गा
लसद्भालबालेन्दुकण्ठेभुजङ्गा ॥ ३ ॥

पदच्छेद

तुषाराद्रिसङ्काशगौरम् गभीरम् मनोभूतकोटिप्रभाश्रीशरीरम्
स्फुरन्मौलिकल्लोलिनीचारुगङ्गा लसद्भालबालेन्दुकण्ठेभुजङ्गाः ।

पदपरिचय

तुषाराद्रिसङ्काशगौरम् - तुषारस्य अद्रिः, तुषाराद्रिः, तुषाराद्रिणा सङ्काशः तुषाराद्रिसङ्काशः,
तुषाराद्रिसङ्काशः गौरः यस्य सः, तुषाराद्रिसङ्काशगौरः, अ, पुं, द्वि, ए.व
गभीरम् - अ, पुं, द्वि, ए.व
मनोभूतकोटिप्रभाश्रीशरीरम् - मनसि भूता, मनोभूता, मनोभूताः कोटिः प्रभाः, मनोभूतकोटिप्रभाः, श्रीयुक्तं शरीरम्, श्रीशरीरम्, मनोभूतकोटिप्रभानां श्रीशरीरं यस्य सः, मनोभूतकोटिप्रभाश्रीशरीरः,
अ, पुं, द्वि, ए.व
*स्फुरन्मौलिकल्लोलिनीचारुगंगा - स्फुरन् चासौ मौलिः, स्फुरन्मौलिः, कल्लोलिनी चारुगंगा, कल्लोलिनीचारुगंगा, स्फुरन्मौलौ कल्लोलिनीचारुगंगा, स्फुरन्मौलिकल्लोलिनीचारुगंगा
*लसद्भालबालेन्दुकण्ठेभुजङ्गा - लसत् चासौ भालं, लसद्भालम्, बालः च इन्दुः च = बालेन्दुः,
लसद्भाले बालेन्दुः यस्य सः, लसद्भालबालेन्दुः (शिवः), लसद्भालबालेन्दोः कण्ठः, लसद्भालबालेन्दुकण्ठः, लसद्भालबालेन्दुकण्ठे भुजङ्गा, लसद्भालबालेन्दुकण्ठेभुजङ्गा

*(*अवधेयम् - अत्र पदद्वयम् आकारान्ते अस्ति, तथापि पूर्वार्धस्य पुंल्लिङपदानां विशेषणरूपेण वर्तते इति विशेषः । अन्वयं पश्यन्तु ।)*

Verse 3*

tuṣārādrisaṅkāśagauramgabhīraṃ manobhūtakoṭiprabhāśrīśarīram |
sphuranmaulikallolinīcārugaṅgā*
lasadbhālabalendukaṇṭhebhujaṅgā* ||

Words separated & Prose

tuṣāra-adri-saṅkāśa-gauram gabhīram manobhūta-koṭi-prabhā śrī-
śarīram sphuran-mauli-kallolinī-cāru-gaṅgā lasad-bhāla-balendu-
kaṇṭhe bhujaṅgā |

Translation

[I revere him who is] white like a snowy mountain, who is
profound, whose splendorous body is excessively brilliant like
the god of love. He has the surging current of the charming
Gaṅgā on his glistening head, the young moon on his shining
forehead [and] a snake at this throat.

Word by word

tuṣārādrisaṅkāśagauram – one whose appearance is white,
resembling a snowy mountain; masc, acc, sing, BV
tuṣāra – ice, snow; masc noun, ic
adri – mountain, rock; masc noun, ic
saṅkāśa – appearance; masc noun, ic
gauram – white; masc adj, ifc
gabhīram – deep, profound, sagacious; masc, acc, sing, adj
manobhūtakoṭiprabhāśrīśarīram – whose body has great
brilliance like the god of love; masc, acc, sing, BV
manobhūta – existing in the mind/heart, Kāma, god of love;
masc, sing, epith, ic
koṭi-prabhā – millions/much brilliance; KD, ic
śrī-śarīram – auspicious, splendorous body; neut noun, ifc

317

अन्वय

स्फुरन्मौलिकल्लोलिनीचारुगङ्गा, लसद्भालबालेन्दुकण्ठेभुजङ्गा (च इति एतादृशम्), तुषाराद्रिसंकाशगौरम्, गभीरम्, मनोभूतकोटिप्रभाश्रीशरीरम् (अहम् भजे) ।

sphuranmaulikallolinīcārugaṅgā – the surging current of the charming Gaṅgā on his glistening head

sphurat – glistening, quivering; pres part, √sphur (6P), ic

mauli – crest/head; masc noun, ic

kallolinī – surging, wavy; fem, adj

cāru – beautiful, pleasant; adj

gaṅgā – river Gaṅgā; fem, nom, sing, prop

lasadbhālabalendukaṇṭhebhujaṅgā – the young moon at his shining forehead and a snake at his throat

lasat – shining; pres part, √las (1P), ic

bhāla – forehead, front; neut noun, ic

bālendu – young moon, digit moon; masc, KD, ic

kaṇṭhe – at [the] throat; masc, loc, sing

bhujaṅgā – serpent(s), snake(s)

this verse deviates from Pāṇinian grammar, especially with reference to marked compounds

चलत्कुण्डलं शुभ्रनेत्रं विशालम्
प्रसन्नाननं नीलकण्ठं दयालुम् ।
मृगाधीशचर्माम्बरं मुण्डमालम्
प्रियं शङ्करं सर्वनाथं भजामि ॥ ४ ॥

पदच्छेद

चलत्कुण्डलम् शुभ्रनेत्रम् विशालम् प्रसन्नाननम् नीलकण्ठम् दयालुम् मृगाधीशचर्माम्बरम् मुण्डमालम् प्रियम् शङ्करम् सर्वनाथम् भजामि

पदपरिचय

चलत्कुण्डलम् - चलत् कुण्डलं यस्य सः, चलत्कुण्डलः, अ, पुं, द्वि, ए.व
शुभ्रनेत्रम् - शुभ्राणि नेत्राणि यस्य सः, शुभ्रनेत्रः, अ, पुं, द्वि, ए.व
विशालम् - अ, पुं, द्वि, ए.व
प्रसन्नाननम् - प्रसन्नम् आननम् यस्य सः, प्रसन्नाननः, अ, पुं, द्वि, ए.व
नीलकण्ठम् - नीलः कण्ठः यस्य सः, नीलकण्ठः, अ, पुं, द्वि, ए.व
दयालुम् - दया अस्मिन् विद्यते इति दयालुः, उ, पुं, द्वि, ए.व
मृगाधीशचर्माम्बरम् - मृगाणाम् अधीशः, मृगाधीशः, मृगाधीशस्य चर्म, मृगाधीशचर्म,
मृगाधीशचर्म अम्बरं यस्य सः, मृगाधीशचर्माम्बरः, अ, पुं, द्वि, ए.व
मुण्डमालम् - मुण्डानां माला यस्य सः, मुण्डमालः, अ, पुं, द्वि, ए.व
प्रियम् - अ, पुं, द्वि, ए.व
शङ्करम् - शं करोति इति शङ्करः, अ, पुं, द्वि, ए.व
सर्वनाथम् - सर्वेषां नाथः, सर्वनाथः, अ, पुं, द्वि, ए.व
भजामि - भज (सेवायाम्), लट्, प, उ, ए.व

अन्वय

(अहम्) चलत्कुण्डलम्, शुभ्रनेत्रम्, विशालम्, प्रसन्नाननम्, नीलकण्ठम्, दयालुम्, मृगाधीशचर्माम्बरम्, मुण्डमालम्, प्रियम्, सर्वनाथम्, शङ्करं भजामि ।

Verse 4

calatkuṇḍalaṃ śubhranetraṃ viśālaṃ prasannānanaṃ nīlakaṇṭhaṃ dayālam |
mṛgādhīśacarmāmbaraṃ muṇḍamālaṃ priyaṃśaṅkaraṃ sarvanāthaṃ bhajāmi ||

Words separated & Prose

calat-kuṇḍalam śubhra-netram viśālam prasanna-ānanam nīla-kaṇṭham dayālam mṛga-adhīśa-carma-ambaram muṇḍa-mālam priyam śaṅkaram sarva-nātham bhajāmi |

Translation

I revere beloved Śaṅkara, mighty [and] merciful lord of all, whose earrings are moving, who has splendid large eyes, whose countenance is kind, whose throat is blue; who wears a tiger skin and a garland of skulls.

Word by word

calatkuṇḍalam – he whose earrings are moving; masc, acc, sing, BV
calat – moving; pres part, √cal (1P), ic
kuṇḍalam – earring(s); masc noun, ifc
śubhra-netram – whose eyes are bright/splendid; masc, acc, sing, BV
viśālam – great, powerful, mighty; masc, acc, sing, adj
prasannānanam – whose face is kindly disposed/happy; masc, acc, sing, BV
prasanna – happy, cheerful, kindly disposed; adj, ic
ānanam – face; neut noun, ifc
nīlakaṇṭham – whose throat is blue; masc, acc, sing BV
nīla – dark, blue; adj, ic
kaṇṭham – throat; masc noun, ifc

dayālam – who is merciful; masc, acc, sing, adj
mṛgādhīśacarmāmbaram – who is clad with a tiger skin; masc, acc, sing, BV
mṛgādhiśa – lord of animals, tiger; TP, ic
[*mṛga* – deer, animal; masc noun
adhīśa – lord, master over; masc noun]
carma – skin, hide; neut noun, ic
ambaram – cladding; neut noun, ifc
muṇḍa-mālām – [who has] a garland of skulls; masc, acc, sing, BV
priyam – dear, beloved; masc, acc, sing, adj
saṅkaram – Śiva; masc, acc, sing, epith
sarva-nātham – lord of all; masc, acc, sing, TP
bhajāmi – I worship; 1st sing, pres, √bhaj (1P)

प्रचण्डं प्रकृष्टं प्रगल्भं परेशम्
अखण्डं भजे भानुकोटिप्रकाशम् ।
त्रयः शूलनिर्मूलनं शूलपाणिम्
भजेऽहं भावानीपतिं भावगम्यम् ॥ ५ ॥

पदच्छेद

प्रचण्डम् प्रकृष्टम् प्रगल्भम् परेशम् अखण्डम् भजे भानुकोटिप्रकाशम् त्रयः शूलनिर्मूलनम् शूलपाणिम् भजे अहम् भवानीपतिं भावगम्यम् ।

पदपरिचय

प्रचण्डम् - अ, पुं, द्वि, ए.व
प्रकृष्टम् - अ, पुं, द्वि, ए.व
प्रगल्भम् - अ, पुं, द्वि, ए.व
परेशम् - परः ईशः, परेशः, अ, पुं, द्वि, ए.व
अखण्डम् - अ, पुं, द्वि, ए.व
भजे - भज (सेवायाम्), लट्, आ, उ, ए.व
भानुकोटिप्रकाशम् - भानूनां कोटिः भानुकोटिः, भानुकोट्याः प्रकाशः यस्य सः, भानुकोटिप्रकाशः, अ, पुं, द्वि, ए.व
त्रयः शूलनिर्मूलनम् - त्रयः अवयवाः अस्याः इति त्रयः, त्रयः च शूलानि च, त्रयशूलानि, त्रयशूलानां निर्मूलनं येन सः, त्रयशूलनिर्मूलनः, अ, पुं, द्वि, ए.व
शूलपाणिम् - शूलं पाणौ यस्य सः, शूलपाणिः, इ, पुं, द्वि, ए.व
भजे - भज (सेवायाम्), लट्, आ, उ, ए.व
अहम् - अस्मद्, प्र, ए.व
भवानीपतिं - भवान्याः पतिः, भवानीपतिः, इ, पुं, द्वि, ए.व
भावगम्यम् - भावेन गम्यः, भावगम्यः, अ, पुं, द्वि, ए.व

अन्वय

अहं प्रचण्डं, प्रकृष्टं, प्रगल्भं, अखण्डं, परेशं भजे । (अहम्) भानुकोटिप्रकाशं, त्रयीशूलनिर्मूलनं शूलपाणिं, भावगम्यं, भवानीपतिं भजे ।

Verse 5

pracaṇḍaṃ prakṛṣṭaṃ pragalbhaṃ pareśaṃ akhaṇḍaṃ ajaṃ bhānukoṭiprakāśaṃ I
trayīśūlanirmūlanaṃ śūlapāṇiṃ bhaje'haṃ bhavānīpatiṃ bhāvagamyam II

Words separated & Prose

pracaṇḍam prakṛṣṭam pragalbham pareśam akhaṇḍam ajam bhānu-koṭi-prakāśam trayī-śūla-nir-mūlanam śūla-pāṇim bhavānī-patim bhava-gamyam aham bhaje I

Translation

I adore that lord of Bhavānī who is fierce, magnificent [and] eminent; the highest lord who is unborn, whole, has the brilliance of a crore suns, holds a spear in his hand, removes the threefold suffering [and] who can be comprehended [only] through emotion.

Word by word

pracaṇḍam – fierce, formidable; masc, acc, sing, adj
prakṛṣṭam – magnificent, exceptional, violent; masc, acc, sing, adj
pragalbham – eminent, bold, impudent; masc, acc, sing, adj
pareśam – highest lord; masc, acc, sing, adj
akhaṇḍam – whole, undivided; masc, acc, sing, adj
ajam – unborn, existing from all eternity, driver, instigator; masc, acc, sing, adj
bhānukoṭiprakāśam – one whose brilliance is [like that] of crores of suns; masc, acc, sing, BV
bhānu – sun; masc noun, ic
koṭi – crore, ten million; fem noun, ic
prakāśam – lustre, brightness; masc noun, ifc

trayī-śūla-nirmūlanam – by whom threefold suffering is uprooted/destroyed; masc, acc, sing, BV

trayī – three, consisting of three; num, adj, ic

śūla – something that pierces, acute pain; masc noun, ic

nirmūlanam – uprooting; masc/neut noun, ifc

śūlapāṇim – one who holds a spear in his hand; masc, acc, sing, BV

śūla – spear, stake; masc noun, ic

pāṇim – hand; masc noun, ifc

bhaje – worship, praise, adore; 1st, sing, pres, √bhaj (1Ā)

aham – I; nom, sing, pron, *asmad*

bhavānī-patim – husband of Bhavānī; masc, acc, sing, TP

bhāvagamyam – one who may be perceived/comprehended through emotion; masc, acc, sing, TP

bhāva – feeling, emotion; masc noun, ic

gamyam – to be gone to/approached; g*ive, √gam (1P), ifc

कलातीतकल्याणकल्पान्तकारी
सदा सज्जनानन्ददाता पुरारिः ।
चिदानन्दसन्दोहमोहापहारी
प्रसीद प्रसीद प्रभो मन्मथारिः ॥ ६ ॥

पदच्छेद

कलातीतकल्याणकल्पान्तकारी   सदा   सज्जनानन्ददाता   पुरारिः
चिदानन्दसन्दोहमोहापहारी प्रसीद प्रसीद प्रभो मन्मथारिः ।

पदपरिचयः

कलातीतकल्याणकल्पान्तकारी - कलाः अतीतः, कलातीतः, कलातीतः च
कल्याणः च कलातीतकल्याणः, अन्तं करोति इति अन्तकारी, कल्पस्य
अन्तकारी, कल्पान्तकारी, कलातीतकल्याणः च कल्पान्तकारी च,
कलातीतकल्याणकल्पान्तकारी, न, पुं, प्र, ए.व

सदा - अव्ययम्

सज्जनानन्ददाता - यः सज्जनेभ्यः आनन्दं ददाति सः, सज्जनानन्ददाता,
ऋ, पुं, प्र, ए.व

पुरारिः - पुराणाम् अरिः, पुरारिः इ, पुं, प्र, ए.व

चिदानन्दसन्दोहमोहापहारी - चिद् एव आनन्दः, चिदानन्दः, चिदानन्दस्य
सन्दोहः, चिदानन्दसन्दोहः, मोहस्य अपहारी, मोहापहारी, चिदानन्दसन्दोहः
च मोहापहारी च, चिदानन्दसन्दोहमोहापहारी, न, पुं, प्र, ए.व

प्रसीद - प्र + षद्लृ (विशरणगत्यवसादनेषु), लो, प, म, ए.व

प्रसीद - प्र + षद्लृ (विशरणगत्यवसादनेषु), लो, प, म, ए.व

प्रभो - उ, पुं, सम्बो, ए.व

मन्मथारिः - मन्मथस्य अरिः, मन्मथारिः, इ, पुं, प्र, ए.व

अन्वय

प्रभो! कलातीतकल्याणकल्पान्तकारी, सदा सज्जनानन्ददाता, पुरारिः,
चिदानन्दसन्दोहमोहापहारी, मन्मथारिः, (त्वम्) प्रसीद, प्रसीद ।

Verse 6

kalātītakalyāṇakalpāntakārī sadāsajjanānandadātāpurāriḥ |
cidānandasandohamohāpahārī prasīda prasīda prabho manmathāriḥ ||

Words separated & Prose

prabho! kalā-atīta-kalyāṇa-kalpānta-kārī sadā saj-jana-ānanda-dātā purāriḥ cid-ānanda-sandoha-moha-apahārī prasīda prasīda man-matha-ariḥ |

Translation

Auspicious lord who transcends the material world, brings a *kalpa* to an end, perpetually bestows bliss on good people, [who] removes delusion, is a mass of consciousness and bliss, [and] the enemy of the god of love; be tranquil, be pleased [with me]!

Word by word

kalātītakalyāṇakalpāntakārī – auspicious [lord] who transcends the material world and ends time; masc, nom, sing
kalā-atīta – one who has transcended elements of the material world (def. of *kalā* according to *pāśupatas*); masc sing, TP, ic
kalyāṇa – benevolent, auspicious; adj, ic
kalpa – an era; masc noun, ic
anta – end; masc noun, ic
kārī – one who ends time; masc noun, ifc
sadā – always, perpetually; adv, indec
sat-jan-ānanda-dātā – giver of bliss to good people; masc, nom, sing, TP
purāriḥ – enemy of [the three] cities; masc, nom, sing, epith, TP
pura – city, fortress; neut noun, ic
ariḥ – enemy; masc noun, ifc

cidānandasandohamohāpahārī – heap of consciousness, bliss and destroyer of delusion; masc, nom, sing, TP

cid – consciousness, pure thought; fem noun, ic

ānanda – bliss; masc noun, ic

sandoha – heap, pile, multitude; masc noun, ic

moha – delusion; masc noun, ic

apahārī – one who carries away, removes; masc noun, ifc

prasīda – be pacified, be tranquil, be pleased; 2nd, sing, imp, pra√sad (1P)

prasīda – be pacified, be tranquil, be pleased; 2nd, sing, imp, pra√sad (1P)

prabho – lord; masc, voc, sing

manmathāriḥ – enemy of the god of love, Śiva; masc, nom, sing, TP

manmatha – stirs the mind, Kāma; masc, noun ic

ariḥ – enemy; masc, noun, ifc

न यावत् उमानाथपादारविन्दम्
भजन्तीह लोके परे वा नराणाम् ।
न तावत्सुखं शान्तिसन्तापनाशम्
प्रसीद प्रभो सर्वभूताधिवास ॥ ७ ॥

पदच्छेद

न यावत् उमानाथपादारविन्दम् भजन्ति इह लोके परे वा नराणाम् न तावत् सुखम् शान्तिसन्तापनाशम् प्रसीद प्रभो सर्वभूताधिवासम् ।

पदपरिचय

न - अव्ययम्
यावत् - अव्ययम्
उमानाथपादारविन्दम् - उमायाः नाथः, उमानाथः, पादः अरविन्दम् इव, पादारविन्दम्,
उमानाथस्य पादारविन्दम्, उमानाथपादारविन्दम्, अ, नपुं, द्वि, ए.व
भजन्ति - भज (सेवायाम्), लट्, प, प्र, ब.व
इह - अव्ययम्
लोके - अ, पुं, स, ए.व
परे - अ, पुं, स, ए.व
वा - अव्ययम्
नराणाम् - अ, पुं, ष, ब.व
न - अव्ययम्
तावत् - अव्ययम्
सुखम् - अ, नपुं, प्र, ए.व
शान्तिसन्तापनाशम् - शान्तिः सन्तापनाशः च येन तत्, शान्तिसन्तापनाशम्, अ, नपुं, प्र, ए.व
प्रसीद - प्र + षद्लृ (विशरणगत्यवसादनेषु), लो, प, म, ए.व
प्रभो - उ, पुं, सम्बो, ए.व
सर्वभूताधिवास - सर्वाणि भूतानि, सर्वभूतानि, अधिवसति इति अधिवासः, सर्वभूतेषु अधिवासः, सर्वभूताधिवासम्ः, अ, पुं, सम्बो, ए.व

Verse 7

*na yāvad umānāthapādāravindaṃ bhajantīha loke pare vā
narāṇām |
na tāvatsukhaṃ śāntisantāpanāśaṃ prasīda prabho
sarvabhūtādhivāsa ||*

Words separated

*na yāvad umā-nātha-pāda-aravindam bhajanti iha loke pare vā
narāṇām na tāvat sukham śānti-santāpa-nāśam prasīda prabho
sarva-bhūta-adhivāsa |*

Prose

*yāvad umā-nātha-pāda-aravindam [narāḥ] na bhajanti, tāvat iha
loke pare vā sukham śānti-santāpa-nāśam [na bhavati] prasīda
prabho sarva-bhūta-adhivāsa |*

Translation

So long as they do not worship the lotus feet of Umā's lord,
till [then] there will be no happiness, peace or destruction
of misery for men in this world or the next. Be tranquil, be
pleased, lord, who dwells in all beings.

Word by word

na – no, not; part, indec
yāvat – until such time, so long as; rel, indec
umā-nātha-pāda-aravindam – lotus feet of the lord of Umā;
masc, acc, sing, TP
bhajanti – worship, partake of, revere; 3rd, pl, pres, √bhaj (1P)
iha – here; adv, indec
loke – in this world; masc, loc, sing
pare – in the other [world]; masc, loc, sing

अन्वय

इह लोके परे वा यावत् शान्तिसन्तापनाशम्, उमानाथपादारविन्दं न भजन्ति, तावत् नराणां सुखं न (भवति) । प्रभो! सर्वभूताधिवासम्! (त्वम्) प्रसीद ।

*अथवा -

इह लोके परे वा यावत् उमानाथपादारविन्दं न भजन्ति, तावत् नराणां सुखं शान्तिसन्तापनाशं च न (भवति) । प्रभो! सर्वभूताधिवासम्! (त्वम्) प्रसीद ।

(*अवधेयम् - शान्तिः च सन्तापनाशः च शान्तिसन्तापनाशौ इति विग्रहः भवति, अत्र "शान्तिसन्तापनाशम्" इति आर्षप्रयोगः ।)

vā – or; conj, indec
narāṇām – of/for men; masc, gen, pl
na – no, not; part, indec
tāvat – until then, till such time; correl, indec
sukham – happiness; neut, acc, sing
śānti – peace; fem noun, ic
santāpa-nāśam – destruction of misery; masc, acc, TP
prasīda – be tranquil, be pleased; 2nd, sing, imp, pra√sad (1P)
prabho – lord; masc, voc, sing
sarva-bhūta-adhivāsa – you who dwells in all beings; masc, voc, sing, TP

न जानामि योगं जपं नैव पूजाम्
नतोऽहं सदा सर्वदा देव तुभ्यम् ।
जराजन्मदुःखौघतातप्यमानम्
प्रभो पाहि शापान्नमामीश शम्भो ॥ ८ ॥

पदच्छेद

न जानामि योगम् जपम् न एव पूजाम् नतः अहम् सदा सर्वदा देव
तुभ्यम् जराजन्मदुःखौघतातप्यमानम् प्रभो पाहि आपत् नमामि ईश
शम्भो ।

पदपरिचय

न - अव्ययम्
जानामि - ज्ञा (अवबोधने), लट्, प, उ, ए.व
योगम् - अ, पुं, द्वि, ए.व
जपम् - अ, पुं, द्वि, ए.व
न - अव्ययम्
एव - अव्ययम्
पूजाम् - आ, स्त्री, द्वि, ए.व
नतः - अ, पुं, प्र, ए.व
अहम् - अस्मद्, प्र, ए.व
सदा - अव्ययम्
सर्वदा - अव्ययम्
देव - अ, पुं, सम्बो, ए.व
तुभ्यम् - युष्मद्, च, ए.व
जराजन्मदुःखौघतातप्यमानम् - जरा च जन्म च जराजन्मनी, जराजन्मनोः
दुःखम्, जराजन्मदुःखम्, जराजन्मदुःखानां ओघः, जराजन्मदुःखौघः,
जराजन्मदुःखौघैः तातप्यमानः, जराजन्मदुःखौघतातप्यमानः, अ, पुं,
द्वि, ए.व
प्रभो - उ, पुं, सम्बो, ए.व
पाहि - पा (रक्षणे), लो, प, म, ए.व
शापात् - अ, पुं, द्वि, ए.व
नमामि - णम (प्रह्वत्वे), लट्, प, प्र, ए.व
ईश - अ, पुं, सम्बो, ए.व
शम्भो - उ, पुं, सम्बो, ए.व

Verse 8

na jānāmi yogaṃ japaṃ naiva pūjāṃ nato'haṃ sadā sarvadā deva tubhyam I
jarājanmaduḥkhaughatātapyamānaṃ prabho pāhi śāpānnamāmi īśa śaṃbho II

Words separated

na jānāmi yogam japam na eva pūjām nataḥ aham sadā sarvadā deva tubhyam jarā-janma-duḥkha-ogha-tātapyamānam-prabho pāhi śāpāt-namāmi īśa śaṃbho I

Prose

(aham) yogam na jānāmi, japam pūjām (ca) na (jānāmi) eva deva! aham sadā sarvadā tubhyam nataḥ (asmi) prabho! jarā-janma-duḥkha-ogha-tātapyamānam (mām) śāpāt pāhi īśa! śambho! (tvām) namāmi I

Translation

O lord, I don't know [anything about] *yoga, japa,* [or] *pūjā,* [but] I am perpetually bowed before you. Lord, Śambhu, protect me from evil, who is suffering excessively from an inundation of the mass of sorrows [that arise from] birth and old age.

Word by word

na – no, not; part, indec
jānāmi – I know; 1st, sing, pres, √jñā (9P)
yogam – yoga; masc, acc, sing
japam – *japa,* uttering softly; masc, acc, sing
naiva – (*na eva*) and even not; indec
pūjām – honour, reverence; fem, acc, sing

अन्वय

(अहम्) योगं न जानामि, जपं पूजां (च) न (जानामि) एव । देव! अहं
सदा सर्वदा तुभ्यं नतः (अस्मि) । प्रभो! जराजन्मदुःखौघतातप्यमानं,
(माम्) शापात् पाहि । ईश! शम्भो! (त्वाम्) नमामि ।

nataḥ – bent, bowed; masc, sing, nom, ppp, √nam (1P)

aham – I [am]; nom, sing, pron, *asmad*

sadā – always; adv, indec

sarvadā – at all times, always; adv, indec

deva – lord; masc, voc, sing

tubhyam – to you, for you; dat, sing, per pron, *yuṣmad*

jarājanmaduḥkhaughatātapyamānam – suffering intensely, inundated by sorrows arising from birth and old age; masc, acc, TP

jarā – old age; nom, fem, ic

janma – birth; nom, neut, ic

duḥkhaugha – mass of sorrows; TP ic

[*duḥkha* – unhappiness, distress, misery; neut noun, ic

ogha – flood, stream; masc noun, ic]

tātapyamānam – suffering intensely, feeling violent pain; int, pres part, √tap (1Ā), ifc

prabho – lord; masc, voc, sing

pāhi – protect; 2nd sing, imp, √pā (2P)

śāpāt – from evil, curse; masc, abl, sing

namāmi – bend, bow; 1st sing, pres, √nam (1P)

īśa – Lord; masc, voc, sing

śambho – Śiva; masc, voc, sing, epith

रुद्राष्टकमिदं प्रोक्तम् विप्रेण हरतुष्टये ।
ये पठन्ति नरा भक्त्या तेषां शम्भुः प्रसीदति ॥

पदच्छेद

रुद्राष्टकम् इदम् प्रोक्तम् विप्रेण हरतुष्टये ये पठन्ति नराः भक्त्या तेषाम्
शम्भुः प्रसीदति ।

पदपरिचय

रुद्राष्टकम् - अष्टौ पद्यानि यत्र तत्, अष्टकम्, रुद्रस्य अष्टकम्,
रुद्राष्टकम्, अ, नपुं, द्वि, ए.व
इदम् - इदम्, न, द्वि, ए.व
प्रोक्तम् - अ, नपुं, द्वि, ए.व (क्तान्तम्)
विप्रेण - अ, पुं, तृ, ए.व
हरतुष्टये - हरस्य तुष्टिः, हरितुष्टिः, इ, स्त्री, च, ए.व
ये - यत्, पुं, प्र, ब.व
पठन्ति - पठ (व्यक्तायाम् वाचि), ल, प, प्र, ब.व
नराः - अ, पुं, प्र, ब.व
भक्त्या - इ, स्त्री, तृ, ए.व
तेषाम् - तद्, पुं, ष, ब.व
शम्भुः - उ, पुं, प्र, ए.व
प्रसीदति - प्र + षद्लृ (विशरणगत्यवसादनेषु), ल, प, म, ए.व

अन्वय

ये नराः, विप्रेण हरतुष्टये प्रोक्तम्, इदं रुद्राष्टकं भक्त्या पठन्ति, तेषां
शम्भुः प्रसीदति ।

Phala verse

rudrāṣṭakamidaṃ proktaṃ vipreṇa haratuṣṭaye ye paṭhanti narā bhaktyā teṣāṃ śambhuḥ prasīdati I

Words separated

rudrāṣṭakam idam proktam vipreṇa hara-tuṣṭaye; ye paṭhanti narāḥ bhaktyā teṣām śambhuḥ prasīdati I

Prose

ye narāḥ vipreṇa hara-tuṣṭaye proktam idam rudrāṣṭakam bhaktyā paṭhanti, teṣām śambhuḥ prasīdati I

Translation

This Rudrāṣṭakam has been composed by a wise man for the purpose of pleasing Hara. Śambhu is pleased with those men who read it with devotion.

Word by word

rudrāṣṭakam – octet to Rudra; neut, acc, sing
idam – this; neut, acc, sing, dem pron, *ayam*
proktam – uttered, said; nom, neut, sing, ppp, pra√vac (1P)
vipreṇa – by a *vipra*, by [a] learned [one]; masc, inst, sing
hara-tuṣṭaye – for the purpose of pleasing Śiva; fem, dat, sing, TP
ye – those; masc, nom, pl, rel pron
narāḥ – men; masc, nom, pl
paṭhanti – (who) read; 3rd pl, pres, √paṭh (1P)
bhaktyā – with *bhakti*; fem, inst, sing, adv
teṣām – of them/with them; masc, gen, pl
śambhuḥ – Śiva; masc, nom, sing, epith
prasīdati – is pleased, is pacified; 3rd sing, pres, pra√sad (1P)

Liṅgāṣṭakam

लिङ्गाष्टकम्

About the Stotra

In this popular octet, attributed by some to Ādi Śaṅkarācārya, Śiva is worshipped in his aniconic form – the *liṅga*. This prayer is a declaration of devotion, submission and love to Śiva in his form as the Śivaliṅga. All the powers that are believed to exist in the anthropomorphic *deva* are believed to be present in the *liṅga*. Embedded in the *yoni*, a symbol of *Śaktī*, the feminine principal which energizes him, the *liṅga* is widely worshipped as identical to Śiva. This is evident from the causal agency assigned to the *liṅga* for Śiva's legendary deeds. This octet is in *dodhaka* metre.

लिङ्गाष्टकम्

ब्रह्ममुरारिसुरार्चितलिङ्गम् निर्मलभासितशोभितलिङ्गम् ।
जन्मजदुःखविनाशकलिङ्गम् तत्प्रणमामि सदाशिवलिङ्गम् ॥ १ ॥

पदच्छेदः

ब्रह्ममुरारिसुरार्चितलिङ्गम् निर्मलभासितशोभितलिङ्गम्
जन्मजदुःखविनाशकलिङ्गम् तत् प्रणमामि सदाशिवलिङ्गम् ।

पदपरिचयः

ब्रह्ममुरारिसुरार्चितलिङ्म् - ब्रह्मा मुरारि सुरारयश्च ब्रह्ममुरारिसुरारयः, ब्रह्ममुरारिभिः अर्चितं लिङ्गम्, ब्रह्ममुरारिसुरार्चितलिङ्म्, अ, नपुं, द्वि, ए.व
निर्मलभासितशोभितलिङ्गम् - निर्मलं भासितं शोभितं च लिङ्गम्, निर्मलभासितशोभितलिङ्गम्, अ, नपुं, द्वि, ए.व
जन्मजदुःखविनाशकलिङ्गम् - जन्मजं दुःखम्, जन्मजदुःखम्, जन्मजदुःखस्य विनाशकं लिङ्गम्, जन्मजदुःखविनाशकलिङ्गम्, अ, नपुं, द्वि, ए.व
तत् - तद्, नपुं, द्वि, ए.व
प्रणमामि - प्र + णम (प्रह्वत्वे), लट्, प, उ, ए.व
सदाशिवलिङ्गम् - सदाशिवस्य लिङ्गम्, अ, नपुं, द्वि, ए.व

अन्वयः

(अहम्) ब्रह्ममुरारिसुरार्चितलिङ्गम्, निर्मलभासितशोभितलिङ्गम्, जन्मजदुःखविनाशकलिङ्गम्, तत् सदाशिवलिङ्गं प्रणमामि ।

Liṅgāṣṭakam

Verse 1

brahmamurārisurārcitaliṅgaṃ nirmalabhāsitaśobhitaliṅgam |
janmajaduḥkhavināśakaliṅgaṃ tatpraṇamāmi sadāśivaliṅgam ||

Words separated & Prose

brahma-murāri-sura-arcita-liṅgam nirmala-bhāsita-śobhita-liṅgam janmaja-duḥkha-vināśaka-liṅgam tat sadāśiva-liṅgam [aham] praṇamāmi |

Translation

I bow before the *liṅga* of the ever-auspicious [Śiva], which is honoured by Brahma, Viṣṇu and the *devas*; which is stainless, resplendent, adorned [and] which is the destroyer of sorrow arising from birth.

Word by word

brahmamurārisurārcitaliṅgam – [the] *liṅga* worshipped by Brahma, Murāri and the *suras*; neut, acc, sing, TP
brahma – Brahma; masc, prop, ic
murāri – Viṣṇu/Kṛṣṇa; masc, epith, ic
sura – *devas*, divine beings; masc noun, ic
arcita – worshipped, honoured; ppp, √ṛc (1P), ic
liṅgam – sign, mark, symbol; neut noun, ifc

nirmalabhāsitaśobhitaliṅgam – [the] *liṅga* which is stainless, shining and beautified; masc, acc, sing, TP

nir-mala – stainless, pure; adj, BV, ic

bhāsita – shining, brilliant, resplendent; ppp, √bhā (2P), ic

śobhita – embellished, beautified; ppp, √śubh (1Ā), ic

liṅgam – sign, mark, symbol; neut noun, ifc

janmajaduḥkhavināśakaliṅgam – [the] *liṅga* which is the destroyer of the sorrows arising from birth; neut, acc, sing, TP

janma-ja – arising from birth; TP, ic

duḥkha – sorrow, neut noun, ic

vināśaka – destroyer, causing annihilation; masc adj, ic

liṅgam – sign, mark, symbol; neut noun, ifc

tat – that, the; neut acc, sing, dem pron, *tad*

praṇamāmi – bow; 1st, sing, pres, pra√nam (1P)

sadāśivaliṅgam – the symbol of Sadāśiva; neut, acc, sing, TP

sadā – perpetually, always; adv, indec

śiva – auspicious, propitious, gracious; masc, prop, ic

liṅgam – sign, mark, symbol; neut noun, ifc

349

देवमुनिप्रवरार्चितलिङ्म् कामदहं करुणाकरलिङ्गम् ।
रावणदर्पविनाशनलिङ्गम् तत्प्रणमामि सदाशिवलिङ्गम् ॥ २ ॥

पदच्छेद

देवमुनिप्रवरार्चितलिङ्म् कामदहम् करुणाकरलिङ्गम्
रावणदर्पविनाशनलिङ्गम् तत् प्रणमामि सदाशिवलिङ्गम् ।

पदपरिचय

देवमुनिप्रवरार्चितलिङ्म् - मुनीनां प्रवरः, मुनिप्रवरः, देवाः मुनिप्रवराः च देवमुनिप्रवराः, देवमुनिप्रवरैः अर्चितम् लिङ्गम्, देवमुनिप्रवरार्चितलिङ्म् अ, नपुं, द्वि, ए.व
कामदहम् - कामस्य दहः, कामदहः, अ, पुं, द्वि, ए.व
करुणाकरलिङ्गम् - करुणाकरस्य लिङ्गम्, करुणाकरलिङ्गम् अ, नपुं, द्वि, ए.व
रावणदर्पविनाशनलिङ्गम् - रावणस्य दर्पः, रावणदर्पः, रावणदर्पस्य विनाशनं लिङ्गम्, रावणदर्पविनाशनलिङ्गम् अ, नपुं, द्वि, ए.व
तत् - तद्, नपुं, द्वि, ए.व
प्रणमामि - प्र + णम (प्रह्वत्वे), लट्, प, उ, ए.व
सदाशिवलिङ्गम् - सदाशिवस्य लिङ्गम्, सदाशिवलिङ्गम्, अ, नपुं, द्वि, ए.व

अन्वय

(अहम्) देवमुनिप्रवरार्चितलिङ्गम्, कामदहम्, करुणाकरलिङ्गम्, रावणदर्पविनाशनलिङ्गम्, तत् सदाशिवलिङ्गं प्रणमामि ।

Verse 2

devamunipravarārcitaliṅgaṃ kāmadahaṃ karuṇākaraliṅgam |
rāvaṇadarpavināśakaliṅgaṃ tatpraṇamāmi sadāśivaliṅgam ||

Words separated & Prose

deva-muni-pravara-arcita-liṅgam kāma-daham-karuṇākara-liṅgam rāvaṇa-darpa-vināśaka-liṅgam tat sadāśiva-liṅgam [aham] praṇamāmi ||

Translation

I bow before the the compassionate *liṅga* of the ever-auspicious [Śiva], worshipped by *devas* [and] the best of *munis*, destroyer of desire/Kāma [and which] crushed the pride of Rāvaṇa.

Word by word

devamunipravarārcitaliṅgam – [the] *liṅga* worshipped by the best of *munis* and *devas*; neut, acc, sing, TP
deva – divine being; masc noun, ic
muni – ascetic, hermit; masc, noun, ic
pravara – most excellent; adj, ic
arcita – honoured, worshipped; ppp √ṛc (1P), ic
liṅgam – sign, mark, symbol; neut noun, ifc
kāmadaham – [the] *liṅga* which burns/destroys *kāma* (desire/god of love); masc, acc, sing, TP
karuṇākaraliṅgam – [the] merciful *liṅga*; masc, acc, sing, TP
karuṇākara – merciful, compassionate; TP, ic
liṅgam – sign, mark, symbol; neut noun, ifc
rāvaṇadarpavināśakaliṅgam – [the] *liṅga* which destroyed the arrogance of Rāvaṇa; neut, acc, sing, TP
rāvaṇa – Rāvaṇa; masc, prop, ic
darpa – pride; arrogance, haughtiness; masc noun, ic
vināśaka – destroyer, causing annihilation; masc adj, ic

लिङ्गाष्टकम्

liṅgam – sign, mark, symbol; neut noun, ifc
tat – that, the; neut, acc, sing, dem pron, *tad*
praṇamāmi – bow; 1st, sing, pres, pra√nam (1P)
sadāśivaliṅgam – the symbol of Sadāśiva; neut, acc, sing, TP
sadā – perpetually, always; adv, indec
śiva – auspicious, propitious, gracious; masc, prop, ic
liṅgam – sign, mark, symbol; neut noun, ifc

सर्वसुगन्धिसुलेपितलिङ्गम् बुद्धिविवर्धनकारणलिङ्गम् ।
सिद्धसुरासुरवन्दितलिङ्गम् तत्प्रणमामि सदाशिवलिङ्गम् ॥ ३ ॥

पदच्छेद

सर्वसुगन्धिसुलेपितलिङ्गम् बुद्धिविवर्धनकारणलिङ्गम्
सिद्धसुरासुरवन्दितलिङ्गम् तत् प्रणमामि सदाशिवलिङ्गम् ।

पदपरिचय

सर्वसुगन्धिसुलेपितलिङ्गम् - सर्वैः सुगन्धिभिः सुलेपितं लिङ्गम्,
सर्वसुगन्धिसुलेपितलिङ्गम्,
अ, नपुं, द्वि, ए.व
बुद्धिविवर्धनकारणलिङ्गम् - बुद्धेः विवर्धनम्, बुद्धिविवर्धनम्, बुद्धिविवर्धनस्य
कारणं लिङ्गम्, बुद्धिविवर्धनकारणलिङ्गम्, अ, नपुं, द्वि, ए.व
सिद्धसुरासुरवन्दितलिङ्गम् - सिद्धाश्च सुराश्च असुराश्च, सिद्धसुरासुराः,
सिद्धसुरासुरैः वन्दितं लिङ्गम्, सिद्धसुरासुरवन्दितलिङ्गम्, अ, नपुं, द्वि,
ए.व
तत् - तद्, नपुं, द्वि, ए.व
प्रणमामि - प्र + णम (प्रह्वत्वे), लट्, प, उ, ए.व
सदाशिवलिङ्गम् - सदाशिवस्य लिङ्गम्, सदाशिवलिङ्गम्, अ, नपुं, द्वि,
ए.व

अन्वय

(अहम्) सर्वसुगन्धिसुलेपितलिङ्गम्, बुद्धिविवर्धनकारणलिङ्गम्,
सिद्धसुरासुरवन्दितलिङ्गम्, तत् सदाशिवलिङ्गं प्रणमामि ।

Verse 3

sarvasugandhisulepitaliṅgaṃ buddhivivardhanakāraṇaliṅgam |
siddhasurāsuravanditaliṅgaṃ tatpraṇamāmi sadāśivaliṅgam ||

Words separated & Prose

sarva-sugandhi-sulepita-liṅgam buddhi-vivardhana-kāraṇa-liṅgam
siddha-sura-asura-vandita-liṅgam tat sadāśiva-liṅgam [aham]
praṇamāmi |

Translation

I bow before the *liṅga* of the ever-auspicious [Śiva], which is
anointed with all [types of] fragrances, which brings about
an increase in intelligence [and is] saluted by *devas, asuras*
and *siddhas*.

Word by word

sarvasugandhisulepitaliṅgam – [the] *liṅga* which is anointed
with all varieties of fragrance(s); neut, acc, sing, TP
sarva – all, every; adj, ic
sugandhi – fragrance, perfume; masc noun, ic
sulepita – smeared well, well coated; caus, ppp, √lip (6P), ic
liṅgam – sign, mark, symbol; neut noun, ifc
buddhivivardhanakāraṇaliṅgam – [the] *liṅga* which is the
cause of an increase in mental faculties; neut, acc, sing, TP
buddhi – intelligence, mind, discernment; fem noun, ic
vivardhana – augmenting, increasing; neut noun, ic
kāraṇa – cause; neut noun, ic
liṅgam – sign, mark, symbol; neut noun, ifc
siddhasurāsuravanditaliṅgam – [the] *liṅga* which is extolled
by accomplished beings, *devas* and *asuras*; neut, acc, sing, TP
siddha – accomplished beings; masc noun, ic
sura – *devas*, divine beings; masc, noun, ic

355

लिङ्गाष्टकम्

356

asura – enemies of *devas*, demoniac beings; masc noun, ic
vandita – saluted, extolled; ppp, √vand (1Ā)
liṅgam – sign, mark, symbol; neut noun, ifc
tat – that, the; neut, acc, sing, dem pron, *tad*
praṇamāmi – bow; 1st, sing, pres, pra√nam (1P)
sadāśivaliṅgam – the symbol of Sadāśiva; neut, acc, sing, TP
sadā – perpetually, always; adv, indec
śiva – auspicious, propitious, gracious; masc, prop, ic
liṅgam – sign, mark, symbol; neut noun, ifc

कनकमहामणिभूषितलिङ्गम् फणिपतिवेष्टितशोभितलिङ्गम् ।
दक्षसुयज्ञविनाशनलिङ्गम् तत्प्रणमामि सदाशिवलिङ्गम् ॥ ४ ॥

पदच्छेद

कनकमहामणिभूषितलिङ्गम् फणिपतिवेष्टितशोभितलिङ्गम्
दक्षसुयज्ञविनाशनलिङ्गम् तत् प्रणमामि सदाशिवलिङ्गम् ।

पदपरिचय

कनकमहामणिभूषितलिङ्गम् - कनकं च महामणयश्च कनकमहामणयः,
कनकमहामणिभिः भूषितं लिङ्गम्, कनकमहामणिभूषितलिङ्गम्, अ,
नपुं, द्वि, ए.व

फणिपतिवेष्टितशोभितलिङ्गम् - फणीनां पतिः फणिपतिः, फणिपतिना
वेष्टितं शोभितं च लिङ्गम्, फणिपतिवेष्टितशोभितलिङ्गम्, अ, नपुं,
द्वि, ए.व

दक्षसुयज्ञविनाशनलिङ्गम् - दक्षस्य सुयज्ञः, दक्षसुयज्ञः, दक्षसुयज्ञस्य
विनाशनं लिङ्गम्, दक्षसुयज्ञविनाशनलिङ्गम्, अ, नपुं, द्वि, ए.व

तत् - तद्, नपुं, द्वि, ए.व

प्रणमामि - प्र + णम (प्रह्वत्वे), लट्, प, उ, ए.व

सदाशिवलिङ्गम् - सदाशिवस्य लिङ्गम्, सदाशिवलिङ्गम्, अ, नपुं, द्वि,
ए.व

अन्वय

(अहम्) कनकमहामणिभूषितलिङ्गम्, फणिपतिवेष्टितशोभितलिङ्गम्,
दक्षसुयज्ञविनाशनलिङ्गम्, तत् सदाशिवलिङ्गं प्रणमामि ।

Verse 4

kanakamahāmaṇibhūṣitaliṅgaṃ phaṇipativeṣṭitaśobhitaliṅgam I
dakṣasuyajñavināśakaliṅgaṃ tatpraṇamāmi sadāśivaliṅgam II

Words separated & Prose

kanaka-mahā-maṇi-bhūṣita-liṅgam phaṇi-pati-veṣṭita-śobhita-liṅgam dakṣa-suyajña-vināśaka-liṅgam tat sadāśiva-liṅgam [aham] praṇamāmi I

Translation

I bow before the *liṅga* of the ever-auspicious [Śiva], which is adorned with gold and great gems, is lustrous, draped with the lord of snakes [and which] is the destroyer of the great sacrifice of Dakṣa.

Word by word

kanakamahāmaṇibhūṣitaliṅgam – [the] *liṅga* adorned with gold and great gem(s); neut, acc, sing, TP
kanaka – gold; neut noun, ic
mahā-maṇi – great, big gems; KD, ic
bhūṣita – adorned; ppp, √bhūṣ (1P), ic
liṅgam – sign, mark, symbol; neut noun, ifc
phaṇipativeṣṭitaśobhitaliṅgam – [the] *liṅga* beautified, draped with the lord of snakes; neut, acc, sing, TP
phaṇi-pati – lord of snakes; masc, TP, ic
veṣṭita – dressed, enveloped, wrapped (by); ppp, √veṣṭ (1Ā), ic
śobhita – beautified, adorned (with); ppp, √śubh (1Ā), ic
liṅgam – sign, mark, symbol; neut noun, ifc
dakṣasuyajñavināśakaliṅgam – [the] *liṅga* which destroyed the great sacrifice of Dakṣa; neut, acc, sing, TP
dakṣa – Śiva's father-in-law; masc, prop, ic
suyajña – good, great sacrifice; masc, KD, ic

लिङ्गाष्टकम्

vināśaka – destroyer, causing annihilation; masc adj, ic
liṅgam – sign, mark, symbol; neut noun, ifc
tat – that, the; neut, acc, sing, dem pron, *tad*
praṇamāmi – bow; 1st, sing, pres, pra√nam (1P)
sadāśivaliṅgam – the symbol of Sadāśiva; neut, acc, sing, TP
sadā – perpetually, always; adv, indec
śiva – auspicious, propitious, gracious; masc, prop, ic
liṅgam – sign, mark, characteristic, symbol; neut noun, ifc

कुङ्कुमचन्दनलेपितलिङ्गम् पङ्कजहारसुशोभितलिङ्गम् ।
सञ्चितपापविनाशनलिङ्गम् तत्प्रणमामि सदाशिवलिङ्गम् ॥ ५ ॥

पदच्छेद

कुङ्कुमचन्दनलेपितलिङ्गम् पङ्कजहारसुशोभितलिङ्गम्
सञ्चितपापविनाशनलिङ्गम् तत् प्रणमामि सदाशिवलिङ्गम् ।

पदपरिचय

कुङ्कुमचन्दनलेपितलिङ्गम् - कुङ्कुमं च चन्दनम्, कुङ्कुमचन्दने,
कुङ्कुमचन्दनाभ्यां लेपितं लिङ्गम्, कुङ्कुमचन्दनलेपितलिङ्गम्, अ,
नपुं, द्वि, ए.व

पङ्कजहारसुशोभितलिङ्गम् - पङ्कजस्य हारः, पङ्कजहारः, पङ्कजहारेण
सुशोभितं लिङ्गम्, पङ्कजहारसुशोभितलिङ्गम्, अ, नपुं, द्वि, ए.व

सञ्चितपापविनाशनलिङ्गम् - सञ्चितं पापम्, सञ्चितपापम्,
सञ्चितपापस्य विनाशनं लिङ्गम्, सञ्चितपापविनाशनलिङ्गम्, अ, नपुं,
द्वि, ए.व

तत् - तद्, नपुं, द्वि, ए.व

प्रणमामि - प्र + णम (प्रह्वत्वे), लट्, प, उ, ए.व

सदाशिवलिङ्गम् - सदाशिवस्य लिङ्गम्, सदाशिवलिङ्गम्, अ, नपुं, द्वि,
ए.व

अन्वय

(अहम्) कुङ्कुमचन्दनलेपितलिङ्गम्, पङ्कजहारसुशोभितलिङ्गम्,
सञ्चितपापविनाशनलिङ्गम्, तत् सदाशिवलिङ्गं प्रणमामि ।

Verse 5

kuṅkumacandanalepitaliṅgaṃ paṅkajahārasuśobhitaliṅgam |
sañcitapāpavināśakaliṅgaṃ tatpraṇamāmi sadāśivaliṅgam ||

Words separated & Prose

kuṅkuma-candana-lepita-liṅgam paṅkaja-hāra-suśobhita-liṅgam sañcita-pāpa-vināśaka-liṅgam tat sadāśiva-liṅgam [aham] praṇamāmi |

Translation

I bow before the *liṅga* of the ever-auspicious [Śiva], smeared with saffron and sandal paste, adorned with lotus garlands and which destroys accumulated sins.

Word by word

kuṅkumacandanalepitaliṅgam – [the] *liṅga* smeared with saffron and sandal paste; neut, acc, sing, TP
kuṅkuma – saffron; neut noun, ic
candana – sandal, sandal paste; masc/neut noun, ic
lepita – smeared, coated; caus, ppp, √lip (6P), ic
liṅgam – sign, mark, symbol; neut noun, ifc
paṅkajahārasuśobhitaliṅgam – [the] *liṅga* adorned with lotus garland(s); neut, acc, sing, TP
paṅkaja – born of mud, lotus; neut noun, ic
hāra – garland; masc noun, ic
su-śobhita – well beautified, adorned; ppp, √śubh (1Ā), ic
liṅgam – sign, mark, symbol; neut noun, ifc
sañcitapāpavināśakaliṅgam – [the] *liṅga* [which] destroys accumulated sins; neut, acc, sing, TP
sañcita – collected, accumulated; ppp, sam√ci (5P), ic
pāpa – wickedness, wretchedness, evil; neut noun, ic
vināśaka – destroyer, causing annihilation; masc adj, ic

liṅgam – sign, mark, symbol; neut noun, ifc
tat – that, the; neut, acc, sing, dem pron, *tad*
praṇamāmi – bow; 1st, sing, pres, pra√nam (1P)
sadāśivaliṅgam – the symbol of Sadāśiva; neut, acc, sing, TP
sadā – perpetually, always; adv, indec
śiva – auspicious, propitious, gracious; masc, prop, ic
liṅgam – sign, mark, symbol; neut noun, ifc

देवगणार्चितसेवितलिङ्गम् भावैर्भक्तिभिरेव च लिङ्गम् ।
दिनकरकोटिप्रभाकरलिङ्गम् तत्प्रणमामि सदाशिवलिङ्गम् ॥ ६ ॥

पदच्छेद

देवगणार्चितसेवितलिङ्गम्   भावैः   भक्तिभिः   एव   च   लिङ्गम्
दिनकरकोटिप्रभाकरलिङ्गम् तत् प्रणमामि सदाशिवलिङ्गम् ।

पदपरिचय

देवगणार्चितसेवितलिङ्गम् - देवानां गणः, देवगणः, देवगणैः अर्चितं
सेवितं च लिङ्गम्, देवगणार्चितसेवितलिङ्गम्, अ, नपुं, द्वि, ए.व
भावैः - अ, पुं, तृ, ब.व
भक्तिभिः इ, स्त्री, तृ, ब.व
एव - अव्ययम्
च - अव्ययम्
लिङ्गम् - अ, नपुं, द्वि, ए.व
दिनकरकोटिप्रभाकरलिङ्गम् - प्रभां करोति इति प्रभाकरः, दिनकरस्य
कोटिप्रभाकरं लिङ्गम्, दिनकरकोटिप्रभाकरलिङ्गम्, अ, नपुं, द्वि, ए.व
तत् - तद्, नपुं, द्वि, ए.व
प्रणमामि - प्र + णम (प्रह्वत्वे), लट्, प, उ, ए.व
सदाशिवलिङ्गम् - सदाशिवस्य लिङ्गम्, सदाशिवलिङ्गम्, अ, नपुं, द्वि,
ए.व

अन्वय

(अहम्) भावैः भक्तिभिः च एव देवगणार्चितसेवितलिङ्गम्, लिङ्गम्,
दिनकरकोटिप्रभाकरलिङ्गम्, तत् सदाशिवलिङ्गं प्रणमामि ।

Verse 6

devagaṇārcitasevitaliṅgaṃ bhāvairbhaktibhireva ca liṅgam I
dinakarakoṭiprabhākaraliṅgaṃ tatpraṇamāmi sadāśivaliṅgam II

Words separated & Prose

deva-gaṇa-arcita-sevita-liṅgam bhāvaiḥ bhaktibhiḥ eva ca liṅgam dinakara-koṭi-prabhākara-liṅgam tat-sadāśiva-liṅgam [aham] praṇamāmi I

Translation

I bow before the *liṅga* of the ever-auspicious [Śiva], which is honoured and served by *devas* and [his] troops with devotion and feeling, and which has the brilliance of crores of suns.

Word by word

devagaṇārcitasevitaliṅgam – the *liṅga* honoured and served by *devas* and *gaṇas*; neut, acc, sing, TP
deva – divine being(s), shining ones; masc noun, ic
gaṇa – troop, horde, band; masc noun, ic
arcita – honoured, worshipped; ppp, √ṛc (1P), ic
sevita – served; ppp, √sev (1Ā), ic
liṅgam – sign, mark, symbol; neut noun, ifc
bhāvaiḥ – with emotions, with feelings; masc, inst, pl
bhaktibhiḥ – with devotion; fem, inst, pl
eva – just so, like this; indec
ca – and; conj, indec
liṅgam – sign, mark, symbol; neut, acc, sing
dinakarakoṭiprabhākaraliṅgam – the *liṅga* whose brilliance is that of a crore suns; neut, acc, sing, TP
dina-kara – sun, maker of day; masc, TP, ic
koṭi – crore, ten million; fem noun, ic
prabhā-kara – sun, maker of light; masc TP, ic

लिङ्गाष्टकम्

liṅgam – sign, mark, symbol; neut noun, ifc
tat – that, the; neut, acc, sing, dem pron, *tad*
praṇamāmi – bow; 1st, sing, pres, pra√nam (1P)
sadāśivaliṅgam – the symbol of Sadāśiva; neut, acc, sing, TP
sadā – perpetually, always; adv, indec
śiva – auspicious, propitious, gracious; masc, prop, ic
liṅgam – sign, mark, symbol; neut noun, ifc

अष्टदलोपरिवेष्टितलिङ्गम् सर्वसमुद्भवकारणलिङ्गम् ।
अष्टदरिद्रविनाशकलिङ्गम् तत्प्रणमामि सदाशिवलिङ्गम् ॥ ७ ॥

पदच्छेद

अष्टदलोपरिवेष्टितलिङ्गम् सर्वसमुद्भवकारणलिङ्गम्
अष्टदरिद्रविनाशकलिङ्गम् तत् प्रणमामि सदाशिवलिङ्गम् ।

पदपरिचय

अष्टदलोपरि - अष्टदलस्य उपरि, अष्टदलोपरि, अव्ययम्
वेष्टितलिङ्गम् - वेष्टितम् लिङ्गम्, वेष्टितलिङ्गम्, अ, नपुं, द्वि, ए.व
सर्वसमुद्भवकारणलिङ्गम् - सर्वस्य समुद्भवः, सर्वसमुद्भवः, सर्वसमुद्भवस्य
कारणम् लिङ्गम्, सर्वसमुद्भवकारणलिङ्गम्, अ, नपुं, द्वि, ए.व
अष्टदरिद्रविनाशकलिङ्गम् – अष्टानां दरिद्राणां विनाशकं लिङ्गम्,
अष्टदरिद्रविनाशकलिङ्गम्,
अ, नपुं, द्वि, ए.व
तत् - तद्, नपुं, द्वि, ए.व
प्रणमामि - प्र + णम (प्रह्वत्वे), लट्, प, उ, ए.व
सदाशिवलिङ्गम् - सदाशिवस्य लिङ्गम्, सदाशिवलिङ्गम्, अ, नपुं, द्वि,
ए.व

अन्वय

(अहम्) अष्टदलोपरि वेष्टितलिङ्गम्, सर्वसमुद्भवकारणलिङ्गम्,
अष्टदरिद्रविनाशकलिङ्गम्, तत् सदाशिवलिङ्गं प्रणमामि ।

Verse 7

aṣṭadalopariveṣṭitaliṅgaṃ sarvasamudbhavakāraṇaliṅgam |
aṣṭadaridravināśakaliṅgaṃ tatpraṇamāmi sadāśivaliṅgam ||

Words separated & Prose

aṣṭa-dalo-pariveṣṭita-liṅgam sarva-samudbhava-kāraṇa-liṅgam aṣṭa-daridra-vināśaka-liṅgam tat sadāśiva-liṅgam [aham] praṇamāmi |

Translation

I bow before the *liṅga* of the ever-auspicious [Śiva], which is surrounded by an eight-petalled [lotus], which is the cause of all existence [and] the destroyer of the eight types of poverty.

Word by word

aṣṭadalopariveṣṭitaliṅgam –the *liṅga* which is surrounded by an eight-petalled lotus; neut, acc, sing, TP
aṣṭa-dala – eight of petalled flower/lotus; Dvi, ic
upari – above, upon; adv, indec, ic
veṣṭita – wrapped, surrounded; ppp, pari√veṣṭ (1Ā), ic
liṅgam – sign, mark, symbol; neut noun, ifc
sarvasamudbhavakāraṇaliṅgam – the *liṅga* which is the cause of the origin of everything; neut, acc, sing, TP
sarva – all, everything; pron, ic
samudbhava – existence, origin; masc noun, ic
kāraṇa – cause; neut noun, ic
liṅgam – sign, mark, symbol; neut noun, ifc
aṣṭadaridravināśakaliṅgam – the *liṅga* which destroys eight kinds of poverty; neut, acc, sing, KD
aṣṭa-daridra – eight kinds of poverty, deprivation; masc, Dvi, ic
vināśaka – destroyer, causing annihilation; masc adj, ic
liṅgam – sign, mark, symbol; neut noun, ifc

लिङ्गाष्टकम्

372

tat – that, the; neut, acc, sing, dem pron, *tad*

praṇamāmi – bow; 1st sing, pres, pra√nam (1P)

sadāśivaliṅgam – the symbol of Sadāśiva; neut, acc, sing, TP

sadā – perpetually, always; adv, indec

śiva – auspicious, propitious, gracious; masc, prop, ic

liṅgam – sign, mark, symbol; neut noun, ifc

सुरगुरुसुरवरपूजितलिङ्गम् सुरवनपुष्पसदार्चितलिङ्गम् ।
परात्परं परमात्मकलिङ्गम् तत्प्रणमामि सदाशिवलिङ्गम् ॥ ८ ॥

पदच्छेद

सुरगुरुसुरवरपूजितलिङ्गम् सुरवनपुष्पसदार्चितलिङ्गम् परात्परम् परमात्मकलिङ्गम् तत् प्रणमामि सदाशिवलिङ्गम् ।

पदपरिचय

सुरगुरुसुरवरपूजितलिङ्गम् - सुराणां गुरुः, सुरगुरुः, सुराणां वरः, सुरवरः, सुरगुरुणा सुरवरेण च पूजितं लिङ्गम्. सुरगुरुसुरवरपूजितलिङ्गम्, अ, नपुं, द्वि, ए.व
सुरवनपुष्पसदार्चितलिङ्गम् - सुराणां वनम्, सुरवनम्, सुरवनस्य पुष्पम्, सुरवनपुष्पम्, सुरवनपुष्पैः सदा अर्चितं लिङ्गम्, सुरवनपुष्पसदार्चितलिङ्गम्, अ, नपुं, द्वि, ए.व
परात्परम् - परात् परः, परात्परः, अ, पुं, द्वि, ए.व
परात्मकलिङ्गम् - परमात्मकम् लिङ्गम्, परमात्मकलिङ्गम्, अ, नपुं, द्वि, ए.व
तत् - तद्, नपुं, द्वि, ए.व
प्रणमामि - प्र + णम (प्रह्वत्वे), लट्, प, उ, ए.व
सदाशिवलिङ्गम् - सदाशिवस्य लिङ्गम्, सदाशिवलिङ्गम्, अ, नपुं, द्वि, ए.व

अन्वय

(अहम) सुरगुरुसुरवरपूजितलिङ्गम्, सुरवनपुष्पसदार्चितलिङ्गम्, परात्परम्, परमात्मकलिङ्गम्, तत् सदाशिवलिङ्गं प्रणमामि ।

Verse 8

suragurusuravarapūjitaliṅgaṃ suravanapuṣpasadārcitaliṅgam |
parātparaṃ paramātmakaliṅgaṃ tatpraṇamāmi sadāśivaliṅgam ||

Words separated & Prose

sura-guru-sura-vara-pūjita-liṅgam sura-vana-puṣpa-sada-arcita liṅgam parāt-param paramātmaka-liṅgam tat sadāśiva-liṅgam [aham] praṇamāmi |

Translation

I bow before the *liṅga* of the ever-auspicious [Śiva], which is worshipped by the preceptor of the *suras**, by the best of the *suras*; honoured by flowers from the garden of the *suras*; [which is] better than the most superior, the highest, the greatest [*liṅga*].

Word by word

suragurusuravarapūjitaliṅgam – the *liṅga* which is honoured by the best of divine beings and their teacher; neut, acc, sing, TP
sura-guru – teacher of the *suras* [Brihaspati]; TP, ic
sura-vara – the best of the *sura*; KD, ic
pūjita – worshipped, honoured; ppp, √pūj (10U), ic
liṅgam – sign, mark, symbol; neut noun, ifc
suravanapuṣpasadārcitaliṅgam – the *liṅga* which is worshipped by flowers from the garden of the *suras*; neut, acc, sing, TP
sura-vana-puṣpa – flowers from the garden of the *suras*; KD, ic
sadā – always; adv, indec, ic
arcita – worshipped, honoured; ppp, √ṛc (1P), ic
liṅgam – sign, mark, symbol; neut noun, ifc
parātparam – best of the best; neut, acc, sing, adj

लिङ्गाष्टकम्

paramātmakaliṅgam – the most exalted *liṅga*; neut, acc, sing, KD

paramātmaka – the highest, the greatest; adj, ic

liṅgam – sign, mark, symbol; neut noun, ifc

tat – that, the; neut, acc, sing, dem pron, *tad*

praṇamāmi – bow; 1st, sing, pres, pra√nam (1P)

sadāśivaliṅgam – the symbol of Sadāśiva; neut, acc, sing, TP

sadā – perpetually, always; adv, indec

śiva – auspicious, propitious, gracious; masc, prop, ic

liṅgam – sign, mark, symbol; neut noun, ifc

*suras *are divine beings; synonymous with* devas (Amarakośa, Ṛgbhāṣya of Sāyaṇa)

लिङ्गाष्टकमिदं पुण्यम् यः पठेत् शिवसन्निधौ ।
शिवलोकमवाप्नोति शिवेन सह मोदते ॥ ९ ॥

पदच्छेद

लिङ्गाष्टकम् इदम् पुण्यम् यः पठेत् शिवसन्निधौ शिवलोकम् अवाप्नोति
शिवेन सह मोदते ।

पदपरिचय

लिङ्गाष्टकम् - अष्टौ पद्यानि यत्र तत्, अष्टकम्, लिङ्गस्य अष्टकम्,
लिङ्गाष्टकम्,
अ, नपुं, द्वि, ए.व
इदम् - इदम्, नपुं, द्वि, ए.व
पुण्यम् - अ, नपुं, द्वि, ए.व
यः - यद्, पुं, प्र, ए.व
पठेत् - पठ (व्यक्तायां वाचि), वि.लिङ्, प, प्र, ए.व
शिवसन्निधौ - शिवस्य सन्निधिः, शिवसन्निधिः, इ, पुं, स, ए.व
शिवलोकम् - शिवस्य लोकः, शिवलोकः, अ, पुं, द्वि, ए.व
अवाप्नोति - अव + आप्लृ (व्याप्तौ), लट्, प, प्र, ए.व
शिवेन - अ, पुं, तृ, ए.व
सह - अव्ययम्
मोदते - मुद (हर्षे), लट्, आ, प्र, ए.व

अन्वय

यः इदं पुण्यम्, लिङ्गाष्टकं शिवसन्निधौ पठेत्, सः शिवलोकम् अवाप्नोति ।
(सः) शिवेन सह मोदते ।

Phala verse

liṅgāṣṭakamidampuṇyam yaḥ paṭhecchivasannidhau |
śivalokamavāpnoti śivena saha modate |

Words separated & Prose

liṅgāṣṭakam idam puṇyam yaḥ paṭhet śivasannidhau
śiva-lokam avāpnoti śivena saha modate |

Translation

He who reads this auspicious *liṅgāṣṭakam* in the presence of Śiva, attains the abode of Śiva and rejoices with him.

Word by word

liṅgāṣṭakam – octet to the *liṅga*; neut, acc, sing
idam – this; neut, acc, sing, dem pron, *ayam*
puṇyam – pure, auspicious; neut, acc, sing, adj
yaḥ – he, the one; masc, nom, sing, rel pron
paṭhet – would read; 3rd, sing, opt, √paṭh (1P)
śivasannidhau – in the presence of Śiva; masc, loc, sing, TP
śiva – Śiva; masc, prop, ic
sannidhau – in the vicinity/presence; masc noun, ifc
śiva-lokam – the world of Śiva; masc, acc, sing, TP
avāpnoti – attains; 3rd, sing, pres, ava√āp (5P)
śivena – with Śiva; masc, inst, sing
saha – with; adv
modate – rejoices, delights; 3rd, sing, pres √mud (1Ā)

Vaidyanāthāṣṭakam

वैद्यनाथाष्टकम्

About the Stotra

Śiva's healing aspect is as old as the Ṛg Veda, where he is called *bhiṣaj* (RV 2.33.4-7). In time he comes to be known as the lord of physicians (*vaidya-nātha*). He is worshipped as such particularly at Vaittīśvaran Kovil (Tamil Nadu), a temple rich with legend. Śiva is also worshipped in this form at Parali (Beed, Maharashtra), one of the twelve *jyotirliṅgas*. It is believed that Jaṭāyu was cremated here by Rāma, that Skanda got his spear (*vel*) here and that the planet Mars afflicted by leprosy was cured at this very spot. This explains the opening verse of the stotra. It has no named author, a veritable hallmark of stotra literature. While there is no particular occasion to recite this stotra, it serves as a prophylactic as well as a curative for the devotee. This octet is in *upajāti* metre.

वैद्यनाथाष्टकम्

श्रीरामसौमित्रिजटायुवेदषडाननादित्यकुजार्चिताय ।
श्रीनीलकण्ठाय दयामयाय श्रीवैद्यनाथाय नमः शिवाय ॥ १ ॥

पदच्छेद

श्रीरामसौमित्रिजटायुवेदषडाननादित्यकुजार्चिताय श्रीनीलकण्ठाय दयामयाय
श्रीवैद्यनाथाय नमः शिवाय ।

पदपरिचय

श्रीरामसौमित्रिजटायुवेदषडाननादित्यकुजार्चिताय - श्रीरामः सौमित्रिः
जटायुः वेदः षडाननः आदित्यः कुजश्च, श्रीरामसौमित्रिजटायुवेदषडानना
दित्यकुजाः,
तैः अर्चितः, श्रीरामसौमित्रिजटायुवेदषडाननादित्यकुजार्चितः, अ, पुं, च, ए.व
श्रीनीलकण्ठाय - नीलः कण्ठः यस्य सः, नीलकण्ठः, श्रीयुक्तः नीलकण्ठः,
श्रीनीलकण्ठः, अ, पुं, च, ए.व
दयामयाय - दयया प्राचुर्येण वर्तते इति दयामयः, अ, पुं, च, ए.व
श्रीवैद्यनाथाय - वैद्यानां नाथः, वैद्यनाथः, श्रीयुक्तः वैद्यनाथः,
श्रीवैद्यनाथः, अ, पुं, च, ए.व
नमः - अव्ययम्
शिवाय - शिवं (कल्याणं) विद्यते अस्य इति शिवः, अ, पुं, च, ए.व

अन्वय

श्रीरामसौमित्रिजटायुवेदषडाननादित्यकुजार्चिताय, श्रीनीलकण्ठाय,
दयामयाय, श्रीवैद्यनाथाय, शिवाय नमः ।

384

Vaidyanāthāṣṭakam

Verse 1

śrīrāmasaumitrijaṭāyuvedaṣaḍānanādityakujārcitāya |
śrīnīlakaṇṭhāya dayāmayāya śrīvaidyanāthāya namaḥśivāya ||

Words separated & Prose

śrī-rāma-saumitri-jaṭāyu-veda-ṣaḍānana-āditya-kuja-arcitāya
śrī-nīla-kaṇṭhāya dayāmayāya śrī-vaidya-nāthāya namaḥ śivāya |

Translation

I bow to Śiva who is revered by Śrī-Rāma, Lakṣmaṇa, Jaṭāyu,
the Veda, Skanda, Sūrya and Maṅgala; who has a blue throat,
whose very form is mercy, [and] who is the glorious lord of
physicians.

Word by word

**śrī-rāma-saumitri-jaṭāyu-veda-ṣaḍānana-āditya-kuja-
arcitāya** – to him who is revered by Śri-Rāma, Saumitri, Jaṭāyu,
the Veda, Ṣaḍānana, Āditya and Kuja; masc, dat, sing, TP
śrī-rāma – glorious Rāma; masc, prop, ic
saumitri – Lakṣmaṇa son of Sumitrā; masc epith, ic
jaṭāyu – venerated vulture in the Rāmāyaṇa; masc prop, ic
veda – the Vedic corpus; masc noun, ic
ṣaḍānana – he who has six faces, Skanda; masc epith, BV, ic
āditya –son of Aditī, sun; masc epith, ic

385

kuja – Mars, Maṅgala; masc, epith, ic

arcitāya – revered by, praised by; ppp, √arc (1P), ifc

śrīnīlakaṇṭhāya – to glorious [Śiva] whose throat is blue; masc, dat, sing, epith, BV

dayāmayāya – to the one who is constituted of mercy; masc, dat, sing, adj, TP

śrī-vaidya-nāthāya – to the glorious lord of physicians; masc, dat, sing, epith, TP

namaḥ – hail, reverential salutation; indcc

śivāya – to Śiva; masc, dat, sing, prop

गङ्गाप्रवाहेन्दुजटाधराय त्रिलोचनाय स्मरकालहन्त्रे ।
समस्तदेवैरभिपूजिताय श्रीवैद्यनाथाय नमः शिवाय ॥ २ ॥

पदच्छेद

गङ्गाप्रवाहेन्दुजटाधराय त्रिलोचनाय स्मरकालहन्त्रे समस्तदेवैः
अभिपूजिताय श्रीवैद्यनाथाय नमः शिवाय ।

पदपरिचय

गङ्गाप्रवाहेन्दुजटाधराय - गङ्गायाः प्रवाहः, गङ्गाप्रवाहः, गङ्गाप्रवाहः,
इन्दुः, जटा च गङ्गाप्रवाहेन्दुजटाः, धरति इति धरः, गङ्गाप्रवाहेन्दुजटानां
धरः, गङ्गाप्रवाहेन्दुजटाधरः, अ, पुं, च, ए.व
त्रिलोचनाय - त्रीणि लोचनानि यस्य सः, त्रिलोचनः, अ, पुं, च, ए.व
स्मरकालहन्त्रे - स्मरः च कालः च स्मरकालौ, स्मरकालयोः हन्ता,
स्मरकालहन्ता,
ऋ, पुं, च, ए.व
समस्तदेवैः - समस्ताः देवाः, समस्तदेवाः, अ, पुं, तृ, ब.व
अभिपूजिताय - अ, पुं, च, ए.व
श्रीवैद्यनाथाय - वैद्यानां नाथः, वैद्यनाथः, श्रीयुक्तः वैद्यनाथः,
श्रीवैद्यनाथः, अ, पुं, च, ए.व
नमः - अव्ययम्
शिवाय - शिवं (कल्याणं) विद्यते अस्य इति शिवः, अ, पुं, च, ए.व

अन्वय

गङ्गाप्रवाहेन्दुजटाधराय, त्रिलोचनाय, स्मरकालहन्त्रे, समस्तदेवैः
अभिपूजिताय, श्रीवैद्यनाथाय, शिवाय नमः ।

Verse 2

gaṅgāpravāhendu jaṭādharāya trilocanāya smarakālahantre |
samastadevairabhipūjitāya śrīvaidyanāthāya namaḥ śivāya ||

Words separated & Prose

gaṅgā-pravāha-indu-jaṭā-dharāya tri-locanāya smara-kāla-hantre
samasta-devair abhipūjitāya śrī-vaidya-nāthāya namaḥ śivāya |

Translation

I bow to Śiva who is greatly revered by all the *devas*, who
bears matted locks, the current of the Gaṅgā and the moon;
who has three eyes, who is the destroyer of Kāla and Smara
[and] who is the glorious lord of physicians.

Word by word

gaṅgāpravāhendujaṭādharāya – to him who bears matted
locks, the moon, and the flow of the Gaṅgā; masc, dat, sing, TP
gaṅgā-pravāha – the flow, current of the Gaṅgā; TP, ic
indu – moon; masc noun, ic
jaṭā – twisted locks; fem noun, ic
dharāya – who bears [matted locks, etc.]; masc noun, ifc
trilocanāya – to him who has three eyes; masc, dat, sing,
epith, BV
smarakālahantre – to him who is the destroyer of time and
the god of love; masc, dat, sing, TP
smara – god of love, Kāma; masc, epith, ic
kāla – time; masc noun, ic
hantre – destroyer; masc noun, *hantṛ*, ifc
samastadevaiḥ – by all the gods; masc, inst, pl, KD
samasta – all, put together; ppp, sam√as (4P), ic
devaiḥ – by *devas*; masc noun, ifc

abhipūjitāya – to him who is exceedingly praised; masc, dat, sing, ppp, abhi√pūj (10P)

śrī-vaidya-nāthāya – to the glorious lord of physicians; masc, dat, sing, TP

namaḥ – hail, reverential salutation; indec

śivāya – to Śiva; masc, dat, sing, prop

भक्तप्रियाय त्रिपुरान्तकाय पिनाकिने दुष्टहराय नित्यम् ।
प्रत्यक्षलीलाय मनुष्यलोके श्रीवैद्यनाथाय नमः शिवाय ॥ ३ ॥

पदच्छेद

भक्तप्रियाय त्रिपुरान्तकाय पिनाकिने दुष्टहराय नित्यम् प्रत्यक्षलीलाय
मनुष्यलोके श्रीवैद्यनाथाय नमः शिवाय ।

पदपरिचय

भक्तप्रियाय - भक्तेषु प्रियः, (भक्तः प्रियः यस्य सः वा) भक्तप्रियः, अ,
पुं, च, ए.व
त्रिपुरान्तकाय - त्रयाणां पुराणां समाहारः, त्रिपुरम्, त्रिपुरस्य अन्तकः,
त्रिपुरान्तकः, अ, पुं, च, ए.व
पिनाकिने - पिनाकः अस्य अस्ति इति पिनाकी, न, पुं, च, ए.व
दुष्टहराय - दुष्टानां हरः, दुष्टहरः, अ, पुं, च, ए.व
नित्यम् - अव्ययम्
प्रत्यक्षलीलाय - प्रत्यक्षा लीला यस्य सः, प्रत्यक्षलीलः, अ, पुं, च, ए.व
मनुष्यलोके - मनुष्याणां लोकः, मनुष्यलोकः, अ, पुं, स, ए.व
श्रीवैद्यनाथाय - वैद्यानां नाथः, वैद्यनाथः, श्रीयुक्तः वैद्यनाथः,
श्रीवैद्यनाथः, अ, पुं, च, ए.व
नमः - अव्ययम्
शिवाय - शिवं (कल्याणं) विद्यते अस्य इति शिवः, अ, पुं, च, ए.व

अन्वय

भक्तप्रियाय, त्रिपुरान्तकाय, पिनाकिने, नित्यं दुष्टहराय, मनुष्यलोके
प्रत्यक्षलीलाय, श्रीवैद्यनाथाय, शिवाय नमः ।

Verse 3

bhaktapriyāya tripurāntakāya pinākine duṣṭaharāya nityam |
pratyakṣalīlāya manuṣyaloke śrīvaidyanāthāya namaḥ śivāya ||

Words separated & Prose

bhakta-priyāya tri-pura-antakāya pinākine duṣṭa-harāya nityam
pratyakṣa-līlāya manuṣya-loke śrī-vaidyanāthāya namaḥ śivāya |

Translation

I bow to Śiva, glorious lord of physicians, who is dear to his devotees, who is the destroyer of the three cities, bears the Pināki bow, and is perpetually the destroyer of evil-doers; [I bow to] him whose divine play is manifest in the world of men.

Word by word

bhakta-priyāya – whose devotees are dear to him; masc, dat, sing, BV (alternative: who is dear to his devotees; masc, dat, sing, TP)
tri-pura-antakāya – to the destroyer of [the] three cities; masc, dat, sing, TP
pinākine – to him characterized by [the] Pināki bow; masc, dat, sing
duṣṭa-harāya – to the destroyer of evil-doers; masc, dat, sing, TP
nityam – always, perpetually; adv, indec
pratyakṣa-līlāya – to him whose *līlā* is manifest; masc, dat, sing, BV
pratyakṣa – manifest, evident, before the eyes; adj, ic
līlāya – [divine] play; fem noun, ifc
manuṣya-loke – in the world of men; masc, loc, sing, TP
śrī-vaidya-nāthāya – to the glorious lord of physicians; masc, dat, sing, TP
namaḥ – hail, reverential salutation; indec
śivāya – to Śiva; masc, dat, sing

393

प्रभूतवातादिसमस्तरोगप्रणाशकर्त्रे मुनिवन्दिताय ।
प्रभाकरेन्द्वग्निविलोचनाय श्रीवैद्यनाथाय नमः शिवाय ॥ ४ ॥

पदच्छेद

प्रभूतवातादिसमस्तरोगप्रणाशकर्त्रे मुनिवन्दिताय प्रभाकरेन्द्वग्निविलोचनाय
श्रीवैद्यनाथाय नमः शिवाय ।

पदपरिचय

प्रभूतवातादिसमस्तरोगप्रणाशकर्त्रे - वाताः आदौ येषां ते, वातादयः,
वातादयः समस्ताः रोगाः, वातादिसमस्तरोगाः, प्रभूताः वातादिसम
स्तरोगाः,प्रभूतवातादिसमस्तरोगाः, प्रणाशं करोति इति प्रणाशकर्ता,
प्रभूतवातादिसमस्तरोगाणां प्रणाशकर्ता, प्रभूतवातादिसमस्तरोगप्रणाशकर्
ता, ऋ, पुं, च, ए.व
मुनिवन्दिताय - मुनिभिः वन्दितः, मुनिवन्दितः, अ, पुं, च, ए.व
प्रभाकरेन्द्वग्निविलोचनाय - प्रभाकरः इन्दुः अग्निः च, प्रभाकरेन्द्वग्नयः,
प्रभाकरेन्द्वग्नयः यस्य विलोचनानि, सः प्रभाकरेन्द्वग्निविलोचनः, अ,
पुं, च, ए.व
श्रीवैद्यनाथाय - वैद्यानां नाथः, वैद्यनाथः, श्रीयुक्तः वैद्यनाथः,
श्रीवैद्यनाथः, अ, पुं, च, ए.व
नमः - अव्ययम्
शिवाय - शिवं (कल्याणं) विद्यते अस्य इति शिवः, अ, पुं, च, ए.व

अन्वय

प्रभूतवातादिसमस्तरोगप्रणाशकर्त्रे, मुनिवन्दिताय, प्रभाकरेन्द्वग्निविलोचनाय,
श्रीवैद्यनाथाय, शिवाय नमः ।

394

Verse 4

prabhūtavātādi samastarogapraṇāśakartre munivanditāya |
prabhākarendvagnivilocanāya śrīvaidyanāthāya namaḥ śivāya ||

Words separated & Prose

prabhūta-vāta-ādi samasta-roga-praṇāśa-kartre muni-vanditāya prabhākara-indu-agni-vilocanāya śrī-vaidyanāthāya namaḥ śivāya |

Translation

I bow to Śiva, glorious lord of physicians who removes all diseases arising from 'wind' etc.; who is praised by *munis*, and has the sun, the moon and fire as eyes.

Word by word

prabhūtavātādi – diseases arisen from wind etc.; masc, nom, sing, BV
prabhūta – arisen, born; ppp, pra√bhū (1P), ic
vāta – [diseases] like rheumatism, gout, flatulence, caused by *vāta* (wind); masc noun, ic
ādi – beginning with, and so on; masc noun, ifc
samastarogapraṇāśakartre – destroyer of all diseases; masc, dat, sing, TP
samasta – all, put together; ppp, sam√as (4P), ic
roga – disease, ailment; masc noun, ic
praṇāśa – destruction, cessation; masc noun, ic
kartre – doer of, causer of; masc, dat, sing, *kartṛ*, ifc
munivanditāya – who is lauded by *munis*; masc, dat, sing
muni – ascetic, hermit; masc noun, ic
vanditāya – lauded, extolled, honoured; ppp, √vand (1Ā), ifc
prabhākarendvagnivilocanāya – to him whose eyes are the sun, moon and fire; masc, dat, sing, BV

prabhākara – maker of light, sun; masc epith, ic

indu – moon; masc noun, ic

agni – fire; masc noun, ic

vilocanāya – eye, sight; neut noun, ifc

śrī-vaidya-nāthāya – to the glorious lord of physicians; masc, dat, sing, TP

namaḥ – hail, reverential salutation; indec

śivāya – to Śiva; masc, dat, sing

वाक्श्रोत्रनेत्राङ्घ्रिविहीनजन्तोः वाक्श्रोत्रनेत्राङ्घ्रिसुखप्रदाय ।
कुष्ठादिसर्वोन्नतरोगहन्त्रे श्रीवैद्यनाथाय नमः शिवाय ॥ ५ ॥

पदच्छेद

वाक्श्रोत्रनेत्राङ्घ्रिविहीनजन्तोः वाक्श्रोत्रनेत्राङ्घ्रिसुखप्रदाय
कुष्ठादिसर्वोन्नतरोगहन्त्रे श्रीवैद्यनाथाय नमः शिवाय ।

पदपरिचय

वाक्श्रोत्रनेत्राङ्घ्रिविहीनजन्तोः - वाक् श्रोत्रं नेत्रं अङ्घ्रिः च वाक्श्रोत्रनेत्राङ्घ्रि,
वाक्श्रोत्रनेत्राङ्घ्रिणा विहीनः, वाक्श्रोत्रनेत्राङ्घ्रिविहीनः, वाक्श्रोत्रनेत्राङ्घ्रिविहीनः
जन्तुः, वाक्श्रोत्रनेत्राङ्घ्रिविहीनजन्तुः, उ, पुं, ष, ए.व
वाक्श्रोत्रनेत्राङ्घ्रिसुखप्रदाय - वाक् श्रोत्रं नेत्रं अङ्घ्रिः च वाक्श्रोत्रनेत्राङ्घ्रि,
सुखं प्रददाति इति सुखप्रदः, वाक्श्रोत्रनेत्राङ्घ्रिणः सुखप्रदः, वाक्श्रोत्रनेत्राङ्घ्
रिसुखप्रदः, अ, पुं, च, ए.व
कुष्ठादिसर्वोन्नतरोगहन्त्रे - कुष्ठं आदौ येषां कुष्ठादयः, उन्नतः रोगः,
उन्नतरोगः,
सर्वेउन्नतरोगाः, सर्वोन्नतरोगाः, कुष्ठादयः सर्वोन्नतरोगाः, कुष्ठादिसर्वोन्नतरोगाः,
कुष्ठादिसर्वोन्नतरोगाणां हन्ता, कुष्ठादिसर्वोन्नतरोगहन्ता, ऋ, पुं, च, ए.व
श्रीवैद्यनाथाय - वैद्यानां नाथः, वैद्यनाथः, श्रीयुक्तः वैद्यनाथः,
श्रीवैद्यनाथः, अ, पुं, च, ए.व
नमः - अव्ययम्
शिवाय - शिवं (कल्याणं) विद्यते अस्य इति शिवः, अ, पुं, च, ए.व

अन्वय

वाक्श्रोत्रनेत्राङ्घ्रिविहीनजन्तोः वाक्श्रोत्रनेत्राङ्घ्रिसुखप्रदाय,
कुष्ठादिसर्वोन्नतरोगहन्त्रे, श्रीवैद्यनाथाय, शिवाय नमः ।

Verse 5

*vākśrotranetrāṅghrivihīnajantoḥ vākśrotranetrāṅghrisukhaprad
āya |
kuṣṭhādisarvonnatarogahantre śrī vaidyanāthāya namaḥ śivāya ||*

Words separated & Prose

*vāk-śrotra-netra-aṅghri-vihīna-jantoḥ vāk-śrotra-netra-aṅghri-
sukha-pradāya kuṣṭha-ādi-sarva-unnata-roga-hantre śrī-vaidya-
nāthāya namaḥ śivāya |*

Translation

I bow to Śiva, glorious lord of physicians, who bestows the joy
of speech, hearing, sight and limbs to those who are devoid
[of these]; [and] who destroys all serious ailments like leprosy
and the rest.

Word by word

vākśrotranetrāṅghrivihīnajantoḥ – to/for those being[s] who
are devoid, deprived of speech, hearing, sight, limbs; masc,
gen, sing, TP
vāk – speech; fem noun, ic
śrotra – hearing, ear; neut noun, ic
netra – eye; neut noun, ic
aṅghri – limb, foot; masc noun, ic
vihīna – devoid, deprived of, missing; ppp, vi√hā (3P), ic
jantoḥ – of/for being[s]; masc, gen, sing, ifc
vākśrotranetrāṅghrisukhapradāya – to the one who bestows
the delight of speech, hearing, sight and ambulation; masc,
dat, sing, TP
vāk – speech; fem noun, ic
śrotra – hearing, ear; neut noun, ic
netra – eye; neut noun, ic

aṅghri – limb, foot; masc noun, ic

sukha – happiness, joy, delight; neut noun, ic

pradāya – giver, bestower; masc noun, ifc

kuṣṭhādisarvonnatarogahantre – to the one who destroys all serious diseases like leprosy, etc; masc, dat, sing, TP

kuṣṭha – leprosy; neut noun, ic

ādi – beginning with, and the rest; masc noun, ic

sarva – all; adj, ic

unnata – arisen; ppp, ut√nam (1U), ic

roga – disease, ailment; masc noun, ic

hantre – destroyer, killer; masc noun, *hantṛ*, ifc

śrī-vaidya-nāthāya – to the glorious lord of physicians; masc, dat, sing, TP

namaḥ – hail, reverential salutations; interj, indec

śivāya – to, for Śiva; masc, dat, sing, prop

वेदान्तवेद्याय जगन्मयाय योगीश्वरध्येयपदाम्बुजाय ।
त्रिमूर्तिरूपाय सहस्रनाम्ने श्रीवैद्यनाथाय नमः शिवाय ॥ ६ ॥

पदच्छेद

वेदान्तवेद्याय   जगन्मयाय   योगीश्वरध्येयपदाम्बुजाय   त्रिमूर्तिरूपाय
सहस्रनाम्ने श्रीवैद्यनाथाय नमः शिवाय ।

पदपरिचय

वेदान्तवेद्याय - वेदस्य अन्तः, वेदान्तः, यः वेदान्तैः वेद्यः सः,
वेदान्तवेद्यः, अ, पुं, च, ए.व
जगन्मयाय - जगतः रूपं यस्य जगन्मयः, अ, पुं, च, ए.व
योगीश्वरध्येयपदाम्बुजाय - योगीनां ईश्वरः, योगीश्वरः, ध्येयं पदाम्बुजम्,
ध्येयपदाम्बुजम्,
योगीश्वरैः ध्येयपदाम्बुजम् यस्य सः, योगीश्वरध्येयपदाम्बुजः, अ, पुं,
च, ए.व
त्रिमूर्तिरूपाय - तिस्रः मूर्तयः यस्य सः, त्रिमूर्तिः, त्रिमूर्त्याः रूपं, यस्य सः,
त्रिमूर्तिरूपः, अ, पुं, च, ए.व
सहस्रनाम्ने - सहस्रं नामानि यस्य सः, सहस्रनामा, न, पुं, च, ए.व
श्रीवैद्यनाथाय - वैद्यानां नाथः, वैद्यनाथः, श्रीयुक्तः वैद्यनाथः,
श्रीवैद्यनाथः, अ, पुं, च, ए.व
नमः - अव्ययम्
शिवाय - शिवं (कल्याणं) विद्यते अस्य इति शिवः, अ, पुं, च, ए.व

अन्वय

वेदान्तवेद्याय,   जगन्मयाय,   योगीश्वरध्येयपदाम्बुजाय,   त्रिमूर्तिरूपाय,
सहस्रनाम्ने, श्रीवैद्यनाथाय, शिवाय नमः ।

Verse 6

vedāntavedyāya jaganmayāya yogīśvaradhyeyapadāṃbujāya |
trimūrtirūpāya sahasranāmne śrīvaidyanāthāya namaḥ śivāya ||

Words separated & Prose

vedānta-vedyāya jagat-mayāya yogīśvara-dhyeya-pada-aṃbujāya
trimūrti-rūpāya sahasra-nāmne śrī-vaidya-nāthāya namaḥ śivāya |

Translation

I bow to Śiva, glorious lord of physicians, who is comprehensible through Vedānta, who is constituted of the world, whose lotus-feet are worthy of meditation by the greatest *yogis*, who has a thousand names and the form of *trimūrti*.

Word by word

vedāntavedyāya – knowable through Vedānta; masc, dat, sing, TP
vedānta – end of Veda, Upaniṣads/Upaniṣadic philosophy; masc noun, ic
vedyāya – to be known, knowable; g*ive, √vid (2P), ifc
jaganmayāya – to the one who is constituted of the world; masc, dat, sing, TP
jagat – world; neut noun, ic
mayāya – having the form of, made of; masc noun, ifc
yogīśvaradhyeyapadāṃbujāya – whose feet are worthy of meditation by the greatest of *yogis*; masc, dat, sing, BV
yogīśvara – greatest of *yogis*; masc TP, ic
dhyeya – to be meditated on; g*ive, √dhyā (1P), ic
pada-aṃbujāya – lotus feet; KD, ifc
trimūrti-rūpāya – who has the form of *trimūrti*; masc, dat, sing, TP

sahasra-nāmne – who has a thousand names; masc, dat, sing, BV
śrī-vaidya-nāthāya – to the glorious lord of physicians; masc, dat, sing, TP
namaḥ – hail, reverential salutation; indec
śivāya – to Śiva; masc, dat, sing

स्वतीर्थमृद्भस्मभृताङ्गभाजाम् पिशाचदुःखार्तिभयापहाय ।
आत्मस्वरूपाय शरीरभाजाम् श्रीवैद्यनाथाय नमः शिवाय ॥ ७ ॥

पदच्छेद

स्वतीर्थमृद्भस्मभृताङ्गभाजाम् पिशाचदुःखार्तिभयापहाय आत्मस्वरूपाय शरीरभाजां श्रीवैद्यनाथाय नमः शिवाय ।

पदपरिचय

स्वतीर्थमृद्भस्मभृताङ्गभाजाम् - स्वस्य तीर्थम्, स्वतीर्थम्, मृद् च भस्म च, मृद्भस्मनी,
स्वतीर्थस्य मृद्भस्मनी, स्वतीर्थमृद्भस्मनी, स्वतीर्थमृद्भस्मनोः भृताः, स्वतीर्थमृद्भस्मभृताः,
अङ्गानां भाग्, अङ्गभाग्, स्वतीर्थमृद्भस्मभृताः च अङ्गभाजः च, स्वतीर्थमृद्भस्मभृताङ्गभाजः,
अ, पुं, ष, ब.व
पिशाचदुःखार्तिभयापहाय - पिशाचभयं दुःखभयं आर्तिभयं च पिशाचदुःखार्तिभयानि,
अपहन्ति इति अपहः, पिशाचदुःखार्तिभयानाम् अपहः, पिशाचदुःखार्तिभयापहः, अ, पुं, च, ए.व
आत्मस्वरूपाय - स्वस्य रूपं स्वरूपम्, आत्मा एव स्वरूपम् यस्य सः, आत्मस्वरूपः अ, पुं, च, ए.व
शरीरभाजाम् - शरीरस्य भाक्, शरीरभाक्, ज, पुं, ष, ब.व
श्रीवैद्यनाथाय - वैद्यानां नाथः, वैद्यनाथः, श्रीयुक्तः वैद्यनाथः, श्रीवैद्यनाथः, अ, पुं, च, ए.व
नमः - अव्ययम्
शिवाय - शिवं (कल्याणं) विद्यते अस्य इति शिवः, अ, पुं, च, ए.व

अन्वय

स्वतीर्थमृद्भस्मभृताङ्गभाजां पिशाचदुःखार्तिभयापहाय, शरीरभाजां आत्मस्वरूपाय, श्रीवैद्यनाथाय, शिवाय नमः ।

Verse 7

svatīrthamṛdbhasmabhṛdaṅgabhājāṃ piśācaduḥkhārtibhayāpahāya |
ātmasvarūpāya śarīrabhājāṃ śrīvaidyanāthāya namaḥ śivāya ||

Words separated & Prose

svatīrtha-mṛt-bhasma-bhṛt-aṅga-bhājām piśāca-duḥkha-ārti-bhaya-apahāya ātma-svarūpāya śarīra-bhājām śrī-vaidya-nāthāya namaḥ śivāya |

Translation

I bow to Śiva, glorious lord of physicians, who removes the fear of ghosts, suffering and sorrow – of those who have partaken of/whose bodies bear mud and ash of his holy places; [and] whose form is that of the soul of embodied beings.

Word by word

svatīrthamṛdbhasmabhṛdaṅgabhājām – of those who possess bodies which bear the mud and ashes of (Śiva's) own holy place; masc, gen, pl, TP
sva-tīrtha – own pilgrimage, holy place, sacred ford; neut, TP, ic
mṛt – earth, soil, clay, mud; fem noun, ic
bhasma – ash; neut noun, ic
bhṛt – one who bears; masc noun, ic
aṅga – body; neut noun, ic
bhājām – possessing; masc noun, ifc
piśācaduḥkhārtibhayāpahāya – who removes the fear of ghosts, unhappiness and suffering; masc, dat, sing, TP
piśāca – ghosts, malevolent beings; masc noun, ic
duḥkha – unhappiness, sorrow; neut noun, ic
ārti – pain, injury, suffering; fem noun, ic
bhaya – fear; neut noun, ic
apahāya – who removes; masc noun, ifc

वैद्यनाथाष्टकम्

ātma-svarūpāya – whose form is that of *ātman*, the [universal/individual] soul; masc, dat, sing

śarīra-bhājām – of those who possess bodies; masc, gen, pl, TP

śarīra – body; neut noun, ic

bhājām – of those who possess; masc noun, *bhāj*, ifc

śrī-vaidya-nāthāya – to the glorious lord of physicians; masc, dat, sing, TP

namaḥ – hail, reverential salutation; indec

śivāya – to Śiva; masc, dat, sing, prop

श्रीनीलकण्ठाय वृषध्वजाय स्रक्गन्धभस्माद्यभिशोभिताय ।
सुपुत्रदारादिसुभाग्यदाय श्रीवैद्यनाथाय नमः शिवाय ॥ ८ ॥

पदच्छेद

श्रीनीलकण्ठाय वृषध्वजाय स्रक्गन्धभस्माद्यभिशोभिताय
सुपुत्रदारादिसुभाग्यदाय श्रीवैद्यनाथाय नमः शिवाय ।

पदपरिचय

श्रीनीलकण्ठाय - नीलः कण्ठः यस्य सः, नीलकण्ठः, श्रीयुक्तः नीलकण्ठः, श्रीनीलकण्ठः, अ, पुं, च, ए.व
वृषध्वजाय - वृषः ध्वजः यस्य स, वृषध्वजः अ, पुं, च, ए.व
स्रक्गन्धभस्माद्यभिशोभिताय - स्रक् च गन्धः च भस्म च स्रग्गन्धभस्मानि, स्रग्गन्धभस्मानि आदिः येषां ते, स्रक्गन्धभस्मादयः, स्रक्गन्धभस्मादिभिः अभिशोभितः, स्रक्गन्धभस्माद्यभिशोभितः, अ, पुं, च, ए.व
सुपुत्रदारादिसुभाग्यदाय - सुपुत्रः दाराः च सुपुत्रदाराः, सुपुत्रदाराः आदिः येषां ते, सुपुत्रदारादयः,
सुपुत्रदारादीनां सुभाग्यं, सुपुत्रदारादिसुभाग्यम्, सुपुत्रदारादिसुभाग्यम् ददाति इति सुपुत्रदारादिसुभाग्यदः, अ, पुं, च, ए.व
श्रीवैद्यनाथाय - वैद्यानां नाथः, वैद्यनाथः, श्रीयुक्तः वैद्यनाथः, श्रीवैद्यनाथः, अ, पुं, च, ए.व
नमः - अव्ययम्
शिवाय - शिवं (कल्याणं) विद्यते अस्य इति शिवः, अ, पुं, च, ए.व

अन्वय

श्रीनीलकण्ठाय, वृषध्वजाय, स्रक्गन्धभस्माद्यभिशोभिताय,
सुपुत्रदारादिसुभाग्यदाय, श्रीवैद्यनाथाय, शिवाय नमः ।

Verse 8

śrīnīlakaṇṭhāya vṛṣadhvajāya sraggandhabhasmādyapiśobhitāya |
suputradārādisubhāgyadāya śrīvaidyanāthāya namaḥ śivāya ||

Words separated

śrī-nīla-kaṇṭhāya vṛṣa-dhvajāya srak-gandha-bhasma-ādi-api-
śobhitāya su-putra-dārā-ādi-subhāgya-dāya śrī-vaidya-nāthāya
namaḥ śivāya |

Translation

I bow to Śiva, glorious lord of physicians, whose banner has a
bull, who is beautified by garlands, perfume and ashes, who
is the giver of excellent children, spouse and enviable fortune.

Word by word

śrī-nīla-kaṇṭhāya – glorious one whose throat is blue; masc,
dat, sing, BV
vṛṣadhvajāya – whose banner bears a bull; masc, dat, sing, BV
vṛṣa – bull; masc noun, ic
dhvajāya – flag, banner, standard; masc noun, ifc
sraggandhabhasmādyapiśobhitāya – who is beautified by
garlands, perfume, ashes and so on; masc, dat, sing, TP
srak – garland; fem noun, ic
gandha – fragrance, perfume; masc noun, ic
bhasma – pulverized by fire, ashes; neut noun, ic
ādi – and so on, etc.; masc noun, ic
api – also, and, moreover; conj, indec
śobhitāya – adorned, beautified, embellished; masc, ppp, √śubh
(1Ā), ifc
suputradārādisubhāgyadāya – who gives excellent children,
spouse, good [and] great fortune; masc, dat, sing, TP
suputra – excellent children; masc noun, ic

dārā – wife; fem noun, ic

ādi – and so on; masc noun, ic

subhāgya – enviable fortune, great fortune; masc, adj, ic

dāya – bestower, giver; masc, bound form, ifc

śrī-vaidya-nāthāya – to the glorious lord of physicians; masc, dat, sing, TP

namaḥ – hail, reverential salutation; indec

śivāya – to Śiva; masc, dat, sing, prop

बालाम्बिकेश वैद्येश भवरोगहरेति च ।
जपेन्नामत्रयं नित्यं महारोगनिवारणम् ॥ ९ ॥

पदच्छेद

बालाम्बिकेश वैद्येश भवरोगहर इति च जपेत् नामत्रयं नित्यम्
महारोगनिवारणम् ।

पदपरिचय

बालाम्बिकेश - बाला च अम्बिका च बालाम्बिका, बालाम्बिकायाः ईशः,
बालाम्बिकेशः अ, पुं, सम्बो, ए.व
वैद्येश - वैद्यः च इशः च वैद्येशः, अ, पुं, सम्बो, ए.व
भवरोगहर - भवस्य रोगः, भवरोगः, भवरोगं हरति इति भवरोगहरः, अ,
पुं, सम्बो, ए.व
इति - अव्ययम्
च - अव्ययम्
जपेत् - जप (व्यक्तायां वाचि मानसे च), वि.लिङ्, प, प्र, ए.व
नामत्रयम् - नाम्नाम् त्रयम्, नामत्रयम्, अ, न, द्वि, ए.व
नित्यम् - अव्ययम्
महारोगनिवारणम् - महान् च रोगश्च महारोगः, महारोगाणां निवारणं येन
तत्, महारोगनिवारणम्, अ, नपुं, द्वि, ए.व

अन्वय

बालाम्बिकेश, वैद्येश, भवरोगहर च इति महारोगनिवारणं नामत्रयं नित्यं
जपेत् ।

Phala verse

bālāmbikeśa vaidyeśa bhavarogahareti ca |
japennāmatrayaṃ nityam mahāroganivāraṇam ||

Words separated & Prose

bālā-ambikā-īśa vaidya-īśa bhava-roga-hara ca iti mahā-roga
nivāraṇam nāma trayam nityam japet |

Translation

Lord of the young Ambikā, lord of physicians, and one who
takes away diseases of existence; these three names [that] ward
off great diseases should be repeated perpetually.

Word by word

bālāmbikeśa – lord of the young Ambikā/Pārvatī; masc, voc,
sing, epith
vaidyeśa – lord of physicians; masc, voc, sing, epith
bhava-roga-hara – remover of the ills of existence; masc, voc,
sing, epith
iti – this/these; part, indec
ca – conj, indec
japet – should be repeated; 3rd sing, opt, √jap (1P)
nāma-trayam – three names; neut, acc, sing, TP
nityam – perpetually, always; adv
mahāroga-nivāraṇam – that which wards off great disease;
neut, acc, sing, TP

Āditya Hṛdayam

आदित्यहृदयम्

About the Stotra

This energizing stotra to the sun god was imparted to Rāma by the sage Agastya immediately before his final confrontation with Rāvaṇa. It is believed that anyone who is disheartened, fatigued, or faced with a seemingly insurmountable obstacle or enemy will be triumphant if they recite this stotra while meditating on Sūrya. Āditya Hṛdayam appears in some but not all recensions of Vālmīki's Rāmāyaṇa (Yuddha Kāṇḍa ch. 106 or 107). In the critical edition, it appears in Appendix 1 (No. 65).

आदित्यहृदयम्

ततो युद्धपरिश्रान्तम् समरे चिन्तया स्थितम् ।
रावणं चाग्रतो दृष्ट्वा युद्धाय समुपस्थितम् ॥ १ ॥

पदच्छेद

ततः युद्धपरिश्रान्तम् समरे चिन्तया स्थितम् रावणम् च अग्रतः दृष्ट्वा युद्धाय समुपस्थितम् ।

पदपरिचय

ततः - अव्ययम्
युद्धपरिश्रान्तम् - युद्धेन परिश्रान्तः, युद्धपरिश्रान्तः, अ, पुं, द्वि, ए.व
समरे - अ, पुं, स, ए.व
चिन्तया - आ, स्त्री, तृ, ए.व
स्थितम् - अ, पुं, द्वि, ए.व
रावणम् - अ, पुं, द्वि, ए.व
च - अव्ययम्
अग्रतः - अव्ययम्
दृष्ट्वा - क्त्वान्तम् अव्ययम्
युद्धाय - अ, नपुं, च, ए.व
समुपस्थितम् - अ, पुं, द्वि, ए.व

अन्वय

ततः युद्धपरिश्रान्तम्, समरे चिन्तया स्थितं (रामम्), युद्धाय समुपस्थितं रावणं अग्रतः, च दृष्ट्वा .... (द्वितीयश्लोकेन अन्वयः)

Āditya Hṛdayam

Verse 1

tato yuddhapariśrāntaṃ samare cintayā sthitam |
rāvaṇaṃ cāgrato dṛṣṭvā yuddhāya samupasthitam ||

Words separated

tataḥ yuddha-pariśrāntam samare cintayā sthitam rāvaṇam ca
agrataḥ dṛṣṭvā yuddhāya samupasthitam |

Prose

tataḥ yuddha-pariśrāntam cintayā samare sthitam yuddhāya
samupasthitam rāvaṇam agrataḥ ca dṛṣṭvā... |

Translation

Then, [to him] worried and exhausted from battle, standing in [the] battle [field], seeing Rāvaṇa before him, ready for combat...

Word by word

tataḥ – then; adv, indec
yuddhapariśrāntam – to him, exhausted by battle; masc, acc, sing, TP
yuddha – battle; neut, ppp, √yudh, ic
pariśrāntam – exhausted; masc, ppp, pari√śram (4P), ifc

421

आदित्यहृदयम्

samare – in battle; masc, loc, sing
cintayā – with worry, worried; fem, inst, sing
sthitam – to him, situated, standing; masc, acc, sing, ppp,
√sthā (1P)
rāvaṇam – Rāvaṇa; masc, acc, sing, prop
ca – and; conj, indec
agrataḥ – in front; adv, indec
dṛṣṭvā – seeing, having seen; ger, √dṛś (4P), indec
yuddhāya – for battle; masc, dat, sing
samupasthitam – present, near; ppp, sam upa√sthā (1P)

दैवतैश्च समागम्य द्रष्टुमभ्यागतो रणम् ।
उपगम्याब्रवीद्राममगस्त्यो भगवांस्तदा ॥ २ ॥

पदच्छेद

दैवतैः च समागम्य द्रष्टुम् अभ्यागतः रणम् उपगम्य अब्रवीत् रामम्
अगस्त्यः भगवान् तदा ।

पदपरिचय

दैवतैः - अ, पुं, तृ, ब.व
च - अव्ययम्
समागम्य - ल्यबन्तम् अव्ययम्
द्रष्टुम् - तुमुन्नन्तम् अव्ययम्
अभ्यागतः - अ, पुं, प्र, ए.व
रणम् - अ, नपुं, द्वि, ए.व
उपगम्य - ल्यबन्तम् अव्ययम्
अब्रवीत् - ब्रुञ् (व्यक्तायाम् वाचि), लङ्, प, प्र, ए.व
रामम् - अ, पुं, द्वि, ए.व
अगस्त्यः - अ, पुं, प्र, ए.व
भगवान् - त, पुं, प्र, ए.व
तदा - अव्ययम्

अन्वय

रणं द्रष्टुम् दैवतैः च समागम्य, अभ्यागतः भगवान् अगस्त्यः रामम्
उपगम्य तदा अब्रवीत् ।

Verse 2

daivataiśca samāgamya draṣṭumabhyāgato raṇam |
upāgamyābravīdrāmamagastyo bhagavānṛṣiḥ ||

Words separated

daivataiḥ ca samāgamya draṣṭum abhyāgataḥ raṇam upāgamya abravıt ramam agastyaḥ bhagavān tadā |

Prose

raṇam draṣṭum daivataiḥ ca samāgamya abhyāgataḥ bhagavān agastyaḥ rāmam upāgamya tadā abravīt |

Translation

...the venerable Agastya, having arrived along with the *devas* to watch the battle, then approached Rāma [and] said:

Word by word

daivataiḥ – with [the] divinities; masc, inst, pl
ca – and; conj, indec
samāgamya – having come together with; ger, sam ā√gam (1P), indec
draṣṭum – to see; inf, √dṛś (4P), indec
abhyāgataḥ – arrived; masc, sing, ppp, abhi ā√gam (1P)
raṇam – conflict, battle; neut, acc, sing
upāgamya – having approached; ger, upa ā√gam (1P), indec
abravīt – said; 3rd sing, impf, √brū (2P)
rāmam – to Rāma; masc, acc, sing
agastyaḥ – name of sage; masc, nom, sing, prop
bhagavān – glorious, venerable; masc, nom, sing, adj
tadā – then; indec

राम राम महाबाहो श्रृणु गुह्यं सनातनम् ।
येन सर्वानरीन् वत्स समरे विजयिष्यसे ॥ ३ ॥

पदच्छेद

राम राम महाबाहो श्रृणु गुह्यम् सनातनम् येन सर्वान् अरीन् वत्स समरे
विजयिष्यसे ।

पदपरिचय

राम - अ, पुं, सम्बो, ए.व
राम - अ, पुं, सम्बो, ए.व
महाबाहो - महान्तौ बाहू यस्य सः, महाबाहुः, उ, पुं, सम्बो, ए.व
श्रृणु - श्रु (श्रवणे), लोट्, प, म, ए.व
गुह्यम् - अ, नपुं, द्वि, ए.व
सनातनम् - अ, नपुं, द्वि, ए.व
येन - यद्, नपुं, तृ, ए.व
सर्वान् - अ, पुं, द्वि, ब.व
अरीन् - इ, पुं, द्वि, ब.व
वत्स - अ, पुं, सम्बो, ए.व
समरे - अ, पुं, स, ए.व
विजयिष्यसे - वि + जि (जये) लृट्, आ, म, ए.व

अन्वय

राम! राम! महाबाहो! (त्वम्) सनातनम्, गुह्यं (एतत्) श्रृणु, येन वत्स!
(त्वम्) समरे सर्वान् अरीन् विजयिष्यसे ।

426

Verse 3

rāma rāma mahābāho śṛṇu guhyaṃ sanātanam I
yena sarvānarīn vatsa samare vijayiṣyase II

Words separated & Prose

rāma vatsa rāma mahābāho śṛṇu guhyam sanātanam yena samare sarvān arīn vijayiṣyase I

Translation

Rāma, [dear] child! Rāma, great armed one! Listen to this eternal secret by which you will overcome all your enemies in battle.

Word by word

Rāma – Rāma; masc, sing, voc, prop
Rāma – Rāma; masc, sing, voc, prop
mahā-bāho – mighty armed one; masc, sing, voc, BV
śṛṇu – listen; 2nd sing, imp, √śru (5P)
guhyam – secret; neut, acc, sing, g*ive, √guh (1P)
sanātanam – eternal; neut, acc, sing, adj
yena – by which; neut, inst, sing, *yat*
sarvān – all; masc, acc, pl, adj
arīn – enemies; masc, pl, acc
vatsa – child; masc, sing, voc
samare – in battle; masc, loc, sing
vijayiṣyase – you will conquer; 2nd sing, fut, vi√ji (1Ā)

आदित्यहृदयं पुण्यम् सर्वशत्रुविनाशनम् ।
जयावहं जपेन्नित्यमक्षय्यं परमं शिवम् ॥ ४ ॥

पदच्छेद

आदित्यहृदयम् पुण्यम् सर्वशत्रुविनाशनम् जयावहम् जपेत् नित्यम् अक्षय्यम् परमम् शिवम् ।

पदपरिचय

आदित्यहृदयम् - आदित्यस्य हृदयम्, आदित्यहृदयम्, अ, नपुं, द्वि, ए.व
पुण्यम् - अ, नपुं, द्वि, ए.व
सर्वशत्रुविनाशनम् - सर्वे शत्रवः सर्वशत्रवः, सर्वशत्रूणां विनाशनम्, सर्वशत्रुविनाशनम्, अ, नपुं, द्वि, ए.व
जयावहम् - जयस्य आवहम्, जयावहम्, अ, नपुं, द्वि, ए.व
जपेत् - जप (व्यक्तायां वाचि) वि.लिङ्, प, प्र, ए.व
नित्यम् - अव्ययम्
अक्षय्यम् - अ, नपुं, द्वि, ए.व
परमम् - अ, नपुं, द्वि, ए.व
शिवम् - अ, नपुं, द्वि, ए.व

अन्वय

सर्वशत्रुविनाशनम्, जयावहम्, अक्षय्यम्, परमं शिवम्, पुण्यम् आदित्यहृदयं नित्यम् जपेत् ।

Verse 4

ādityahṛdayaṃ puṇyaṃ sarvaśatruvināśanam I
jayāvahaṃ japennityamakṣayaṃ paramaṃ śivam II

Words separated & Prose

ādityahṛdayam puṇyam sarva-śatru-vināśanam jaya āvaham akṣayam paramam śivam nityam japet I

Translation

This auspicious, most excellent Āditya Hṛdayam, destroyer of all enemies [and] bringer of victory should be recited constantly.

Word by word

ādityahṛdayam – [lit.] the heart of the sun; neut, acc, sing, prop, BV
puṇyam – pure, auspicious; neut, acc, sing, adj
sarvaśatruvināśanam – destroyer of all enemies; neut, acc, sing, TP
sarva – all; adj ic
śatru – enemy; masc noun, ic
vināśanam – destroyer; neut noun, ifc
jayāvaham – that which brings victory; neut, acc, sing, TP
jaya – victory; masc noun, ic
āvaham – that which brings, produces; neut noun, ifc
japet – should be repeated, recited, chanted; 3rd sing, opt, √jap (1P)
nityam – always, perpetually; adv, indec
akṣayam – undecaying, imperishable; neut, acc, sing, adj
paramam – most excellent; neut, acc, sing, adj
śivam – auspicious; neut, acc, sing, adj

सर्वमङ्गलमाङ्गल्यम् सर्वपापप्रणाशनम् ।
चिन्ताशोकप्रशमनमायुर्वर्धनमुत्तमम् ॥ ५ ॥

पदच्छेद

सर्वमङ्गलमाङ्गल्यम् सर्वपापप्रणाशनम् चिन्ताशोकप्रशमनम् आयुर्वर्धनम् उत्तमम् ।

पदपरिचय

सर्वमङ्गलमाङ्गल्यम् - सर्वं मङ्गलम्, सर्वमङ्लम्, सर्वमंगलेषु माङ्गल्यम्, सर्वमंगलमांगल्यम्, अ, नपुं, द्वि, ए.व
सर्वपापप्रणाशनम् - सर्वं पापम्, सर्वपापम्, सर्वपापानां प्रणाशनम्, सर्वपापप्रणाशनम्, अ, नपुं, द्वि, ए.व
चिन्ताशोकप्रशमनम् - चिन्ता च शोकश्च चिन्ताशोकौ, चिन्ताशोकयोः प्रशमनम्, चिन्ताशोकप्रशमनम्, अ, नपुं, द्वि, ए.व
आयुर्वर्धनम् - आयुषः वर्धनम्, आयुर्वर्धनम्, अ, नपुं, द्वि, ए.व
उत्तमम् - अ, नपुं, द्वि, ए.व

अन्वय (पूर्वश्लोकेन अन्वय)

सर्वमङ्गलमाङ्गल्यम्, सर्वपापप्रणाशनम्, चिन्ताशोकप्रशमनम्, उत्तमम्, आयुर्वर्धनम् (आदित्यहृदयं नित्यं जपेत्) ।

Verse 5

sarvamaṅgalamāṅgalyaṃ sarvapāpapraṇāśanam |
cintāśokapraśamanamāyurvardhanamuttamam ||

Words separated & Prose

sarva maṅgala māṅgalyam sarva pāpa praṇāśanam cintā-śoka-
praśamanam āyur-vardhanam uttamam |

Translation

[This] excellent [Āditya Hṛdayam is] most auspicious of all things auspicious, destroyer of all evils [and] extinguisher of worry and sorrow is the bestower of long life.

Word by word

sarvamaṅgalamāṅgalyam – the most auspicious of all [things] auspicious; neut, acc, sing, TP
sarva – all; adj, ic
maṅgala – auspicious; adj, ic
māṅgalyam – [most] auspicious; neut noun, ifc
sarvapāpapraṇāśanam – destroyer of all transgressions/ wrongdoings; neut, acc, sing, TP
sarva – all; adj, ic
pāpa – transgression, evil-doing; neut noun, ic
praṇāśanam – destroyer; neut noun, ifc
cintāśokapraśamanam – pacifier, remover of all worries and sorrows; neut, acc, sing, TP
cintā – worry, anxiety; fem noun, ic
śoka – sorrow, anguish, affliction; masc noun, ic
praśamanam – pacifier, extinguisher; neut noun, ifc
āyurvardhanam – bestower of long life; neut, acc, sing TP
āyuḥ – life, duration of life; masc noun, ic
vardhanam – increaser, augmenter; neut noun, ifc
uttamam – best, excellent; neut, acc, sing

रश्मिमन्तं समुद्यन्तम् देवासुरनमस्कृतम् ।
पूजयस्व विवस्वन्तम् भास्करं भुवनेश्वरम् ॥ ६ ॥

पदच्छेद

रश्मिमन्तम् समुद्यन्तम् देवासुरनमस्कृतम् पूजयस्व विवस्वन्तम्
भास्करम् भुवनेश्वरम् ।

पदपरिचय

रश्मिमन्तम् - रश्मयः अस्य सन्ति इति रश्मिमान्, त, पुं, द्वि, ए.व
समुद्यन्तम् - त, पुं, द्वि, ए.व (शतृ))
देवासुरनमस्कृतम् - देवाश्च असुराश्च देवासुराः, देवासुरैः नमस्कृतः,
देवासुरनमस्कृतः, त, पुं, द्वि, ए.व
पूजयस्व - पूज (पूजायाम्), लोट्, आ, म, ए.व
विवस्वन्तम् - त, पुं, द्वि, ए.व
भास्करम् - अ, पुं, द्वि, ए.व
भुवनेश्वरम् - भुवनानाम् ईश्वरः, भुवनेश्वरः, अ, पुं, द्वि, ए.व

अन्वय

(त्वम्) रश्मिमन्तम्, समुद्यन्तम्, देवासुरनमस्कृतम्, भुवनेश्वरम्,
विवस्वन्तं भास्करं पूजयस्व ।

Verse 6

raśmimantaṃ samudyantaṃ devāsuranamaskṛtam |
pūjayasva vivasvantaṃ bhāskaraṃ bhuvaneśvaram ||

Words separated & Prose

samudyantam vivasvantam bhuvana-īśvaram raśmimantam deva-asura-namaskṛtam bhāskaram pūjayasva |

Translation

[O Rāma] Revere the rising Vivasvat, the creator of light, the lord of the world, [who is] characterized by rays of light and who is bowed to by *devas* and *asuras*.

Word by word

raśmimantam – characterized by rays; masc, acc, sing, TP
samudyantam – rising; masc, acc, sing, pres part, sam ut√i (2P)
devāsuranamaskṛtam – bowed to, revered by *devas* and *asuras*; masc, acc, sing, TP
deva – divine beings, shining ones; masc noun, ic
asura – enemies of the *devas*; masc noun, ic
namas-kṛtam – bowed to by, worshipped by; ppp, namas√kṛ (8P), ifc
pūjayasva – honour, revere; 2nd, sing, imp, √pūj (4Ā)
vivasvantam – brilliant one, characterized by illumination; masc, acc, sing, epith
bhāskaram – creator, maker of light; masc, acc, sing, epith, US
bhuvaneśvaram – lord of the world; masc, acc, sing, TP
bhuvana – earth; neut noun, ic
īśvaram – lord; masc noun, ifc

सर्वदेवात्मको ह्येषस्तेजस्वी रश्मिभावनः ।
एष देवासुरगणाँल्लोकान् पाति गभस्तिभिः ॥ ७ ॥

पदच्छेद

सर्वदेवात्मकः हि एषः तेजस्वी रश्मिभावनः एषः देवासुरगणान् लोकान्
पाति गभस्तिभिः ।

पदपरिचय

सर्वदेवात्मकः - सर्वः देवः, सर्वदेवः, सर्वदेवानाम् आत्मकः, सर्वदेवात्मकः,
अ, पुं, प्र, ए.व
हि - अव्ययम्
एषः - एतद्, पुं, प्र, ए.व
तेजस्वी - न, पुं, प्र, ए.व
रश्मिभावनः - रश्मीनां भावनः, रश्मिभावनः, अ, पुं, प्र, ए.व
एषः - एतद्, पुं, प्र, ए.व
देवासुरगणान् - देवाश्च असुराश्च देवासुराः, देवासुराणां गणः, देवासुरगणः,
अ, पुं, द्वि, ब.व
लोकान् - अ, पुं, द्वि, ब.व
पाति - पा (रक्षणे), लट्, प, प्र, ए.व
गभस्तिभिः - इ, पुं, तृ, ब.व

अन्वय

एषः सर्वदेवात्मकः, तेजस्वी रश्मिभावनः हि । एषः देवासुरगणान् लोकान्
(च) गभस्तिभिः पाति ।

434

Verse 7

sarvadevātmako hyeṣaḥ tejasvī raśmibhāvanaḥ I
eṣa devāsuragaṇān lokān pāti gabhastibhiḥ II

Words separated

sarva-deva-ātmakaḥ hi eṣaḥ tejasvī raśmi-bhāvanaḥ eṣa deva-asura-gaṇān lokān pāti gabhastibhiḥ I

Prose

eṣaḥ hi tejasvī sarva-deva-ātmakaḥ eṣa raśmi-bhāvanaḥ gabhastibhiḥ deva-asura-gaṇān lokān pāti I

Translation

This brilliant one, the self of all the *devas*, producer of rays; with [his] rays he protects the worlds and the groups of *devas* and *asuras*.

Word by word

sarvadevātmakaḥ – he who is the self of all the *devas*; masc, nom, sing, BV
sarva – all; adj, ic
deva – divine beings, shining ones; masc noun, ic
ātmakaḥ – the self, the soul; masc noun, ic
hi – indeed; part, indec
eṣaḥ – he/this one; masc, nom, sing, pron, *etad*
tejasvī – brilliant, powerful; masc, nom, sing
raśmibhāvanaḥ – producing rays; masc, nom, sing, TP
raśmi – rays, beam; masc noun, ic
bhāvanaḥ – producer, one who causes; masc noun, ifc
eṣaḥ – he/this one; masc, nom, sing, pron, *etad*
devāsuragaṇān – groups of *devas* and *asuras*; masc, acc, pl, TP

आदित्यहृदयम्

deva – divine beings, shining ones; masc noun, ic
asura – enemies of *devas*; masc noun, ic
gaṇān – groups; masc noun, ifc
lokān – worlds; masc, acc, pl
pāti – protects; 3rd, sing, pres, √pā (2P)
gabhastibhiḥ – by means of his rays; masc, inst, pl

एष ब्रह्मा च विष्णुश्च शिवः स्कन्दः प्रजापतिः ।
महेन्द्रो धनदः कालो यमः सोमो ह्यपां पतिः ॥ ८ ॥

पदच्छेद

एषः ब्रह्मा च विष्णुः च शिवः स्कन्दः प्रजापतिः महेन्द्रः धनदः कालः
यमः सोमः हि अपाम् पतिः ।

पदपरिचय

एषः - एतद्, पुं, प्र, ए.व
ब्रह्मा - न, पुं, प्र, ए.व
च - अव्ययम्
विष्णुः - उ, पुं, प्र, ए.व
च - अव्ययम्
शिवः - अ, पुं, प्र, ए.व
स्कन्दः - अ, पुं, प्र, ए.व
प्रजापतिः - प्रजानां पतिः, प्रजापतिः, इ, पुं, प्र, ए.व
महेन्द्रः - अ, पुं, प्र, ए.व
धनदः - धनं ददाति इति धनदः, अ, पुं, प्र, ए.व
कालः - अ, पुं, प्र, ए.व
यमः - अ, पुं, प्र, ए.व
सोमः - अ, पुं, प्र, ए.व
हि - अव्ययम्
अपाम् - प, स्त्री, ष, ब.व
पतिः - इ, पुं, प्र, ए.व

अन्वय

एषः ब्रह्मा, विष्णुः च, शिवः च, स्कन्दः, प्रजापतिः, महेन्द्रः, धनदः,
कालः यमः सोमः अपां पतिः च हि ।

Verse 8

eṣa brahmā ca viṣṇuśca śivaḥ skandaḥ prajāpatiḥ |
mahendro dhanadaḥ kālo yamassomo hyapāṃ patiḥ ||

Words separated & Prose

eṣaḥ brahmā ca viṣṇuḥ ca śivaḥ skandaḥ prajāpatiḥ mahendraḥ dhanadaḥ kālaḥ yamaḥ somaḥ hi apām patiḥ |

Translation

He is Brahmā and Viṣṇu, Śiva, Skanda [and] Prajāpati; [he is] Indra, Kubera, Time, Yama, Soma and lord of the waters [Varuṇa].

Word by word

eṣaḥ – he/this one; masc, nom, sing, pron, *etad*
brahmā – Brahmā; masc, nom, sing, prop
ca – and; conj, indec
viṣṇuḥ – Viṣṇu; masc, nom, sing, prop
ca – and; conj, indec
śivaḥ – Śiva; masc, nom, sing, prop
skandaḥ – Skanda; masc, nom, sing, prop
prajāpatiḥ – Prajāpati; masc, nom, sing, prop
mahendraḥ – Mahendra (Indra); masc, nom, sing, epith
dhanadaḥ – Kubera, god of wealth; masc, nom, sing, epith
kālaḥ – time; masc, nom, sing
yamaḥ – Yama; masc, nom, sing, prop
somaḥ – Soma/moon; masc, nom, sing, epith
hi – indeed, and; part, indec
apāṃ patiḥ – lord of the waters/Varuṇa; masc, nom, sing

पितरो वसवः साध्या अश्विनौ मरुतो मनुः ।
वायुर्वह्निः प्रजाः प्राण ऋतुकर्ता प्रभाकरः ॥ ९ ॥

पदच्छेद

पितरः वसवः साध्याः अश्विनौ मरुतः मनुः वायुः वह्निः प्रजाः प्राणः
ऋतुकर्ता प्रभाकरः ।

पदपरिचय

पितरः - ऋ, पुं, प्र, ब.व
वसवः - उ, पुं, प्र, ब.व
साध्याः - अ, पुं, प्र, ब.व
अश्विनौ - अ, पुं, प्र, द्वि.व
मरुतः - त, पुं, प्र, ब.व
मनुः - उ, पुं, प्र, ए.व
वायुः - उ, पुं, प्र, ए.व
वह्निः - इ, पुं, प्र, ए.व
प्रजाः - आ, स्त्री, प्र, ब.व
प्राणः - अ, पुं, प्र, ए.व
ऋतुकर्ता - ऋतूनां कर्ता, ऋतुकर्ता, ऋ, पुं, प्र, ए.व
प्रभाकरः - अ, पुं, प्र, ए.व

अन्वय

(एषः) पितरः, वसवः, साध्याः, अश्विनौ, मरुतः, मनुः, वायुः, वह्निः,
प्रजाः, प्राणः, ऋतुकर्ता, प्रभाकरः (च) ।

Verse 9*

pitaro vasavassādhyāḥ hyaśvinau maruto manuḥ |
vāyurvahniḥ prajāḥ praṇā ṛtukartā prabhākaraḥ ||

Words separated & Prose

pitaro vasavaḥ sādhyāḥ hi aśvinau marutaḥ manuḥ vāyuḥ vahniḥ
prajāḥ prāṇaḥ ṛtu-kartā prabhā-karaḥ |

Translation

[The] creator of light, he [is] the ancestors, the Vasus, the
Sādhyas; indeed, he is the Aśvins, Maruta and Manu; [he is]
the Wind, Fire, [constitutes] all beings, [is] life breath, [and
is] the cause of the seasons.

Word by word

pitaraḥ – fathers, ancestors; masc, nom, pl
vasavaḥ – the Vasus; masc, nom, pl
sādhyāḥ – Sādhyas; masc, nom, pl
hi – indeed, and; part, indec
aśvinau – Aśvina twins; masc, nom, dual
marutaḥ – Marutas; masc, nom, pl
manuḥ – manu; masc, nom, sing
vāyuḥ – wind god; masc, nom, sing
vahniḥ – Agni, fire god; masc, nom, sing, epith
prajāḥ – beings, (generated by Āditya); fem, nom, pl
prāṇaḥ – life breath; masc, nom, sing
ṛtu-kartā – he who causes/creates seasons; masc, nom, sing
prabhākaraḥ – he who creates light; masc, nom, sing, US

*in this verse, various categories of gods and beings are equated
with Āditya, subsuming gender and number

आदित्यः सविता सूर्यः खगः पूषा गभस्तिमान् ।
सुवर्णसदृशो भानुर्हिरण्यरेता दिवाकरः ॥ १० ॥

पदच्छेद

आदित्यः सविता सूर्यः खगः पूषा गभस्तिमान् सुवर्णसदृशः भानुः हिरण्यरेताः दिवाकरः ।

पदपरिचय

आदित्यः - अदितेः अपत्यम् पुमान्, आदित्यः, अ, पुं, प्र, ए.व
सविता - सूते लोकान् इति सविता, ऋ, पुं, प्र, ए.व
सूर्यः - अ, पुं, प्र, ए.व
खगः - खे गच्छति इति खगः, अ, पुं, प्र, ए.व
पूषा - न, पुं, प्र, ए.व
गभस्तिमान् - गभस्तयः अस्मिन् सन्ति इति गभस्तिमान्, त, पुं, प्र, ए.व
सुवर्णसदृशः - सुवर्णेन सदृशः, सुवर्णसदृशः, अ, पुं, प्र, ए.व
भानुः - उ, पुं, प्र, ए.व
हिरण्यरेताः - हिरण्यं रेतः यस्य सः, हिरण्यरेताः, स, पुं, प्र, ए.व
दिवाकरः - दिवां (दिनं) करोति इति दिवाकरः, अ, पुं, प्र, ए.व

अन्वय

(एषः) आदित्यः, सविता, सूर्यः, खगः, पूषा, गभस्तिमान्, सुवर्णसदृशः, भानुः हिरण्परेता, दिवाकरः (च) ।

Verse 10

ādityaḥ savitā sūryaḥ khagaḥ pūṣā gabhastimān |
suvarṇasadṛśo bhānurhiraṇyareto divākaraḥ ||

Words separated & Prose

sūryaḥ ādityaḥ savitā khagaḥ pūṣā gabhastimān suvarṇasadṛśaḥ
bhānuḥ hiraṇyaretaḥ divākaraḥ |

Translation

Sūrya, the son of Aditī, vivifier [of all creatures] traverses
the sky; he is the nourisher; the colour of gold, his semen is
golden, [he has] rays, [and] creates the day and illumination.

Word by word

ādityaḥ – Āditya (son of Aditī); masc, nom, sing, epith
savitā – impeller, creator, vivifier; masc, nom, sing, epith
sūryaḥ – sun; masc, nom, sing, prop
khagaḥ – he that 'goes' in the sky; masc, nom, sing, epith
pūṣā – nourisher; masc, nom, sing, *pūṣan*
gabhastimān – characterized by rays, beams; masc, nom,
sing, adj
suvarṇa-sadṛśaḥ – resembling gold; masc, nom, sing, TP
bhānuḥ – brightness, brilliance; masc, nom, sing, epith
hiraṇya-retas – whose generative seed/semen is golden; masc,
nom, sing, BV
divākaraḥ – maker, creator of day; masc, nom, sing, epith, US

हरिदश्वः सहस्रार्चिः सप्तसप्तिर्मरीचिमान् ।
तिमिरोन्मथनः शम्भुस्त्वष्टा मार्तण्डकोंऽशुमान् ॥ ११ ॥

पदच्छेद

हरिदश्वः सहस्रार्चिः सप्तसप्तिः मरीचिमान् तिमिरोन्मथनः शम्भुः त्वष्टा
मार्तण्डकः अंशुमान् ।

पदपरिचय

हरिदश्वः - हरित् अश्वः यस्य सः, हरिदश्वः, अ, पुं, प्र, ए.व
सहस्रार्चिः - सहस्रं अर्चयः यस्य सः, सहस्रार्चिः, इ, पुं, प्र, ए.व
सप्तसप्तिः - सप्त सप्तयः (अश्वाः) यस्य सः, सप्तसप्तिः, इ, पुं, प्र,
ए.व
मरीचिमान् - मरीचयः अस्य सन्ति इति मरीचिमान्, त, पुं, प्र, ए.व
तिमिरोन्मथनः - तिमिरस्य उन्मथनः, तिमिरोन्मथनः, अ, पुं, प्र, ए.व
शम्भुः - उ, पुं, प्र, ए.व
त्वष्टा - ऋ, पुं, प्र, ए.व
मार्तण्डकः - अ, पुं, प्र, ए.व
अंशुमान् - अंशवः (किरणाः) अस्य सन्ति इति अंशुमान्, त, पुं, प्र, ए.व

अन्वय

(एषः) हरिदश्वः, सहस्रार्चिः, सप्तसप्तिः, मरीचिमान्, तिमिरोन्मथनः,
शम्भुः, त्वष्टा, मार्तण्डकः अंशुमान् (च) ।

Verse 11

haridaśvassahasrārcissaptasaptirmarīcimān |
timironmathanaśśambhustvaṣṭā mārtāṇḍa aṃśumān ||

Words separated & Prose

harit-aśvaḥ sahasra-arciḥ saptasaptiḥ marīcimān
timira-unmathanaḥ śambhuḥ tvaṣṭā mārtāṇḍa aṃśumān |

Translation

Sprung from a [seemingly] lifeless egg, [Sūrya is] characterized by rays of light, the creator, kind and benevolent [and] the dispeller of darkness; his horses are tawny, seven in number, and he has thousands of rays of light.

Word by word

haridaśvaḥ – whose horse(s) are tawny in colour; masc, nom, sing, BV
harit – tawny, pale yellow; adj, ic
aśvaḥ – horse; masc noun, ifc
sahasrārciḥ – thousand-rayed one; masc, nom, sing, BV
sahasra – thousand, infinite; masc noun, ic
arciḥ – ray of light; masc noun, ifc
sapta-saptiḥ – one who has seven horses; masc, nom, sing, BV
sapta – seven; num, adj
saptiḥ – horse, steed; masc noun, ic
marīcimān – characterized by rays; masc, nom, sing, adj
timironmathanaḥ – stirrer, dispeller, one who shakes off darkness; masc, nom, sing, adj, TP
timira – darkness; masc/neut noun, ic
unmathana – stirring, churning, shaking off; neut noun, ifc
śambhuḥ – kind, benevolent, pacific; masc, nom, sing, adj
tvaṣṭā – heavenly builder, carpenter; masc, nom, sing
mārtāṇḍa – [sprung from] a lifeless egg; masc, nom, sing, epith
aṃśumān – characterized by rays; masc, nom, sing, adj

445

हिरण्यगर्भः शिशिरस्तपनो भास्करो रविः ।
अग्निगर्भोऽदितेः पुत्रः शङ्खः शिशिरनाशनः ॥ १२ ॥

पदच्छेद

हिरण्यगर्भः शिशिरः तपनः भास्करः रविः अग्निगर्भः अदितेः पुत्रः शङ्खः
शिशिरनाशनः ।

पदपरिचय

हिरण्यगर्भः - हिरण्यं गर्भे यस्य सः, हिरण्यगर्भः, अ, पुं, प्र, ए.व
शिशिरः - अ, पुं, प्र, ए.व
तपनः - अ, पुं, प्र, ए.व
भास्करः - अ, पुं, प्र, ए.व
रविः - इ, पुं, प्र, ए.व
अग्निगर्भः - अग्निः गर्भे यस्य सः, अग्निगर्भः, अ, पुं, प्र, ए.व
अदितेः - इ, स्त्रि, ष, ए.व
पुत्रः - अ, पुं, प्र, ए.व
शङ्खः - अ, पुं, प्र, ए.व
शिशिरनाशनः - शिशिरस्य नाशनः, शिशिरनाशनः, अ, पुं, प्र, ए.व

अन्वय

(एषः) हिरण्यगर्भः, शिशिरः, तपनः, भास्करः, रविः, अग्निगर्भः, अदितेः
पुत्रः, शङ्खः, शिशिरनाशनः (च) ।

Verse 12

hiraṇyagarbhaśśiśirastapano bhāskaro raviḥ |
agnigarbho'diteḥ putraḥ śaṅkhaśśiśiranāśanaḥ ||

Words separated & Prose

hiraṇya-garbhaḥ śiśiraḥ tapanaḥ bhāskaraḥ raviḥ agni-garbhaḥ
aditeḥ putraḥ śaṅkhaḥ śiśira-nāśanaḥ |

Translation

Ravi, the son of Aditī, golden-wombed, fire-wombed, [he] warms [and he] cools; he ends the cold, creates light and heralds [the day].

Word by word

hiraṇya-garbhaḥ – one whose womb is golden; masc, nom, sing, BV

śiśiraḥ – cooling, pleasing, removing heat [evening sun]; masc, nom, sing, adj

tapanaḥ – one who warms [midday sun]; masc, nom, sing, adj

bhāskaraḥ – creates brilliance/light; masc, nom, sing, epith, US

raviḥ – sun, Sūrya; masc, nom, sing, epith

agni-garbhaḥ – one whose womb is fire/fiery; masc, nom, sing, BV

aditeḥ – of Aditī; gen, fem, sing

putraḥ – son; nom, masc, sing

śaṅkhaḥ – a conch shell, a herald [of day]; masc, nom sing

śiśira-nāśanaḥ – destroyer of the cold; nom, masc, sing TP

व्योमनाथस्तमोभेदी ऋग्यजुःसामपारगः ।
घनवृष्टिरपां मित्रो विन्ध्यवीथीप्लवङ्गमः ॥ १३ ॥

पदच्छेद

व्योमनाथः तमोभेदी ऋग्यजुःसामपारगः घनवृष्टिः अपाम् मित्रः विन्ध्यवीथीप्लवङ्गमः ।

पदपरिचय

व्योमनाथः - व्योम्नः नाथः, व्योमनाथः, अ, पुं, प्र, ए.व
तमोभेदी - तमसः भेदी, तमोभेदी, न, पुं, प्र, ए.व
ऋग्यजुःसामपारगः - ऋक् यजुः साम च, ऋग्यजुःसामानि, पारं गच्छति इति पारगः, ऋग्यजुःसाम्नां पारगः, ऋग्यजुःसामपारगः, अ, पुं, प्र, ए.व
घनवृष्टिः - घना वृष्टिः, घनवृष्टिः, घनवृष्टिः यस्मात्, सः घनवृष्टिः, इ, पुं, प्र, ए.व
अपाम् - प, स्त्री, ष, ब.व
मित्रः - अ, पुं, प्र, ए.व (मित्रशब्दस्य आर्षप्रयोगः, पुंल्लिङ्गे)
विन्ध्यवीथीप्लवङ्गमः - विन्ध्यस्य वीथी, विन्ध्यवीथी (गगनमार्गः), प्लवेन गच्छति इति प्लवङ्गमः, विन्ध्यवीथ्यां प्लवङ्गमः, विन्ध्यवीथीप्लवङ्गमः, अ, पुं, प्र, ए.व

अन्वय

(एषः) व्योमनाथः, तमोभेदी, ऋग्यजुःसामपारगः, घनवृष्टिः, अपां मित्रः, विन्ध्यवीथीप्लवङ्गमः (च) ।

Verse 13

vyomanāthastamobhedī ṛgyajussāmapāragaḥ |
ghanavṛṣṭirapāṃ mitro vindhyavīthīplavaṅgamaḥ ||

Words separated & Prose

vyoma-nāthaḥ tamo-bhedī ṛg-yajus-sāma-pāragaḥ ghana-vṛṣṭiḥ
apam mitraḥ vindhya-vīthī-plavaṅgamaḥ |

Translation

Lord of the sky, he pierces the darkness; master of the Vedas,
friend of the waters, and [bringer of] heavy rain, he traverses
over the Vindhya mountain.

Word by word

vyoma-nāthaḥ – lord of the sky, heaven; masc, nom, sing, TP
tamo-bhedī – piercer of darkness; masc, nom, sing, TP
ṛg-yajus-sāma-pāragaḥ – one who has transcended, gone
beyond, master of the three Vedas; masc, nom, sing, US
ghana-vṛṣṭiḥ – [through whom arises] thick/heavy rain; nom,
masc, sing, KD
apām – of the waters; fem, gen, pl
mitraḥ – friend; masc, nom, sing
vindhyavīthīplavaṅgamaḥ – one who flies, crosses swiftly over
the Vindhyas; masc, nom, sing TP
vindhya – mountain range; masc noun, prop, ic
vīthī – line, row; fem noun, ic
plavaṅgamaḥ – one who traverses, moves by leaps; masc,
noun, ifc

आतपी मण्डली मृत्युः पिङ्गलः सर्वतापनः ।
कविर्विश्वो महातेजा रक्तः सर्वभवोद्भवः ॥ १४ ॥

पदच्छेद

आतपी मण्डली मृत्युः पिङ्गलः सर्वतापनः कविः विश्वः महातेजाः रक्तः
सर्वभवोद्भवः ।

पदपरिचय

आतपी - आतपः अस्य अस्ति इति आतपी, न, पुं, प्र, ए.व
मण्डली - न, पुं, प्र, ए.व
मृत्युः - उ, पुं, प्र, ए.व
पिङ्गलः - अ, पुं, प्र, ए.व
सर्वतापनः - सर्वान् तापयति इति सर्वतापनः, अ, पुं, प्र, ए.व
कविः - इ, पुं, प्र, ए.व
विश्वः - अ, पुं, प्र, ए.व
महातेजाः - महत् तेजः यस्य सः, महातेजाः, स, पुं, प्र, ए.व
रक्तः - अ, पुं, प्र, ए.व
सर्वभवोद्भवः - सर्वे भवाः, सर्वभवाः, सर्वभवानाम् उद्भवः यस्मात् सः,
सर्वभवोद्भवः, अ, पुं, प्र, ए.व

अन्वय

(एषः) आतपी, मण्डली, मृत्युः, पिङ्गलः, सर्वतापनः, कविः, विश्वः,
महातेजाः, रक्तः, सर्वभवोद्भवः (च) ।

Verse 14

ātapī maṇḍalī mṛtyuḥ piṅgalassarvatāpanaḥ **I**
kavirviśvo mahātejā raktassarvabhavodbhavaḥ **II**

Words separated & Prose

ātapī maṇḍalī mṛtyuḥ piṅgalaḥ sarva-tāpanaḥ kaviḥ viśvaḥ mahātejāḥ raktaḥ sarva-bhavodbhavaḥ **I**

Translation

Tawny, red, hot, spherical, possessing searing heat [he is] death and the source of all creatures; [he is] wise, he is the world [itself, and] he causes all to be heated.

Word by word

ātapī – characterized by heat; masc, nom, sing
maṇḍalī – characterized as a sphere, circle; masc, nom, sing
mṛtyuḥ – death; masc, nom, sing
piṅgalaḥ – tawny, reddish-yellow; masc, nom, sing, adj
sarva-tāpanaḥ – he who causes all to be warmed, heated; masc, nom, sing, TP
kaviḥ – wise, intelligent, poet; masc, nom, sing
viśvaḥ – the world; masc, nom, sing
mahā-tejāḥ – of great, intense, searing heat; masc, nom, sing, BV
raktaḥ – red; adj, masc, nom, sing
sarva-bhava-udbhavaḥ – the birthplace of all creatures; masc, nom, sing, TP

नक्षत्रग्रहताराणामधिपो विश्वभावनः ।
तेजसामपि तेजस्वी द्वादशात्मन् नमोऽस्तु ते ॥ १५ ॥

पदच्छेद

नक्षत्रग्रहताराणाम् अधिपः विश्वभावनः तेजसाम् अपि तेजस्वी द्वादशात्मन्
नमः अस्तु ते ।

पदपरिचय

नक्षत्रग्रहताराणाम् - नक्षत्राणि ग्रहाः ताराश्च, नक्षत्रग्रहताराः, आ, स्त्री,
ष, ब.व

अधिपः - अ, पुं, प्र, ए.व

विश्वभावनः - विश्वं भावयति इति विश्वभावनः, अ, पुं, प्र, ए.व

तेजसाम् - स, नपुं, ष, ब.व

अपि - अव्ययम्

तेजस्वी - न, पुं, प्र, ए.व

द्वादशात्मन् - द्वादश आत्मानः यस्य सः, द्वादशात्मा, न, पुं, सम्बो,
ए.व

नमः - स, नपुं, प्र, ए.व

अस्तु - अस (भुवि), लोट्, प, प्र, ए.व

ते - युष्मद्, पुं, च, ए.व

अन्वय

(एषः) नक्षत्रग्रहताराणाम् अधिपः, विश्वभावनः, तेजसाम् अपि तेजस्वी
(च) । द्वादशात्मन्! ते नमः अस्तु ।

Verse 15

nakṣatragrahatārāṇāmadhipo viśvabhāvanaḥ |
tejasāmapi tejasvī dvādaśātmannamo'stu te ||

Words separated & Prose

namaḥ astu te nakṣatra-graha-tārāṇām adhipaḥ viśva-bhāvanaḥ
tejasām api tejasvī dvādaś-ātman |

Translation

Salutations to you, lord of the stars, planets and asterism,
cause of the world, most brilliant amongst the brilliant, and
who is twelve souled.*

Word by word

namaḥ – hail, reverential salutation; indec
astu – be it; 3rd, sing, imp, √as (2P)
te – to you; masc, dat, sing, enc, *tad*
nakṣatra-graha-tārāṇām – of the constellations, planets and
stars; fem, gen, pl
adhipaḥ – lord; masc, nom, sing
viśva-bhāvanaḥ – who causes the world to come into existence;
masc, nom, sing, TP
tejasām – of the brilliant; neut, gen, pl
api – also, of; conj, indec
tejasvī – one who possesses searing brilliance; nom, masc, sing
dvādaśātman – he who has twelve selves within himself/he
who is the self of the twelve (the Ādityas); masc, voc, sing,
adj, BV

*Consisting of all the twelve Ādityas. This verse has both the
nominative and vocative forms with one verb.

नमः पूर्वाय गिरये पश्चिमायाद्रये नमः ।
ज्योतिर्गणानां पतये दिनाधिपतये नमः ॥ १६ ॥

पदच्छेद

नमः पूर्वाय गिरये पश्चिमाय अद्रये नमः ज्योतिर्गणानाम् पतये
दिनाधिपतये नमः ।

पदपरिचय

नमः - अव्ययम्
पूर्वाय - अ, पुं, च, ए.व
गिरये - इ, पुं, च, ए.व
पश्चिमाय - अ, पुं, च, ए.व
अद्रये - इ, पुं, च, ए.व
नमः - अव्ययम्
ज्योतिर्गणानाम् - ज्योतिषां गणः, ज्योतिर्गणः, अ, पुं, ष, ब.व
पतये - इ, पुं, च, ए.व (आर्षप्रयोगः)
दिनाधिपतये - दिनस्य अधिपतिः, दिनाधिपतिः, इ, पुं, च, ए.व
नमः - अव्ययम्

अन्वय

पूर्वाय गिरये नमः । पश्चिमाय अद्रये नमः । ज्योतिर्गणानां पतये,
दिनाधिपतये नमः ।

Verse 16

namaḥ pūrvāya giraye paścimāyādraye namaḥ |
jyotirgaṇānāṃ pataye dinādhipataye namaḥ ||

Words separated & Prose

namaḥ pūrvāya giraye namaḥ paścimāya adraye namaḥ jyotirgaṇānām pataye dina-adhipataye namaḥ |

Translation

Salutation to the eastern mountain [where the sun rises] and the western mountain [where it sets]; [salutations] to the lord of heavenly bodies and [of] the day.

Word by word

namaḥ – hail, reverential salutation; indec
pūrvāya giraye – to the eastern mountain; masc, dat, sing
paścimāya adraye – to the western mountain; masc, dat, sing
namaḥ – hail, reverential salutation; indec
jyotirgaṇānām-pataye – lord of the heavenly bodies; masc, dat, sing
dina-adhipataye – lord of the day; masc, dat, sing, TP
namaḥ – hail, reverential salutation; indec

जयाय जयभद्राय हर्यश्वाय नमो नमः ।
नमो नमः सहस्रांशो आदित्याय नमो नमः ॥ १७ ॥

पदच्छेद

जयाय जयभद्राय हर्यश्वाय नमः नमः नमः नमः सहस्रांशो आदित्याय
नमः नमः ।

पदपरिचय

जयाय - अ, पुं च, ए.व
जयभद्राय - जयः भद्रः, जयभद्रः, अ, पुं, च, ए.व
हर्यश्वाय - हरिः अश्वः यस्य सः, हर्यश्वः, अ, पुं, च, ए.व
नमः - अव्ययम्
नमः - अव्ययम्
नमः - अव्ययम्
नमः - अव्ययम्
सहस्रांशो - सहस्रम् अंशवः यस्य सः, सहस्रांशुः, उ, पुं, सम्बो, ए.व
आदित्याय - अ, पुं, च, ए.व
नमः - अव्ययम्
नमः - अव्ययम्

अन्वय

जयाय, जयभद्राय, हर्यश्वाय, नमो नमः । सहस्रांशो! नमो नमः ।
आदित्याय नमो नमः ।

456

Verse 17

jayāya jayabhadrāya haryaśvāya namo namaḥ |
namo namaḥ sahasrāṃśo ādityāya namo namaḥ ||

Words separated & Prose

jayāya jayabhadrāya hari-aśvāya namo namaḥ namo namaḥ
sahasra-āṃśoḥ ādityāya namo namaḥ |

Translation

Salutations to you, O thousand rayed one! Salutations to [the embodiment of] victory, to [the one who bestows] victory and prosperity, who has tawny horses and is the son of Aditī.

Word by word

jayāya – to [the embodiment of] victory; masc, dat, sing
jaya-bhadrāya – to the one who embodies victory and prosperity; masc, dat, sing
hari-aśvāya – to the one who has tawny horses; masc, dat, sing
namaḥ – hail, reverential salutation; indec*
namaḥ – hail, reverential salutation; indec
namaḥ – hail, reverential salutation; indec
namaḥ – hail, reverential salutation; indec
sahasra-āṃśo – thousand-rayed one; masc, voc, sing
ādityāya – to the son of Aditī; masc; dat, sing
namaḥ – hail, reverential salutation; indec
namaḥ – hail, reverential salutation; indec

this indeclinable is often seen as a neuter singular

नम उग्राय वीराय सारङ्गाय नमो नमः ।
नमः पद्मप्रबोधाय प्रचण्डाय नमोऽस्तु ते ॥ १८ ॥

पदच्छेद

नमः उग्राय वीराय सारङ्गाय नमः नमः नमः पद्मप्रबोधाय प्रचण्डाय नमः
अस्तु ते ।

पदपरिचय

नमः - अव्ययम्
उग्राय - अ, पुं, च, ए.व
वीराय - अ, पुं, च, ए.व
सारङ्गाय - अ, पुं, च, ए.व
नमः - अव्ययम्
नमः - अव्ययम्
नमः - अव्ययम्
पद्मप्रबोधाय - पद्मस्य प्रबोधः, पद्मप्रबोधः, अ, पुं, च, ए.व
प्रचण्डाय - अ, पुं, च, ए.व
नमः - स, नपुं, प्र, ए.व
अस्तु - अस (भुवि), लोट्, प, प्र, ए.व
ते - युष्मद्, च, ए.व

अन्वय

उग्राय नमः । वीराय, सारङ्गाय नमो नमः । पद्मप्रबोधाय नमः ।
प्रचण्डाय ते नमः अस्तु ।

Verse 18

nama ugrāya vīrāya sāraṅgāya namo namaḥ |
namaḥ padmaprabodhāya mārtaṇḍāya namo namaḥ ||

Words separated & Prose

namaḥ ugrāya vīrāya sāraṅgāya namaḥ namaḥ; namaḥ padma-
prabodhāya martaṇḍāya namaḥ namaḥ |

Translation

Salutations to the brave and terrible one, salutations to the one who awakens lotuses; salutations to him who is born from a [seemingly dead] egg.

Word by word

namaḥ – hail, reverential salutation; indec
ugrāya – to the terrible one; masc, dat, sing
vīrāya – to the brave one; masc, dat, sing
sāraṅgāya – to the bird/of variegated colour; masc, dat, sing
namaḥ – hail, reverential salutation; indec
namaḥ – hail, reverential salutation; indec
namaḥ – hail, reverential salutation; indec
padma-prabodhāya – to the one who causes lotuses to awaken; masc, dat, sing
mārtaṇḍāya – to the one born of a [seemingly dead] egg; masc, dat, sing
namaḥ – hail, reverential salutation; indec
namaḥ – hail, reverential salutation; indec

ब्रह्मेशानाच्युतेशाय सूर्यायादित्यवर्चसे ।
भास्वते सर्वभक्षाय रौद्राय वपुषे नमः ॥ १९ ॥

पदच्छेद

ब्रह्मेशानाच्युतेशाय सूर्याय आदित्यवर्चसे भास्वते सर्वभक्षाय रौद्राय वपुषे
नमः ।

पदपरिचय

ब्रह्मेशानाच्युतेशाय - ब्रह्मा ईशानः अच्युतश्च ब्रह्मेशानाच्युताः,
ब्रह्मेशानाच्युतानाम् ईशः, ब्रह्मेशानाच्युतेशः, अ, पुं, च, ए.व
सूर्याय - अ, पुं, च, ए.व
आदित्यवर्चसे - आदित्यरूपं वर्चः यस्य सः, आदित्यवर्चाः, स, पुं, च, ए.व
भास्वते - भाः अस्य सन्ति इति भास्वान्, त, पुं, च, ए.व
सर्वभक्षाय - सर्वं भक्षयति इति सर्वभक्षः, अ, पुं, च, ए.व
रौद्राय - अ, पुं, च, ए.व
वपुषे - स, पुं, च, ए.व
नमः - अव्ययम्

अन्वय

ब्रह्मेशानाच्युतेशाय, आदित्यवर्चसे, भास्वते, सर्वभक्षाय, रौद्राय वपुषे,
सूर्याय नमः ।

460

Verse 19

brahmeśānācyuteśāya sūryāyādityavarcase |
bhāsvate sarvabhakṣāya raudrāya vapuṣe namaḥ ||

Words separated & Prose

[namaḥ] brahmā-īśāna-acyuta-īśāya sūryāya āditya-varcase bhāsvate sarvabhakṣaya raudrāya vapuṣe namaḥ |

Translation

Salutations to the lord of Brahmā, Śiva and Viṣṇu, to Sūrya, to the illuminating power of Āditya, the shining one, consumer of all; to the one with the fierce/*rudra*-body.

Word by word

namaḥ – hail, salutation; inter, indec
brahmā-īśāna-acyuta-īśāya – to the lord of Brahma, Īśāna and Viṣṇu; masc, dat, sing, TP
sūryāya – to Sūrya; masc, dat, sing
āditya-varcase – to the illuminating fire of Āditya; masc, dat, sing, TP
bhāsvate – to the shining one; masc, dat, sing
sarvabhakṣāya – to the one who devours all; masc, dat, sing
raudrāya vapuṣe – to the one who has the [fierce] form of Rudra; masc, dat, sing

तमोघ्नाय हिमघ्नाय शत्रुघ्नायामितात्मने ।
कृतघ्नघ्नाय देवाय ज्योतिषां पतये नमः ॥ २० ॥

पदच्छेद

तमोघ्नाय हिमघ्नाय शत्रुघ्नाय अमितात्मने कृतघ्नघ्नाय देवाय
ज्योतिषाम् पतये नमः ।

पदपरिचय

तमोघ्नाय - तमः हन्ति इति तमोघ्नः, अ, पुं, च, ए.व
हिमघ्नाय - हिमं हन्ति इति हिमघ्नः अ, पुं, च, ए.व
शत्रुघ्नाय - शत्रुं हन्ति इति शत्रुघ्नः, अ, पुं, च, ए.व
अमितात्मने - अमितः आत्मा यस्य सः, अमितात्मा, न, पुं, च, ए.व
कृतघ्नघ्नाय - कृतघ्नं हन्ति इति कृतघ्नघ्नः, अ, पुं, च, ए.व
देवाय - अ, पुं, च, ए.व
ज्योतिषाम् - स, नपुं, ष, ब.व
पतये - इ, पुं, च, ए.व
नमः - अव्ययम्

अन्वय

तमोघ्नाय, हिमघ्नाय, शत्रुघ्नाय, अमितात्मने, कृतघ्नघ्नाय, देवाय,
ज्योतिषां पतये, नमः ।

Verse 20

tamoghnāya himaghnāya śatrughnāya amitātmane |
kṛtaghnaghnāya devāya jyotiṣāṃ pataye namaḥ ‖

Words separated & Prose

tamo-ghnāya hima-ghnāya śatru-ghnāya amita-ātmane kṛtaghna-ghnāya devāya jyotiṣāṃ pataye namaḥ |

Translation

Salutations to the destroyer of darkness, of snow and enemies; [salutations] to him whose self is immeasurable; to the divine/ shining one who destroys the ungrateful and is the master of heavenly luminaries.

Word by word

tamoghnāya – to the destroyer of darkness; masc, dat, sing, TP
tamas – darkness, gloom; neut noun, ic
ghnāya – destroyer, killer; masc, agt, √han (2P), *ghna*, ifc, TP
himaghnāya – destroyer of snow, frost; masc, dat, sing
hima – snow, frost; masc noun, ic
ghnāya – destroyer, killer; masc, agt, √han (2P), *ghna*, ifc
śatrughnāya – destroyer of enemies; masc, dat, sing, TP
śatru – enemy; masc noun, ic
ghnāya – destroyer, killer; masc, agt, √han (2P), *ghna*, ifc
amitātmane – to the one whose soul is immeasurable; masc, dat, sing, TP
amita – immeasurable; adj, ic
ātmane – soul, self; masc noun, ifc
kṛtaghnaghnāya – destroyer of the ungrateful; masc, dat, sing, TP
kṛta – that which is done; ppp, √kṛ (8)

आदित्यहृदयम्

ghna – destroyer, killer; masc, agt √han (2P), *ghna* ic
ghnāya – destroyer, killer; masc, agt, √han (2P), *ghna*, ifc
devāya – divine/shining one; masc, dat, sing
jyotiṣām-pataye – lord of heavenly bodies; masc, dat, sing, TP
namaḥ – hail, reverential salutation; indec

तप्तचामीकराभाय वह्नये विश्वकर्मणे ।
नमस्तमोऽभिनिघ्नाय रुचये लोकसाक्षिणे ॥ २१ ॥

पदच्छेद

तप्तचामीकराभाय वह्नये विश्वकर्मणे नमः तमोऽभिनिघ्नाय रुचये लोकसाक्षिणे ।

पदपरिचय

तप्तचामीकराभाय - तप्तं चामीकरम्, तप्तचामीकरम्, तप्तचामीकरस्य
आभा यस्य सः, तप्तचामीकराभः, अ, पुं, च, ए.व
वह्नये - इ, पुं, च, ए.व
विश्वकर्मणे - विश्वं कर्म यस्य सः, विश्वकर्मा, न, पुं, च, ए.व
नमः - अव्ययम्
तमोऽभिनिघ्नाय - तमसः अभिनिघ्नः, तमोऽभिनिघ्नः, अ, पुं, च, ए.व
रुचये - इ, पुं, च, ए.व
लोकसाक्षिणे - लोकानां साक्षी, लोकसक्षी, न, पुं, च, ए.व

अन्वय

तप्तचामीकराभाय, वह्नये, विश्वकर्मणे, तमोऽभिनिघ्नाय, रुचये, लोकसाक्षिणे नमः ।

Verse 21

taptacāmīkarābhāya vahnaye viśvakarmaṇe |
namastamo'bhinighnāya rucaye lokasākṣiṇe ||

Words separated & Prose

tapta cāmīkara-ābhāya vahnaye viśvakarmaṇe namaḥ
tamo'bhinighnāya rucaye lokasākṣiṇe |

Translation

Salutations to the one whose brilliance is like molten gold, to the [cosmic] fire, the architect of the universe, to the splendorous destroyer of darkness [and] the witness of the world.

Word by word

taptacāmīkarābhāya – to the one whose brilliance is like molten gold; masc, dat, sing, BV
tapta – heated, melted, molten; ppp, √tap (1P), ic
cāmīkara – gold; masc, US, ic
ābhāya – appearance, brilliance; fem noun, ifc
vahnaye – to the [cosmic] fire; masc, dat, sing
viśvakarmaṇe – to the architect of the universe; masc, dat, sing, TP
namaḥ – hail, reverential salutation; indec
tamo'bhinighnāya – destroyer of darkness and gloom; masc, dat, sing (*abhinighna*), TP
tamas – darkness, gloom; neut noun, ic
abhinighnāya – destroyer; masc, agt, abhi ni√han (3P)
rucaye – to him that is splendour/light; masc, dat, sing
lokasākṣiṇe – to him who sees everything in the world; masc, dat, sing, TP
loka – world; masc noun, ic
sākṣiṇe – witness, seeing with the eye(s); masc noun, ifc

नाशयत्येष वै भूतम् तदेव सृजति प्रभुः ।
पायत्येष तपत्येष वर्षत्येष गभस्तिभिः ॥ २२ ॥

पदच्छेद

नाशयति एषः वै भूतम् तत् एव सृजति प्रभुः पायति एषः तपति एषः वर्षति एषः गभस्तिभिः ।

पदपरिचय

नाशयति - णश् (अदर्शने), लट्, प, प्र, ए.व (णिचि)
एषः - एतद, पुं, प्र, ए.व
वै - अव्ययम्
भूतम् - अ, नपुं, द्वि, ए.व
तद् - तद्, नपुं, द्वि, ए.व
एव - अव्ययम्
सृजति - सृज (विसर्गे), लट्, प, प्र, ए.व
प्रभुः - उ, पुं, प्र, ए.व
पायति - पै (शोषणे), लट्, प, प्र, ए.व
एषः - एतद्, पुं, प्र, ए.व
तपति - तप (सन्तापे), लट्, प, प्र, ए.व
एषः - एतद्, पुं, प्र, ए.व
वर्षति - वर्ष (स्नेहने), लट्, प, प्र, ए.व
एषः - एतद्, पुं, प्र, ए.व
गभस्तिभिः - इ, पुं, तृ, ब.व

अन्वय

एषः वै प्रभुः भूतं नाशयति, तत् एव सृजति । एषः पायति, एषः गभस्तिभिः तपति, एषः वर्षति ।

Verse 22

nāśayatyeṣa vai bhūtaṃ tadeva sṛjati prabhuḥ |
pāyatyeṣa tapatyeṣa varṣatyeṣa gabhastibhiḥ ||

Words separated & Prose

eṣaḥ vai prabhuḥ bhūtam nāśayati tat eva sṛjati eṣaḥ gabhastibhiḥ
tapati eṣaḥ pāyati eṣaḥ varṣati |

Translation

This lord destroys beings and creates them [again]; with his rays
he warms, he dries up [the waters] and he pours forth [rain].

Word by word

eṣaḥ – he/this one; masc, nom, sing, *etad*
vai – indeed, certainly; indec
prabhuḥ – lord, master; masc, nom, sing
bhūtam – beings; neut, acc, sing
nāśayati – destroys, causes to be destroyed; 3rd sing, pres,
caus, √naś (4P)
tat – them; neut, acc, sing, dem pron, *tad*
eva – indeed, truly; indec
sṛjati – [he] creates; 3rd, sing, pres, √sṛj (6P)
eṣaḥ – he/this one; masc, nom, sing, *etad*
pāyati – dries, withers, (here) evaporates; 3rd sing, pres, √pai
(1P)
eṣaḥ – he/this one; masc, nom, sing, *etad*
gabhastibhiḥ – with rays; masc, inst, pl
tapati – heats, warms; 3rd sing, pres, √tap (1P)
eṣaḥ – he/this one; masc, nom, sing, *etad*
varṣati – pours forth, rains down; 3rd sing, pres, √vṛṣ (1P)

एष सुप्तेषु जागर्ति भूतेषु परिनिष्ठितः ।
एष चैवाग्निहोत्रं च फलं चैवाग्निहोत्रिणाम् ॥ २३ ॥

पदच्छेद

एषः सुप्तेषु जागर्ति भूतेषु परिनिष्ठितः एषः च एव अग्निहोत्रम् च फलम्
च एव अग्निहोत्रिणाम् ।

पदपरिचय

एषः - एतद्, पुं, प्र, ए.व
सुप्तेषु - अ, नपुं, स, ब.व
जागर्ति - जागृ (निद्राक्षये), लट्, प, प्र, ए.व
भूतेषु - अ, नपुं, स, ब.व
परिनिष्ठितः - अ, पुं, प्र, ए.व
एषः - एतद्, पुं, प्र, ए.व
च - अव्ययम्
एव - अव्ययम्
अग्निहोत्रम् - अ, नपुं, प्र, ए.व
च - अव्ययम्
फलम् - अ, नपुं, प्र, ए.व
च - अव्ययम्
एव - अव्ययम्
अग्निहोत्रिणाम् - अग्निहोत्रम् अस्य अस्ति इति अग्निहोत्री, न, पुं, ष,
ब.व

अन्वय

भूतेषु परिनिष्ठितः एषः सुप्तेषु जागर्ति । एष एव अग्निहोत्रं च,
अग्निहोत्रिणां फलम् एव च ।

Verse 23

eṣa supteṣu jāgarti bhūteṣu pariniṣṭhitaḥ |
eṣa caivāgnihotraṃ ca phalaṃ caivāgnihotriṇām ||

Words separated & Prose

bhūteṣu pariniṣṭhitaḥ eṣaḥ supteṣu jāgarti eṣa ca eva agnihotram agnihotriṇām phalam ca |

Translation

Dwelling in [and] and having full knowledge of beings, he awakens those [who are] asleep; he is the *agnihotra* offering and the fruit of the *agnihotras*.

Word by word

bhūteṣu – in beings; neut, loc, pl
pariniṣṭhitaḥ – being in, well informed of; ppp, pari ni√sthā (1P)
eṣaḥ – he/this one; masc, nom, sing, *etad*
supteṣu – in those who are asleep; neut, loc, pl
jāgarti – awakens; 3rd, sing, pres, √jāgṛ (2P)
eṣaḥ – he/this one; masc, nom, sing, *etad*
ca – and; conj, indec
eva – indeed, truly; indec
agnihotram – offering in Vedic sacrifice; neut, nom, sing
phalam – fruit, reward; neut, nom, sing
ca – and; conj, indec
agnihotriṇām – of *agnihotras* (Ṛg Vedic priest in sacrifice); masc, gen, pl

वेदाश्च क्रतवश्चैव क्रतूनां फलमेव च ।
यानि कृत्यानि लोकेषु सर्व एष रविः प्रभुः ॥ ॥ २४ ॥

(उत्तरार्धस्य पाठभेदः - यानि कृत्यानि लोकेषु सर्वेषु परमप्रभुः)

पदच्छेद

वेदाः च क्रतवः च एव क्रतूनाम् फलम् एव च यानि कृत्यानि लोकेषु सर्वः
एषः रविः प्रभुः ।

पदपरिचय

वेदाः - अ, पुं, प्र, ब.व
च - अव्ययम्
क्रतवः - उ, पुं, प्र, ए.व.
च - अव्ययम्
एव - अव्ययम्
क्रतूनाम् - उ, पुं, ष, ब.व
फलम् - अ, नपुं, प्र, ब.व
एव - अव्ययम्
च - अव्ययम्
यानि - यद्, नपुं, प्र, ब.व
कृत्यानि - अ, नपुं, प्र, ब.व
लोकेषु - अ, पुं, स, ब.व
सर्वः - सर्व, पुं, प्र, ए..व
एषः - एतत्, पुं, प्र, ए.व
रविः - इ, पुं, प्र, ए.व
प्रभुः - उ, पुं, प्र, ए.व

अन्वय

वेदाः च क्रतवः च क्रतूनां फलं च (एषः) एव । लोकेषु यानि कृत्यानि
(तेषु), एषः रविः सर्वः प्रभुः ।

(पाठभेदस्य अन्वयः - लोकेषु यानि कृत्यानि, (तेषु) सर्वेषु (एषः) परमप्रभुः)

Verse 24

vedāśca kratavaścaiva kratūnāṃ phalameva ca |
yāni kṛtyāni lokeṣu sarva eṣa raviḥ prabhuḥ ||

Words separated & Prose

vedaḥ ca kratavaḥ ca eva kratūnām phalam eva ca yāni kṛtyāni lokeṣu sarvaḥ eṣa raviḥ prabhuḥ |

Translation

He is the Veda, the sacrifice and the fruit of the sacrifice. All those deeds that are worthy of being done in the worlds, all of them are this lord, Ravi.

Word by word

vedāḥ – Vedas; masc, nom, pl
ca – and; conj, indec
kratavaḥ – sacrificial rites; masc, nom, pl
ca – and; conj, indec
eva – indeed, verily; indec
kratūnām – of sacrificial rites; masc, gen, pl
phalam – fruit, reward; neut, nom, sing
eva – indeed, verily; indec
ca – and; conj, indec
yāni – those; neut, nom, pl, rel pron, *yat*
kṛtyāni – those [acts] that are worthy of doing; neut, nom, pl
lokeṣu – in the worlds; masc, loc, pl
sarvaḥ – all, everything; masc, nom, sing, pron
eṣaḥ – he/this one; masc, nom, sing, pron, *etad*
raviḥ – sun; masc, nom, sing, epith
prabhuḥ – lord, master; masc, nom, sing

एनमापत्सु कृच्छ्रेषु कान्तारेषु भयेषु च ।
कीर्तयन् पुरुषः कश्चिन्नावसीदति राघव ॥ २५ ॥

पदच्छेद

एनम् आपत्सु कृच्छ्रेषु कान्तारेषु भयेषु च कीर्तयन् पुरुषः कश्चित् न अवसीदति राघव ।

पदपरिचय

एनम् - एतद् (एनत्), पुं, द्वि, ए.व
आपत्सु - द, स्त्री, स, ब.व
कृच्छ्रेषु - अ, नपुं, स, ब.व
कान्तारेषु - अ, पुं, स, ब.व
भयेषु - अ, नपुं, स, ब.व
च - अव्ययम्
कीर्तयन् - त, पुं, प्र, ए.व (शतृ)
पुरुषः - अ, पुं, प्र, ए.व
कश्चित् - अव्ययम् (पुरुषस्य विशेषणम्)
न - अव्ययम्
अवसीदति - अव + षद्लृ (विशरणगत्यवसादनेषु), लट्, प, प्र, ए.व
राघव - अ, पुं, सम्बो, ए.व

अन्वय

राघव! कश्चित् पुरुषः, एनम् आपत्सु, कृच्छ्रेषु, कान्तारेषु, भयेषु च कीर्तयन् न अवसीदति ।

474

Verse 25

enamāpatsu kṛcchreṣu kāntāreṣu bhayeṣu ca |
kīrtayan puruṣaḥ kaścinnāvasīdati rāghava ||

Words separated & Prose

rāghava āpatsu kṛcchreṣu kāntāreṣu bhayeṣu ca enam kīrtayan
puruṣaḥ kaścid na avasīdati |

Translation

O Rāghava! In calamity, in difficulty, in hardship [and] in fear
the man praising him [Sūrya] never sinks/never comes to ruin.

Word by word

rāghava – Rāma; masc, voc, sing, epith
āpatsu – in calamity; fem, loc, pl
kṛcchreṣu – in hardship; neut, loc, pl
kāntāreṣu – in difficulty; masc, loc, pl
bhayeṣu – in fear; neut, loc, pl
ca – and; conj, indec
enam – him/this one; masc, acc, sing, pron, *etad*
kīrtayan – praising, glorifying; masc, nom, sing, pres part,
√kīrt (10P)
puruṣaḥ – man; masc, nom, sing
kaścid – ever; indec
na – no, not; part, indec
avasīdati – sinks, despairs, comes to ruin; 3rd, sing, pres,
ava√sad (1P)

पूजयस्वैनमेकाग्रो देवदेवं जगत्पतिम् ।
एतत् त्रिगुणितं जप्त्वा युद्धेषु विजयिष्यसि ॥ २६ ॥

पदच्छेद

पूजयस्व एनम् एकाग्रः देवदेवम् जगत्पतिम् एतत् त्रिगुणितम् जप्त्वा
युद्धेषु विजयिष्यसि ।

पदपरिचय

पूजयस्व - पूज (पूजायाम्), लोट्, आ, म, ए.व
एनम् - एतद् (एनत्), पुं, द्वि, ए.व
एकाग्रः - एकं अग्रं यस्य सः, एकाग्रः, अ, पुं, प्र, ए.व
देवदेवम् - देवानां देवः, देवदेवः, अ, पुं, द्वि, ए.व
जगत्पतिम् - जगतां पतिः, जगत्पतिः, इ, पुं, द्वि, ए.व
एतत् - एतद्, नपुं, द्वि, ए.व
त्रिगुणितम् - त्रिभिः गुणितम्, त्रिगुणितम्, अ, नपुं, द्वि, ए.व
जप्त्वा - क्त्वान्तम् अव्ययम्
युद्धेषु - अ, नपुं, स, ब.व
विजयिष्यसि - वि + जि (जये), लृट्, प, म, ए.व

अन्वय

एकाग्रः (त्वम्) देवदेवम्, एनं जगत्पतिं पूजयस्व । एतत् त्रिगुणितं
जप्त्वा, (त्वम्) युद्धेषु विजयिष्यसि ।

476

Verse 26

pūjayasvainamekāgro devadevaṃ jagatpatim |
etattriguṇitaṃ japtvā yuddheṣu vijayiṣyasi ||

Words separated & Prose

enam devadevam jagat-patim ekāgraḥ pūjayasva etat triguṇitam japtvā yuddheṣu vijayiṣyasi |

Translation

With undivided attention, honour him the god of gods, lord of the world; having recited this [Āditya Hṛdayam] three times, you will be victorious in battle.

Word by word

enam – him/this one; masc, acc, sing, pron, *etad*
deva-devam – god of gods; masc, acc, sing, TP
jagat-patim – lord of the world; masc, acc, sing, TP
ekāgraḥ – one-pointed, without distraction; masc, nom, sing, adj
pūjayasva – honour, glorify, worship; 2nd, sing, imp, √pūj (10P)
etat – this [Āditya Hṛdayam]; neut, acc, sing, dem pron, *etad*
triguṇitam – three times, multiplied three times; neut, acc, sing
japtvā – having recited, repeated in a low voice; ger, √jap (1P), indec
yuddheṣu – in battle(s); neut, loc, pl
vijayiṣyasi – you will win, be victorious; 2nd, sing, fut, √ji (1P)

अस्मिन् क्षणे महाबाहो रावणं त्वं वधिष्यसि ।
एवमुक्त्वा ततोऽगस्त्यो जगाम च यथागतम् ॥ २७ ॥

पदच्छेद

अस्मिन् क्षणे महाबाहो रावणम् त्वम् हनिष्यसि एवम् उक्त्वा ततः
अगस्त्यः जगाम च यथा आगतम् ।

पदपरिचय

अस्मिन् - इदम्, पुं, स, ए.व
क्षणे - अ, पुं, स, ए.व
महाबाहो - महान्तौ बाहू यस्य सः, महाबाहुः, अ, पुं, सम्बो, ए.व
रावणम् - अ, पुं, द्वि, ए.व
त्वम् - युष्मद्, प्र, ए.व
हनिष्यसि - हन (हिंसागत्योः), लृट्, प, म, ए.व
एवम् - अव्ययम्
उक्त्वा - क्त्वान्तम् अव्ययम्
ततः - अव्ययम्
अगस्त्यः - अ, पुं, प्र, ए.व
जगाम - गम्लृ (गतौ), लिट्, प, प्र, ए.व
च - अव्ययम्
यथा - अव्ययम्
आगतम् - अ, पुं, द्वि, ए.व

अन्वय

महाबाहो! त्वं अस्मिन् क्षणे रावणं हनिष्यसि । एवम् उक्त्वा ततः,
अगस्त्यः यथा आगतं, (तथा) जगाम च ।

Verse 27

asmin kṣaṇe mahābāho rāvaṇaṃ tvaṃ haniṣyasi ǀ
evamuktvā tato'gastyo jagāma ca yathāgatam ǁ

Words separated & Prose

mahābāho! asmin kṣaṇe tvam rāvaṇam haniṣyasi evam uktvā tataḥ agastyaḥ jagāma ca yathā āgatam ǀ

Translation

O mighty armed one! In that very moment, you will kill Rāvaṇa. Having said this, then Agastya went, the way he had arrived.

Word by word

mahābāho – mighty armed one; masc, voc, sing
asmin – in this/that; masc, loc, sing, pron, *idam*
kṣaṇe – moment; masc, loc, sing
tvam – you; nom, sing, per pron, *yuṣmad*
rāvaṇam – Rāvaṇa; masc, acc, sing, prop
haniṣyasi – will kill; 2nd, sing, fut, √han (2P)
evam – thus; indec
uktvā – having said, spoken; ger, √vac (2P), indec
tataḥ – then; adv, indec
agastyaḥ – name of sage; masc, nom, sing, prop
jagāma – went; 3rd, sing, perf, √gam (1P)
ca – and; conj, indec
yathā-āgatam – by the way he came; adv, indec

एतच्छ्रुत्वा महातेजा नष्टशोकोऽभवत्तदा ।
धारयामास सुप्रीतो राघवः प्रयतात्मवान् ॥ २८ ॥

पदच्छेद

एतत् श्रुत्वा महातेजाः नष्टशोकः अभवत् तदा धारयामास सुप्रीतः राघवः प्रयतात्मवान् ।

पदपरिचय

एतत् - एतद्, नपुं, द्वि, ए.व
श्रुत्वा - क्त्वान्तम् अव्ययम्
महातेजाः - महत् तेजः यस्य सः, महातेजाः, स, पुं, प्र, ए.व
नष्टशोकः - नष्टः शोकः यस्य सः, नष्टशोकः, अ, पुं, प्र, ए.व
अभवत् - भू (सत्तायाम्), लङ्, प, प्र, ए.व
तदा - अव्ययम्
धारयामास - धृञ् (धारणे), लिट्, आ, प्र, ए.व (णिचि)
सुप्रीतः - अ, पुं, प्र, ए.व
राघवः - अ, पुं, प्र, ए.व
प्रयतात्मवान् - प्रयतः आत्मा, प्रयतात्मा, प्रयतात्मा अस्य अस्ति इति प्रयतात्मवान्,
त, पुं, प्र, ए.व

अन्वय

एतत् श्रुत्वा महातेजाः (राघवः) नष्टशोकः अभवत् । तदा सुप्रीतः, प्रयतात्मवान् राघवः धारयामास ।

Verse 28

etacchrutvā mahātejāḥ naṣṭaśoko'bhavattadā |
dhārayāmāsa suprīto rāghavaḥ prayatātmavān ||

Words separated & Prose

etat śrutvā mahātejāḥ rāghavaḥ naṣṭa-śokaḥ abhavat tadā suprītaḥ
prayata-ātmavān dhārayāmāsa |

Translation

Having heard this, the greatly valorous Rāghava became free of worry. Exceedingly pleased, with [his] mind under control, he then fixed his resolve [upon the sage's bidding/Āditya Hṛdayam].

Word by word

etat – this; neut, acc, sing, dem pron, *etad*
śrutvā – having heard; ger, √śru (5P), indec
mahā-tejāḥ – whose valour is great; masc, nom, sing, BV
naṣṭa-śokaḥ – whose sorrow has been destroyed; masc, nom, sing, BV
abhavat – became; 3rd sing, impf, √bhū (1P)
tadā – then; adv, indec
dhārayām āsa – practised, fixed resolve on; 3rd sing, peri.p, √dhṛ (1U)
suprītaḥ – well pleased, exceedingly delighted; masc, nom, sing, adj
rāghavaḥ – Rāghava; masc, nom, sing, epith
prayata-ātmavān – possessing a controlled mind; masc, nom, sing

आदित्यं प्रेक्ष्य जप्त्वेदम् परं हर्षमवाप्तवान् ।
त्रिराचम्य शुचिर्भूत्वा धनुरादाय वीर्यवान् ॥ २९ ॥

पदच्छेद

आदित्यम् प्रेक्ष्य जप्त्वा इदम् परम् हर्षम् अवाप्तवान् त्रिः आचम्य शुचिः भूत्वा धनुः आदाय वीर्यवान् ।

पदपरिचय

आदित्यम् - अ, पुं, द्वि, ए.व
प्रेक्ष्य - ल्यबन्तम् अव्ययम्
जप्त्वा - क्त्वान्तम् अव्ययम्
इदम् - इदम्, नपुं, द्वि, ए.व
परम् - अ, पुं, द्वि, ए.व
हर्षम् - अ, पुं, द्वि, ए.व
अवाप्तवान् - त, पुं, प्र, ए.व (क्तवतु)
त्रिः - अव्ययम्
आचम्य - ल्यबन्तम् अव्ययम्
शुचिः - इ, पुं, प्र, ए.व
भूत्वा - क्त्वान्तम् अव्ययम्
धनुः - स, नपुं, द्वि, ए.व
आदाय - ल्यबन्तम् अव्ययम्
वीर्यवान् - वीर्यम् अस्य अस्ति इति वीर्यवान्, त, पुं, प्र, ए.व

अन्वय

आदित्यं प्रेक्ष्य, इदं जप्त्वा, परं हर्षम् अवाप्तवान् । त्रिः आचम्य शुचिः भूत्वा (सः) वीर्यवान्, धनुः आदाय ......

Verse 29

ādityaṃ prekṣya japtvedaṃ paraṃ harṣamavāptavān |
trirācamya śucirbhūtvā dhanurādāya vīryavān ||

Words separated & Prose

ādityam prekṣya triḥ ācamya śuciḥ bhūtvā idam japtvā param
harṣam avāptavān, vīryavān dhanur-ādāya |

Translation

Gazing at the sun, having sipped [water] three times [and
having] recited this [Āditya Hṛdayam] the brave [Rāma]
attained great happiness and picking up his bow...

Word by word

ādityam – Āditya; masc, acc, sing, epith
prekṣya – having looked at, gazing at; ger, pra√īkṣ (1Ā), indec
japtvā – having chanted, repeated; ger, √jap (1P), indec
idam – this; neut, acc, sing
param – highest, best; masc, acc, adj
harṣam – joy, happiness; masc, acc, sing
avāptavān – attained; masc, nom, sing, ppa, ava √āp (5P)
triḥ – three times; adv, indec
ācamya – having sipped; ger, ā√cam (1P), indec
śuciḥ – pure; masc, nom, sing, adj
bhūtvā – having become; ger, √bhū (1P), indec
dhanur – bow; neut, acc, sing
ādāya – having taken, picking up; ger, ā√dā (3P), indec
vīryavān – characterized by bravery, valour; masc, nom, sing

रावणं प्रेक्ष्य हृष्टात्मा युद्धाय समुपागमत् ।
सर्वयत्नेन महता धृतस्तस्य वधेऽभवत् ॥ ३० ॥

पदच्छेद

रावणम् प्रेक्ष्य हृष्टात्मा युद्धाय समुपागमत् सर्वयत्नेन महता धृतः तस्य वधे अभवत् ।

पदपरिचय

रावणम् - अ, पुं, द्वि, ए.व
प्रेक्ष्य - ल्यबन्तम् अव्ययम्
हृष्टात्मा - हृष्टः आत्मा यस्य सः, हृष्टात्मा, न, पुं, प्र, ए.व
युद्धाय - अ, नपुं, च, ए.व
समुपागमत् - सम् + उप + गम्लृ (गतौ), लुङ्, प, प्र, ए.व
सर्वयत्नेन - सर्वः यत्नः, सर्वयत्नः, अ, पुं, तृ, ए.व
महता - त्, पुं, तृ, ए.व
धृतः - अ, पुं, प्र, ए.व (क्तान्तम्)
तस्य - तद्, पुं, ष, ए.व
वधे - अ, पुं, स, ए.व
अभवत् - भू (सत्तायम्), लङ्, प, प्र, ए.व

अन्वय

रावणं प्रेक्ष्य, हृष्टात्मा युद्धाय समुपागमत् । (सः) महता सर्वयत्नेन तस्य वधे धृतः अभवत् ।

Verse 30

rāvaṇaṃ prekṣya hṛṣṭātmā yuddhāya samupāgamat |
sarvayatnena mahatā vadhe tasya dhṛto'bhavat ||

Words separated & Prose

hṛṣṭātmā yuddhāya samupāgamat rāvaṇam prekṣya
sarva-yatnena mahata tasya vadhe dhṛtaḥ abhavat |

Translation

[Rāma] whose soul was thrilled with rapture, seeing Rāvaṇa who had approached [him] for battle, with every great effort resolved to kill him.

Word by word

hṛṣṭa-ātmā – whose soul is bristling with joy, thrilled with rapture; masc, nom, sing, BV
yuddhāya – for battle; neut, dat, sing
samupāgamat – arrived, approached; 3rd, sing, aor, sam upa ā√gam (1P)
rāvaṇam – Rāvaṇa; masc, acc, sing
prekṣya – having looked at, seen; ger, pra√īkṣ (1Ā), indec
sarvayatnena – with every effort; masc, inst, sing, KD
sarva – all, every; pron, ic
yatnena – with effort; masc noun, ifc
mahatā – with great; masc, inst, sing
tasya – his; masc, gen, sing, pron, *tad*
vadhe – with respect to killing; masc, loc, sing
dhṛtaḥ – firmly resolved; masc, nom, sing, adj
abhavat – became; 3rd sing, impf, √bhū (1P)

अथ रविरवदन्निरीक्ष्य रामम् मुदितमनाः परमं प्रहृष्यमाणः ।
निशिचरपतिसंक्षयं विदित्वा सुरगणमध्यगतो वचस्त्वरेति ॥ ३१ ॥

पदच्छेद

अथ रविः अवदत् निरीक्ष्य रामम् मुदितमनाः परमम् प्रहृष्यमाणः निशिचरपतिसंक्षयम् विदित्वा सुरगणमध्यगतः वचः त्वर इति ।

पदपरिचय

अथ - अव्ययम्
रविः - इ, पुं, प्र, ए.व
अवदत् - वद् (व्यक्तायां वाचि), लङ्, प, प्र, ए.व
निरीक्ष्य - ल्यबन्तम् अव्ययम्
रामम् - अ, पुं, द्वि, ए.व
मुदितमनाः - मुदितं मनः यस्य सः, मुदितमनाः, स, पुं, प्र, ए.व
परमम् - अव्ययम्
प्रहृष्यमाणः - अ, पुं, प्र, ए.व (शानच्)
निशिचरपतिसंक्षयम् - निशि चरतीति निशिचरः, निशिचराणां पतिः, निशिचरपतिः, निशिचरपतेः संक्षयः, निशिचरपतिसंक्षयः, अ, पुं, द्वि, ए.व
विदित्वा - क्त्वान्तम् अव्ययम्
सुरगणमध्यगतः - सुराणां गणः, सुरगणः, सुरगणस्य मध्यं गतः, सुरगणमध्यगतः, अ, पुं, प्र, ए.व
वचः - स, नपुं, द्वि, ए.व
त्वर - ञि त्वरा (सम्भ्रमे) लोट्, प, म, ए.व
इति - अव्ययम्

अन्वय

अथ रामं निरीक्ष्य, निशिचरपतिसंक्षयं विदित्वा, मुदितमनाः सुरगणमध्यगतः, रविः, परमं प्रहृष्यमाणः, त्वर इति वचः अवदत् ।

Verse 31

atha raviravadannirīkṣya rāmaṃ muditamanāḥ paramaṃ prahṛṣyamāṇaḥ |
niśicarapatisaṃkṣayaṃ viditvā suragaṇamadhyagato vacastvareti ||

Words separated

atha raviḥ avadat nirīkṣya rāmam muditamanāḥ paramam prahṛṣyamāṇaḥ niśicarapati-saṃkṣayam viditvā suragaṇa-madhya-gataḥ vacaḥ tvara iti |

Prose

atha rāmam nirīkṣya, niśicarapati-saṃkṣayam viditvā, suragaṇa-madhya-gataḥ mudita-manāḥ paramam prahṛṣyamāṇaḥ raviḥ tvara iti vacaḥ avadat |

Translation

Then, the sun god, gladdened, standing in the middle of all the *suras*, looked at Rāma [and] knowing that the end of the lord of night-prowlers was near, being exceedingly pleased, said: Hurry!

Word by word

atha – then, thereafter; conj, indec
raviḥ – the sun god; masc, nom, sing, epith
avadat – said; 3rd, sing, impf, √vad (1P)
nirīkṣya – having looked at; ger, nis√īkṣ (1A), indec
rāmam – Rāma; masc, acc, sing
muditamanāḥ – whose heart is gladdened; masc, nom, sing, BV
paramam – exceedingly; adv, indec
prahṛṣyamāṇaḥ – being rapturously delighted; pres part, pra√hṛṣ (1Ā)

niśicarapatisaṃkṣayam – destruction of the lord of the night prowlers; masc, acc, sing

niśicara-pati – lord of night-prowlers; masc, TP, ic

saṃkṣayam – destruction; masc noun, ifc

viditvā – having known, knowing; ger, √vid (2P), indec

suragaṇamadhyagataḥ – in the middle of the band of *suras*; masc, nom, sing, TP

suragaṇa – band/hordes of *suras*; TP, ic

madhya-gataḥ – (lit.) gone to the middle, standing amongst; masc, nom, sing, TP

vacaḥ – word, command; neut, acc, sing

tvara – quick, make haste; 2nd, sing, imp, √tvar (1U)

iti – speech marker; indec

Acknowledgements

@RamaNewDelhi and @ShankkarAiyar for believing in me. @ bibekdebroy for his unflagging and inexplicable indulgence of my madness. @kavereeb for given #SAH a voice on DailyO. @Mamdhata @ksmsundaram1975 and @waynemcevilly for being there whenever Twitter turned dark.

Karen O'Brien Kop, PhD candidate, SOAS, who gave so generously of her time to proof check the transliteration and translation of this reader. Eric Gurevitch, PhD student, University of Chicago, for his brilliant and timely intervention on how to improve the translation.

My deepest gratitude to everyone who has supported #SanskritAppreciationHour directly and indirectly over the years: @iksusara @PnNamboo @sudarshanhs @haritirumalai @Vinayakrajat @vinaykr91 @Gopalee67 @EMGurevitch @Muddassirahmad7 @suhasm @SNChd @samjignyasu @ rajara13 and @bangalorehuduga

Special thanks also to @madversity @hchaturv @DrShobha @iamrana and @gchikermane for being there come rain or sunshine.

Appendix: Prayers in Hindi

॥ ॐ वक्रतुडाय नमः ॥

गणेशपञ्चरत्नम्

1. मैं उस विनायक को नमन करता हूँ, जो आनन्द से अपने हाथ में मोदक धरता है, जो सदा हि मुक्ति का साधन है, चन्द्र जिसका आभूषण है, जो प्रसन्नता से विश्व की रक्षा करता है, जो सभी का स्वामी है और जिसका कोई स्वामी नही है, जिसने गज-दैत्य(गजासुर) का संहार किया, जो उन सभी के विघ्नों को झट से हर लेता है जो उसके सामने नतमस्तक होता है ।

2. जो [अहङ्कारवश] उसके सामने नतमस्तक नहीं होते उनके लिये वह अतिभयङ्कर है, मैं उस नवोदित प्रकाशमान [भगवान] का आश्रय लेता हूँ जिसके आगे सुर और असुर नतमस्तक हैं, जो हर तरह की आपदों से हमारा उद्धार करता है । मैं उस गणेश के आगे नतमस्तक हूँ जो देवों का भी ईश्वर (देव) है, जो ऐश्वर्य का गजों का और गणों का स्वामी है [ऐसा] महादेव जो उत्तमोत्तम हैं ।

3. मैं उस प्रकाशपुञ्ज, जो कि पूजित है, समस्त विश्व का मङ्गल करता है, जिसने गजासुर का नाश किया, जिसका पेट बडा है, ऐसे श्रेष्ठ, उत्कृष्ट गज के मुख बाले, कृपा करने बाले, क्षमा करने बाले, खुश करने बाले, यश देने बाले और ज्ञान देने बाले के आगे शीश झुकाता हूँ ।

4. दरिद्रों के दुःखदर्द मिटाने बाला, प्राचीन उक्तियों के योग्य, शिव का पहला पुत्र, देवों के गर्व का नाश करने वाला, प्रपञ्च के नाशक (शिव) के समान भयङ्कर, धनञ्जय आदि जिसके भूषण हैं, जिसके गण्डस्थल में मद हो, ऐसे हाथी (के स्वरूप) को, मैं उस पुराणवारण नमन करता हूँ ।

Translated by Vinayak Ranjan Bhat

5. अत्यन्त मनोहर दन्त कान्ति वाला, यम का अन्त करनें में समर्थ(शिव) का पुत्र, जिसके रूप की कल्पना नहीं की जा सकती, अविनाशी, विघ्नों का नाश जिससे होता है, हमेशा योगियों के हृदय के भीतर वास करनें वाला, उस एक ही दाँत बाले का मैं हमेशा ध्यान करता हूँ ।

6. जो प्रतिदिन प्रातः काल में गणेश को हृदय में स्मरण करता हुआ, आदर से गणेशपञ्चरत्न को बोलता है (पढता है), वह जल्द ही रोग रहित (और) दोष रहित (होता है), (ईश्वर के साथ) अच्छे दाम्पत्य को, सत्पुत्र को, आठ वैभवों को और सङ्कलित (पूर्ण) आयु को प्राप्त करता है ।

भजगोविन्दम्

1. हे मन्दमती ! निरन्तर गोविन्द का भजन कर, क्योंकि मृत्यु का समय पास आने पर व्याकरण की धातु डुकृञ्-करणे तुम्हारी रक्षा नही करेगी ।

2. हे मूर्ख! धन की पिपासा का त्याग करो, इच्छाओं से अपने मन को मुक्त करो और अच्छा सोचो, जो अपने कर्म से प्राप्त करो, उस धन से अपने मन को आनन्दित करो ।

3. नारी के स्तन और नाभी को देख कर मोह को मत प्राप्त होओ । बार-बार यही सोचो कि ये तो बस मांस और वसा के विकार हैं ।

4. कमल के दल में पानी अतीव तरल होता है (अर्थात् एक जगह स्थिर होकर नही ठहरता है), उसी प्रकार यह जीवन भी अतीव चञ्चल है । यह पूरा लोक लोभ और अभिमान से ग्रस्त होकर दुःख से पीडित है, यह तुम जानो ।

5. जब तक कोई व्यक्ति धनार्जन में समर्थ होता है तब तक उसका परिवार उसमें प्रेम और आदर रखता है । उसके बाद वह केवल जीर्ण हुए शरीर के साथ रहता है और परिवार का कोई भी सदस्य उस पर ध्यान नहीं देता ।

6. जब तक शरीर में प्राणवायु है, तब तक घर में सम्मान मिलता है । जैसे ही प्राणवायु शरीर से अलग हो जाती है, पत्नी भी उस शरीर को देखकर भयभीत हो जाती है ।

7. बच्चा हमेशा खेलने में आसक्त होता है, युवक युवती में आसक्त होता है, वृद्ध चिन्ता में आसक्त (लीन) होता है, लेकिन परब्रह्म परमात्मा में किसी कि आसक्ति नही है ।

8. तुम्हारी पत्नी कौन है? कौन है तुम्हारा पुत्र? तुम किसके हो? कहाँ

से आये हो? यह संसार अतीव विचित्र है । हे भाई! इन तत्त्वों को जानों (जानने का प्रयास करो) ।

9. सज्जनों के संग से निस्संगता के भाव उत्पन्न होते है, निस्संगता से निर्मोहता के । निर्मोह के भाव से निश्चलतत्त्व(स्थिर बुद्धि की अर्थात् संशय रहित ज्ञान की) की प्राप्ति होती है । निश्चलतत्त्व से मनुष्य जीते हुए ही मुक्ति के आनन्द को प्राप्त करता है ।
10. आयु के बीत जाने पर क्या काम का विकार है (अर्थात् बुढापे में काम की इच्छा नहीं होनी चाहिये), पानी के सूखने पर क्या सरोवर (पानी के होने पर ही सरोवर सरोवर कहलाता है), वित्तके क्षीण होने पर क्या परिवार (जब व्यक्ति पैसा कमाना छोड देता है या उसकी आर्थिक स्थिति क्षीण हो जाती है, तब परिवार बाले उसे परिवार के सदस्य कि तरह नहीं देखते), तत्त्व का ज्ञान होने पर क्या संसार (मोक्ष या आनन्द का ज्ञान होने पर व्यक्ति का संसार से कोई तात्पर्य या सम्बन्ध नहीं रहता) ।
11. धन, जन और यौवन पर अहङ्कार मत करो क्योंकि काल(समय) एक ही क्षण में इन सबको हर लेगा । मायायुक्त इन सब का त्याग कर के ब्रह्म के पद को जानकर तुम उसमें प्रवेश करो ।
12. दिन और रात, शाम और सुबह, शिशिर और वसन्त आते और जाते रहते हैं । काल अपना खेल खेलता है और आयु क्षीण होती रहती है, फिर भी आशा रूपी जो वायु है, उसको व्यक्ति नहीं छोडता है ।
13. हे उन्मत्त (पागल) तुम्हें यह क्या पत्नी और धन की चिन्ता (लगी है) ? तीनों लोकों मे क्या तुम्हें सम्भालने वाला कोई नहीं ? इस भवसागर तैरने के लिये सज्जनों का साथ ही एकमात्र नाव है ।
14. बडे-बडे बाल (जटायें), मुण्डन किया हुआ सिर, उखडे हुए केश [नोचे हुए बाल], कषाय वस्त्र इत्यादि विविध वेश अपना पेट भरने के लिये मनुष्य धारण करता है । मूर्ख इन सबको देख कर भी नहीं देखता है ।
15. वृद्ध मनुष्य का शरीर गल गया है, बाल पक गये हैं, मुख दातों से विहीन हो गया हैं, वह हाथ में छडी पकडकर चलता है, फिर भी आशा के ढेल को नहीं छोडता है ।
16. भिक्षुक के सामने आग है, पीछे सूर्य का ताप, रात्रि में वह घुटनों में सर छुपाता है, हाथ में भिक्षा और पेड के नीचे बसेरा है फिर भी वह आशा के पाश को नहीं छोडता है ।
17. व्यक्ति गंगासागर जाता है, हर व्रत का पालन करता है या दान करता है पर यदि वह ज्ञान से सर्वथा विहीन है, तो वह किसी भी

प्रकार से मुक्ति को नहीं प्राप्त करता है, यह बात हर धर्म में कही गयी है ।

18. देवालय में अथवा वृक्ष के नीचे जिसका निवास है, भूमि जिसका बिस्तर है, सभी सुखों का त्याग करने बाले किस विरागी को आनन्द प्राप्त नहीं होता । (अर्थात् अवश्य आनन्द मिलता है) ।

19. व्यक्ति योग में डूबा हो या भोग में, संग में आसक्त हो या निस्संग में, अगर ब्रह्म (परमात्मा) में उसका मन रमता है, तो वह आनन्द ही आनन्द का अनुभव करता है ।

20. जिसने भगवद्गीता को थोडा भी पढा हो, गंगाजल का बूंद भी पिया हो, कम से कम एक बार मुरारि (विष्णु) कि अर्चना की हो, उसकी चर्चा यम भी नहीं करता है । (अकाल मृत्यु को वह प्राप्त नहीं करता) ।

21. बार-बार जन्म, बार-बार मृत्यु, बार-बार माता के गर्भ में शयन (इस प्रकार) अतीव कठिन और पार रहित संसार से मेरी रक्षा करो !

22. रास्ते में गिरे हुए फटे टुकडों से बने कपडे वाला, पुण्य और अपुण्य (पाप) रहित रास्ते बाला और योग में लीन मन बाला योगी बच्चे (या) पागल की तरह रमता है ।

23. तुम कौन हो ? मैं कौन हूँ ? कहाँ से आया हूँ ? कौन मेरी माता है ? और कौन मेरा पिता है ? इस प्रकार इस विश्व को सार रहित मानकर इसको एक स्वप्न मानकर त्याग दो ।

24. तुझमें, मुझ में और हर तरफ एक ही विष्णु है, इसलिये तुम मुझ पर व्यर्थ हि क्रोध करते हो । यदि तुम शीघ्र ही विष्णु पद प्राप्त करना चाहते हो, तो सर्वत्र समान चित्त (मन) बाले होओ (अर्थात् सब को समान रूप से देखो) ।

25. शत्रु, मित्र, पुत्र और बन्धु में अलगाव या सन्धि का प्रयत्न मत करो । सबमें अपने को देखो, सब (अलग हैं) ऐसे भेद के बोधक अज्ञान को त्याग दो । [ये मुझ से अलग है, यह सोच छोड दो] ।

26. काम, क्रोध, लोभ और मोह को छोडकर "मैं कौन हूँ" यह विचार करो, आत्मा के ज्ञान से रहित जो मूर्ख हैं, वे नरक में डूबकर पकते [तपते] हैं ।

27. हम विष्णु के हजारों नामों को गायें (सहस्र नाम का जप करें), श्रीपति (विष्णु) के सुन्दर रूप का ध्यान करें, सज्जनों में मन लगायें (सज्जनों के साथ समय व्यतीत करें), और दीन (गरीब) लोगों को धन दें (अर्थात् गरीबों कि सहायता करें) ।

28. सुख से स्त्री का भोग किया जाता है (जिससे) बाद में शरीर में रोग होता है । यद्यपि लोक में मृत्यु ही (अन्तिम) शरण है, फिर भी मनुष्य पाप करना नहीं छोडता है ।

29. अर्थ को हमेशा अनर्थ मानो (क्योंकि) उससे कभी कोई सुख नहीं मिलता है । धनवान लोगों को अपने पुत्र से भी डर लगता है, यह रीति हर तरफ है [हर जगह यह देखने को मिलता है]।

30. प्राणायाम , प्रत्याहार, नित्य और अनित्य का विचार और जप के साथ समाधि ध्यान लगाओ और ज्यादा (ही) ध्यान लगाओ ।

31. गुरु के चरणकमलों में लीन, भक्त बनकर इस संसार से शीघ्र मुक्ति पाओ । इस तरह इन्द्रिय सहित मन के नियन्त्रण से (ही) अपने हृदय में स्थित ईश्वर को देख सकोगे ।

32. एक (वृद्ध) मूर्ख वैयाकरण (वृद्धवस्था में) डुकृञ् करणे इस धातु के अध्ययन में लीन (था, उसको) श्रीमान् शङ्कराचार्य के शिष्यों द्वारा बोधित किया गया ।

33. गोविन्द (नाम) का स्मरण करो, क्योंकि नाम के अतिरिक्त संसार सागर के पार जाने का कोई और (रास्ता) हमको नहीं दिखता ।

विष्णुषट्पदी (हिन्दी)

1. हे विष्णु ! मेरे अविनय को दूर करो, मन को स्थिर करो, विषयरूपी मृगतृष्णा को शान्त करो, सभी प्राणियों पर दया करने के भाव का विस्तार करो और मुझे संसार सागर के पार लगाओ ।

2. श्रीपति (विष्णु) के उन दो चरण कमलों का मैं वन्दन करता हूँ, जो कि गङ्गा के रस के समान हैं, सच्चिदानन्द के गन्ध हैं, संसार के दुःख और भय का नाश करने बालें हैं ।

3. हे ईश्वर! यद्यपि मैं तुम्हारा हूँ और मुझे तुमसे कोई अलग नहीं कर सकता तथापि तुम मेरे नहीं हो (तुम मैं नहीं हो), उसी तरह जिस प्रकार तरङ्ग समुद्र का होता है, परन्तु समुद्र कहीं भी, किसी भी तरङ्ग का नहीं है ।

4. हे पर्वत को धारण करने बाले! हे पर्वत को भेदने बाले(इन्द्र) के अनुज, दनुजकुल के मित्र, सूर्य और चन्द्र को जिसके नेत्र हैं ऐसे नेत्रों बाले तुम्हारे प्रभावयुक्त दृष्टि से क्या संसार की माया का तिरस्कार नही होगा?

5. हे परमेश्वर, मत्स्य आदि अवतारों द्वारा इस वसुधा कि रक्षा करने बाले तुमसे, मैं संसार के ताप से डरा हुआ, रक्षित किया जाऊँ ।

6. हे दामोदर! हे गुणों के मन्दिर! हे सुन्दर कमलों जैसे मुख बाले! हे गोविन्द! हे संसारसागर को मथने बाले मन्दरपर्वत! तुम मेरे अतिशय डर को दूर करो ।

7. हे करुणामय नारायण! मैं तुम्हारे दोनों चरणों की शरण लेता हूँ । ये छह रचनायें(पद्य) हमेशा मेरे होठों पर रहें ।

हर्यष्टकम् (हिन्दी)

1. दुष्टता से भरे लोग भी अगर हरि का स्मरण करतें हैं तो हरि उनके सभी पापों को है, जैसे कि अगर कोई न चाहते हुए भी अग्नी का स्पर्श करता है तब भी अग्नि अवश्य उसे जलाती है ।
2. जिसके जिह्वा के अग्रभाग में "हरि" यह दो अक्षर हों वह गङ्गा, गया, सेतु, काशी और पुष्कर है ।
3. जिसने हरि इन दो अक्षरों का उच्चारण किया हो वह वारणासी में, कुरुक्षेत्र में और नैमिषारण्य में सत्कार (सम्मान) प्राप्त करता है ।
4. जिसने हरि इन दो अक्षरों का उच्चारण किया हो वह पृथिवी में जितने भी तीर्थ हैं, जितने भी पुण्यक्षेत्र हैं, वे सब उसे प्राप्त हैं ।
5. जिसने हरि इन दो अक्षरों का उच्चारण किया हो उसने अवश्य हि हजार करोड गायों का और सहस्र सुवर्णतुल्य कन्याओं दान किया होगा ।
6. जिसने हरि इन दो अक्षरों का उच्चारण किया हो उसने अवश्य हि चारों वेदों का अध्ययन किया होगा ।
7. जिसने हरि इन दो अक्षरों का उचारण किया है उसने अवश्य ही कई अश्वमेधमहायज्ञ, सौ वाजपेययज्ञ किये होंगे ।
8. "हरि" यह जो दो अक्षर का शब्द है वह मृत्यु यात्रा के समय पाथेय [रास्ते का भोजन] है, संसार के सभी रोगों का नाशक है और अत्यन्त दुःख से रक्षा करने वाला है ।
9. जिसने एक बार भी "हरि" इन दो अक्षरों का उच्चारण किया हो उसनें मोक्ष कि तरफ जाने के लिये आवश्यक सामग्रियों को बांध लिया है ।
10. जो भी इस पुण्य हर्यष्टक का पठन प्रातःकाल के समय में करेगा वह आयु, बल, आरोग्य और यश में वृद्धि को प्राप्त करता है ।
11. प्रहलाद द्वारा कि गयी यह स्तुति दुःख के समूह को सुखा देने वाली है, जो यह स्तोत्र पढता है वह विष्णु के परमपद (विष्णुलोक/मोक्ष) को प्राप्त करता है ।

श्रीहरिस्तोत्रम्

1. मैं, जगत (लोकों) के समूह की रक्षा करने बाले को, दमकते हुए कण्ठमाला बाले को, शरद ऋतु के चन्द्र के समान मस्तक बाले को,

बड़े-बड़े दैत्यों के (लिये जो) मृत्यु (है) को, आकाश के समान नीले शरीर बाले को, जिसकी माया कष्ट से आवृत [वश में आती] होती है उसको (और) लक्ष्मी जिसके साथ है (उसको) भजता हूँ ।

2. सदा समुद्र में रहने बाले, जिसके मुख फूल के समान मन्द हास गिर रहें हैं, जगत् के श्रेष्ठ निवास (स्थान) को, सौ सूर्यों के समान प्रकाश बाले, गदा और चक्र जिसके अस्त्र हैं (ऐसे), पीले वस्त्र जिसमें शोभायमान हैं, (ऐसे), मन्दहास युक्त सुन्दर मुख बाले को मैं भजता हूँ ।
3. मैं, लक्ष्मी जिसके गले का हार है, वेद (वाक्यों) के समूह के सार को, जल में [समुद्र में] विहार करने बाले, भूमि के भार को हरने बाले [हल्का करने बाले], सदा आनन्दित रूप बाले को, मन को हरने बाले स्वरूप को, अनेक रूप को धरने बाले को भजता हूँ ।
4. बुढ़ापे और जन्म से रहित, औरों के आनन्द से खिलने[फूलने] बाले को, समाधि में लीन, जो हमेशा पुराना ही है, संसार के उत्पत्ति के कारण को, देवों की सेना के ध्वज को, तीनों लोकों (को जोडने बाले) के सेतु को मैं भजता हूँ ।
5. जिसकी वेद में स्तुति की गयी है(उसको), पक्षियों का राजा [गरुड] जिसका वाहन है(उसको), (जो) विमुक्ति का साधन (है) (उसको), शत्रु के गर्व को हरने बाले को, भक्तों के लिये अनुकूल को, संसार रूपी वृक्ष के मूल को, जिसनें दीनों के दुःख को दूर किया (उसको), मैं भजता हूँ ।
6. मैं सभी देवताओं के स्वामी को, भंवरे की कान्ति के समान केश बाले को, जगत का बिम्ब जिसका (एक) कण (मात्र) है (उसको), (भक्तों का) हृदय रूपी आकाश जिसका देश है(उसको), हमेशा दमकते हुए देह बाले को, जिसनें समस्त प्रवृत्तियों से (भक्तों) को मुक्त किया है (उसको), सुन्दर वैकुण्ठ जिसका घर है (उसको) भजता हूँ ।
7. देवताओं की पङ्क्ति में बलिष्ठ को, तीनों लोकों में श्रेष्ठ, गुरुओं में भी गुरुतर, हमेशा अपने स्वरूप में रहने बाले(अविकारी) को, युद्ध में वीर को, बड़े-बड़े वीरों से भी वीर को, विशाल समुद्र के तट को मैं सदा भजता हूँ ।
8. लक्ष्मी जिसके बायें भाग में है (उसको), जिसके नीचे नाग (रहता) है (उसको), जिसने याग को (अपने) अधीन किया है (उसको), जिससे द्वेष और प्रेम (दोनों) दूर हैं (उसको), मुनियों में (जो) श्रेष्ठ हैं उनसे स्तुत को, देवों से घिरे हुए को, गुणों के समूह से परे को मैं भजता हूँ ।

9. जो हमेशा मन को स्थिर रखकर, मुरारी के कण्ठ के हार स्वरूप इस अष्टक को पढेगा, वह शोक रहित विष्णु लोक को सदा के लिये जायेगा, फिर (कभी) बुढापे और जन्म के शोक को नहीं प्राप्त करता है ।

श्रीकृष्णाष्टकम्

1. मैं, वासुदेव के पुत्र, कंस और चाणूर को मसलने बाले, देवकी के (लिये जो) परम आनन्द [आत्यन्तिक सुख प्रदान करने वाला] (प्रदान करने बाले) जगद्गुरु [संसार के गुरु] भगवान् श्रीकृष्ण की (मैं) वन्दना करता हूँ ।

2. मैं, अलसी (नामक सस्य) के पुष्प से घिरे हुए, हारों और पाजेबों से शोभित, रत्नों से बनें कड़े [कङ्कण] और बाजुबंद हैं जिसके (ऐसे) जगद्गुरु [संसार के गुरु] भगवान् श्रीकृष्ण की वन्दना करता हूँ ।

3. मैं दमकते हुए कुण्डल को पहनने बाले घुंघराले बालों से युक्त, पूर्ण चन्द्र जैसे मुख बाले जगद्गुरु [संसार के गुरु] भगवान् श्रीकृष्ण की (मैं) वन्दना करता हूँ ।

4. मन्दारपुष्प के गन्ध से संयुक्त सुन्दर मुस्कान बाले, चार भुजाओं बाले, मोरपंख जिसके शरीर में आभरण (के रूप में) हैं (ऐसे) जगद्गुरु [संसार के गुरु] भगवान् श्रीकृष्ण की (मैं) वन्दना करता हूँ ।

5. खिले हुए कमल के पत्तों जैसे नेत्रों बाले, काले बादल के समान (शरीर बाले), यादवों के शिरोरत्न (भूषण) जगद्गुरु [संसार के गुरु] भगवान् श्रीकृष्ण की (मैं) वन्दना करता हूँ ।

6. रुक्मिणी के खेल में मिले हुए [रुक्मिणी के साथ खेलने में लीन), पीले वस्त्रों से सुशोभित, जिसनें तुलसी के गन्ध को पाया है [जिसके शरीर का गन्ध तुलसी के गन्ध जैसा है) (ऐसे) जगद्गुरु [संसार के गुरु] भगवान् श्रीकृष्ण की (मैं) वन्दना करता हूँ ।

7. गोपिकाओं के दोनों स्तनों मे लगे सिन्दूर से जिसका वक्षस्थल चिह्नित है, (ऐसे) लक्ष्मी के निवास को, बड़े धनुष बाले जगद्गुरु [संसार के गुरु] भगवान् श्रीकृष्ण की (मैं) वन्दना करता हूँ ।

8. श्रीवत्स (विष्णु के छाती में दक्षिण के तरफ घूमे हुए बाल) जिसके छाती में हैं, बड़े छाती बाले, जङ्गली(पुष्पों) के माला से सुशोभित, शङ्ख और चक्र को धरने बाले जगद्गुरु [संसार के गुरु] भगवान् श्रीकृष्ण की (मैं) वन्दना करता हूँ ।

शिवमानसपूजा

1. हृदय में कल्पित रत्नकल्पित आसन को, बर्फीले पानी को, कई रत्नों से विभूषित दिव्य वस्त्र को, मृगमद (कस्तूरी) के गन्ध से युक्त चन्दन, दीप और धूप को तुम्हारे द्वारा ग्रहण किया जाये ।

2. हे प्रभु ! मेरे मन से और भक्ति से तैयार किये हुए सोने से और नवरत्नों से बनाये गये बर्तन में घी, खीर, पाँच तरह के खाद्य पदार्थ, दूध और दही से युक्त केले, पानक, मिश्रित सब्जियां, रुचिकर जल, कपूर का खण्ड (और) ताम्बूल [पान के पत्ते और सुपारी] लो [अर्थात् ग्रहण करो] ।

3. हे विभु ! हे प्रभु ! छाता, दो मोरछल और पंखे, निर्मल दर्पण, वीणा, भेरी, मृदंग और दुन्दुभि के गान, नृत्य, साष्टांग प्रणाम, अनेक स्तोत्र (इत्यादि) मेरे द्वारा समर्पित की गयी ये जो सारी तुम्हारी पूजा है, (उसे) ग्रहण करो ।

4. हे शम्भो (तुम) (मेरे) आत्मा हो । गिरिजा [माता पार्वती] मेरी मति है । (तुम्हारे) सहचर (मेरे) प्राण हैं । (मेरा) शरीर (तुम्हारा) घर है । विषयोपभोग की रचना तुम्हारी पूजा है, (मेरी) नींद (तुम्हारी) समाधि की अवस्था है । (मेरे) पांवो का चलना (तुम्हारी) प्रदक्षिणा है । (मेरी) सभी बोली (तुम्हारे) स्तोत्र (हैं) । (मैं) जो जो कर्म करता हूँ, वो सब तुम्हारी आराधना (है) ।

5. हे करुणा के सागर शम्भो तुम्हारी जय हो ! (मेरे) हाथ या पैर से किया गया, बोली से उत्पन्न, कर्म से उत्पन्न, नेत्र या कर्ण से उत्पन्न या मन से किया हुआ या न भी किया हुआ (जो) अपराध है, इन सबको तुम क्षमा करो ।

रुद्राष्टकम्

1. मैं मोक्ष के स्वरूप ईशान [ऐश्वर्य जिसका शील है/स्वभाव है] को, विभु [जो सब जगह वर्तमान है] को , व्यापक को, ब्रह्म [परमात्मा] के और वेद के स्वरूप को, चेष्टा से रहित को, आकाश के समान निर्लिप्त ज्ञान के स्वरूप को, आकाश जिसका वास है उस शिव को मैं भजता हूँ ।

2. मैं आकाररहित को, ॐकार के मूल को, ब्रह्म को [तुरीय का अर्थ ब्रह्म है], वाक् ज्ञान और इन्द्रियों से परे को, गिरीश [पर्वतों के स्वामी] को, भयानक(स्वरूप) को महाकाल [यहां महाकाल मृत्यु के देवता यम हैं] के काल [मृत्यु/वश करने बाले] को कृपालु को, गुणों के खदान (रूपी) संसार के पार को नमन करता हूँ ।

3. (जिसके) दमकते हुए माथे पर कल कल करने वाली सुन्दर गङ्गा (है) और दूज का चाँद है, जिसके गले में नाग है (ऐसे) बर्फीले पर्वत के समान सफेद (रंग बाले) को, गम्भीर को, मन में उत्पन्न अनन्त प्रभाओं का ऐश्वर्य युक्त शरीर जिसका है उसको मैं भजता हूँ ।
4. मैं झूमते हुए कुण्डल (बाले) को, स्वच्छ (सफेद/गौर) आँखों (बाले) को विशाल(शरीर बाले) को, प्रसन्न मुख (बाले) को, नीले कण्ठ (बाले) को, दयालू को, सिंह के खाल के वस्त्र (बाले) को, कपाल (से बनें) माला (को पहनने) बाले को, (सभी के) प्रिय को, सभी के स्वामी शङ्कर को मैं भजता हूँ ।
5. मैं उग्र, प्रधान, गम्भीर (और) अखण्ड परमात्मा को भजता हूँ । मैं अनन्त सूर्य(तुल्य) प्रकाश (बाले) को, तीन शूलों [दोषों] के निवारक को, त्रिशूल हस्त को, (भक्ति)भाव से जानने योग्य भवानी के पति को मैं भजता हूँ ।
6. हे प्रभु ! तुम कला से परे, कल्याणकारी, कल्प के अन्तक हो, हमेशा सज्जनों को आनन्द देने बाले, पुरों के शत्रू हो, मन के आनन्द के समूह हो और मोह को हरने बाले हो, हे कामदेव के शत्रु ! मुझ पर प्रसन्न होओ ! प्रसन्न होओ !
7. इस लोक में या लोकान्तर में जब तक (मनुष्य) उमानाथ के चरणकमलों की सेवा नहीं करते हैं तब तक मनुष्यों को सुख, शान्ति (कि प्राप्ति), दुः ख का नाश नहीं होता है । हे सभी भूतों (पाँच तत्त्वों में) वास करने बाले प्रभु ! प्रसन्न हो ।
8. मैं योग नहीं जानता हूँ, जप और पूजा तो जानता ही नहीं, हे देव मैं सदा तुम्हें नमन करता हूँ । हे प्रभु ! बुढापे, जन्म और दुःख के प्रवाह से पीड़ित (मेरी) (इस) शाप से रक्षा करो । हे शम्भो ! हे ईश ! मैं तुम्हें नमन करता हूँ ।
9. जो मनुष्य, ब्राह्मण द्वारा शिव को प्रसन्न करने के लिये कहा गया यह स्तोत्र भक्ति से पढता है, उस पर शम्भु प्रसन्न होतें है ।

लिङ्गाष्टकम्

1. ब्रह्मा, विष्णु और देवों द्वारा पूजित लिङ्ग को, निर्मल कान्ति से सुशोभित लिङ्ग को, जन्मजन्य दुःख के विनाशक लिङ्ग को, उस सदाशिव के लिङ्ग को मैं प्रणाम करता हूँ ।
2. देवों और ऋषिप्रवरों द्वारा अर्चित लिङ्ग को, कामदेव को जलाने बाले करुणाकर लिङ्ग को, रावण के अहङ्कार का नाश करने बाले लिङ्ग को, उस सदाशिव के लिङ्ग को मैं प्रणाम करता हूँ ।

3. सभी सुगन्धों से लिप्त लिङ्ग को, बुद्धि के वर्धन में कारण (जो है,उस) लिङ्ग को, सिद्ध, देवता और असुरों द्वारा वन्दित लिङ्ग को, उस सदाशिव के लिङ्ग को मैं प्रणाम करता हूँ ।
4. सुवर्ण माणिक्यादि महामणियों से अलङ्कृत लिङ्ग को, नागों के राजा द्वारा लिपटे हुए लिङ्ग को, दक्ष के यज्ञ के विनाशक लिङ्ग को, उस सदाशिव के लिङ्ग को मैं प्रणाम करता हूँ ।
5. सिन्दूर और चन्दन से पुते हुए लिङ्ग को, कमल के हार से सुशोभित लिङ्ग को, सङ्ग्रह किये गये पापों के विनाशक लिङ्ग को, उस सदाशिव के लिङ्ग को मैं प्रणाम करता हूँ ।
6. भाव और भक्ति से देवगणों द्वारा अर्चित और सेवित लिङ्ग को, करोड सूर्यों सा प्रकाश करने बाले लिङ्ग को, उस सदाशिव के लिङ्ग को मैं प्रणाम करता हूँ ।
7. ऊपर अष्टदल (कमल) से वेष्टित लिङ्ग को, देववन के पुष्पों द्वारा सदा पूजित लिङ्ग को उन्नत से भी उन्नत परमात्मस्वरूप लिङ्ग को, उस सदाशिव के लिङ्ग को मैं प्रणाम करता हूँ ।
8. जो इस पुण्य लिङ्गाष्टक को शिव के समीप पाठ करता है, वह निश्चित ही शिवलोक को प्राप्त करता है और शिव के साथ रहते हुए अत्यन्त आनन्द को प्राप्त करता है ।

वैद्यनाथाष्टकम्

1. मैं उस शिव को नमन करता हूँ, जो वैद्यनाथ के नाम से प्रसिद्ध है, जो श्रीराम, लक्ष्मण, जटायु, वेद, कार्तिकेय, सूर्य और नक्षत्रों द्वारा अर्चित (पूजित) है, जो नीलकण्ठ है और जो दया से पूर्ण है ।
2. गङ्गा के प्रवाह को और चन्द्र को जटा में धरनें बाले, तीन नेत्रों बाले, काल (यम) और मन्मथ का नाश करने बाले, सभी देवों द्वारा पूजित श्री वैद्यनाथ शिव को नमन करता हूँ ।
3. भक्तों के प्रिय, तीन पुरों के नाशक, पिनाक नामक धनुष को धारण करने बाले, हमेशा दुष्टों का नाश करने बाले श्री वैद्यनाथ शिव को मैं नमन करता हूँ ।
4. अत्यधिक वातादि गुणों से उत्पन्न सभी रोगों का नाश करने बाले, मुनियों द्वारा वन्दित, सूर्य, चन्द्र और अग्नि से युक्त आँखो बाले श्री वैद्यनाथ शिव को मैं नमन करता हूँ ।
5. वाक्, श्रोत्र, नेत्र, पैर इत्यादि से विहीन मनुष्य को वाक्, श्रोत्र और पैर देकर सुख प्रदान करने बाले और कुष्ठादि रोगों का नाश करने बाले श्री वैद्यनाथ शिव को मैं नमन करता हूँ ।

6. वेदान्त के अध्ययन से पहचाने जाने बाले, समस्त विश्व (जगत्) को स्वयं में समाये हुए, योगियों द्वारा ध्यान किये जाने बाले चरणकमलों बाले, ब्रह्मा विष्णु और महेश इन तीन रूपों बाले, सहस्र नाम युक्त श्री वैद्यनाथ शिव को मैं नमन करता हूँ ।
7. अपने तीर्थ के मृत्तिका(मिट्टी) और भस्म से लिप्त अङ्ग बाले, भक्तों के पिशाच जनित भय दुःख और वेदना(दर्द) को दूर करने बाले, सभी शरीर युक्त प्राणियों में आत्मा रूप बाले श्री वैद्यनाथ शिव को मैं नमन करता हूँ ।
8. नीलकण्ठ बाले, वृषध्वज बाले, पुष्पों के गन्ध और भस्म से सुशोभित, सत्पुत्र, पत्नी और भाग्य को देने बाले श्री वैद्यनाथ शिव को मैं नमन करता हूँ ।
9. वालाम्बिकेश, वैद्येश, भवरोगहर यह तीन महारोगनिवारक जो नाम हैं, उसका (हम) नित्य स्मरण करें ।

आदित्यहृदयम्

1. उधर श्रीरामचन्द्रजी युद्ध से थककर चिंता करते हुए रणभूमि में खड़े रहकर युद्ध के लिये उपस्थित रावण को (अपने) सामने देखकर।
2. यह देख भगवान् अगस्त्य मुनि, जो देवताओं के साथ युद्ध देखने के लिए आये थे, श्रीराम के पास जाकर बोले ।
3. हे राम ! महाबाहो राम ! यह सनातन गोपनीय (बात) को सुनो ! जिससे हे वत्स ! तुम युद्ध में विजयी होगे ।
4. 'आदित्यहृदय' पुण्य (प्रदान करने वाला) और संपूर्ण शत्रुओं का नाश करने वाला है । अक्षय, परम शान्तिमय और जय का वहन करने बाले का नित्य जाप करना चाहिये ।
5. यह सम्पूर्ण मंगलों का भी मंगल है । सभी पापों का नाशक है । यह चिंता और शोक को मिटाने वाला तथा आयु का बढ़ाने वाला उत्तम साधन है ।
6. भगवान् सूर्य अपनी अनंत किरणों से सुशोभित हैं । ये नित्य उदय होने बाले, देवता और असुरों से नमस्कृत, विवस्वान नाम से प्रसिद्ध, प्रभा का विस्तार करने बाले और संसार के स्वामी हैं ।
7. तुम रश्मि से युक्त की, ऊपर की तरफ उठते हुए की, देव और असुरों द्वारा पूजित की, विवस्वान् की, भास्कर की, संसार के स्वामी की पूजा करो ।
8. यह सभी देवताओं वाला, तेजस्वी, रश्मियों से युक्त है । यह अपनें

किरणों से देव और असुरों के गणों का, समस्त लोक का पालन करता है ।

9. ये ही ब्रह्मा, विष्णु, शिव, स्कन्द, प्रजापति है । यह इंद्र, कुबेर, काल, यम, चन्द्रमा, वरुण इनका स्वामी है ।
10. पितर , वसु, साध्य, अश्विनीकुमार, मरुद्गण, मनु, वायु, अग्नि, प्रजा, प्राण, ऋतुओं को प्रकट करने बाले तथा प्रकाश के पुंज हैं ।
11. इनके नाम हैं आदित्य(अदितिपुत्र), सविता(जगत् को उत्पन्न करने बाले), सूर्य(सर्वव्यापक), खग, पूषा(पोषण करने बाले), गभस्तिमान (प्रकाशमान्), सुवर्ण के समान, भानु(प्रकाशक), हिरण्यरेता(ब्रह्मांड कि उत्पत्ति के बीज), दिवाकर(रात्रि का अन्धकार दूर करके दिन का प्रकाश फैलाने वाला) ।
12. हरिदश्व, सहस्रार्चि(हज़ारों किरणों से सुशोभित), सप्तसप्ति(सात घोड़ों बाले), मरीचिमान्(किरणों से सुशोभित), तिमिरोमथन(अन्धकार का नाश करने बाले), शम्भू, त्वष्टा, मार्तण्डक(ब्रह्माण्ड को जीवन प्रदान करने बाले), अंशुमान ।
13. हिरण्यगर्भ(ब्रह्मा), शिशिर(स्वभाव से ही सुख प्रदान करने बाले), तपन(गर्मी पैदा करने बाले), अहस्कर, रवि, अग्निगर्भ(अग्नि को गर्भ में धारण करने वाला), अदितिपुत्र, शंख, शिशिरनाशन(शीत का नाश करने वाला) ।
14. व्योमनाथ(आकाश के स्वामी), अन्धकार का नाश करने बाला, ऋक्, यजु और सामवेद के पारगामी, घनवृष्टि, जल का मित्र, विंध्यवीथिप्लवंगम (आकाश में तीव्र वेग से चलने वाला) ।
15. आतपी, मंडली, मृत्यु, पिंगल(भूरे रंग बाले), सर्वतापन(सबको ताप देने बाले), कवि, विश्व, महातेजस्वी, रक्त, सर्वभवोद्भव (सबकी उत्पत्ति के कारण) ।
16. नक्षत्र, ग्रह और तारों के स्वामी, विश्वभावन(जगत की रक्षा करने बाले), तेजस्वियों में भी अति तेजस्वी हे द्वादशात्मन् ! तुम्हें मेरा नमन है ।
17. पूर्व के गिरियों को मेरा नमन है, पश्चिम के पर्वतों को मेरा नमन है । ज्योतिर्गणों (ग्रहों और तारों) के स्वामी तथा दिन के अधिपति को नमन है ।
18. जय को, जयभद्र को, हर्यश्व को नमन है । हजार अंशो बाले आदित्य को बारम्बार प्रणाम है ।
19. उग्र, वीर, और सारंग को नमन है। कमलों को विकसित करने बाले मार्तण्ड को प्रणाम है ।

20. ब्रह्मा, शिव और विष्णु के स्वामी को, सूर्य को, आदित्य के वर्चस् को, प्रकाशमान् को, सब कुछ खाने बाले को, रौद्र स्वरूप को नमन है ।
21. अन्धकार, शीत, और शत्रु के नाशक को, कई आत्मा बाले को, कृतघ्नों का नाश करने बाले को, संपूर्ण ज्योतियों के स्वामी को मेरा नमन है ।
22. तपाये हुए सुवर्ण के समान प्रभा बाले अग्नि को, विश्वकर्मा को, तम के नाशक को, प्रकाशस्वरूप और जगत् के साक्षी को नमन है ।
23. यह अपनी किरणों से भूतों का नाश करता है, यही उनकी सृष्टि करता है, रक्षा करता है, गरम करता है, वर्षा भी करता है ।
24. यह (सभी के) सोने पर भूतों में जागता है । यह ही अग्निहोत्र तथा अग्निहोत्रियों को मिलने वाला फल है ।
25. यह वेद, यज्ञ और यज्ञों का फल भी है । संपूर्ण लोकों में जितनी क्रियाएँ होती हैं, उन सबका स्वामी यही है ।
26. राघव ! विपत्ति में, कष्ट में, दुर्गम मार्ग में तथा और किसी भय के अवसर पर जो कोई पुरुष इसका कीर्तन करता है, वह कभी नहीं हारता है ।
27. (इसलिए तुम) एकाग्रचित होकर इन देवाधिदेव जगदीश्वर की पूजा करो । इस आदित्यहृदय का तीन बार जप करने से तुम युद्ध में विजय पाओगे ।
28. हे महाबाहो ! तुम इसी क्षण रावण का वध करोगे । यह कहकर अगस्त्य जी जैसे आये थे, वैसे ही चले गए ।
29. उनका उपदेश सुनकर महातेजस्वी श्रीरामचन्द्रजी का शोक दूर हो गया । उन्होने प्रसन्न होकर शुद्धचित्त से आदित्यहृदय को धारण किया ।
30. तीन बार आचमन करके शुद्ध हो भगवान् सूर्य की ओर देखते हुए इसका तीन बार जप किया । इससे उन्हें बड़ा हर्ष हुआ ।
31. फिर परम पराक्रमी रघुनाथ जी ने धनुष उठाकर रावण की ओर देखा और उत्साहपूर्वक विजय पाने के लिए वे आगे बढे । उन्होंने पूरा प्रयत्न करके रावण के वध का निश्चय किया ।
32. उस समय देवताओं के मध्य खड़े हुए अतीव प्रसन्न भगवान् सूर्य ने श्रीरामचन्द्रजी की ओर देखा और निशाचरराज रावण के विनाश का समय निकट जानकर हर्षपूर्वक कहा - 'रघुनन्दन ! अब जल्दी करो' ।

Bibliography and Useful Links

Books

Bhajagovindam, Mohamudra (Malayalam). Kanchipuram: Kanchi Kamakoti Peetham, 2012.

Deshpande, M. *Sanskrit Subodhinī*. University of Michigan, 2007.

Dutt, M.N. (trans.). *Rāmāyaṇa of Vālmīki*. Parimal Publications, 2004.

Goldman, R., and S. Goldman. *Devavāṇīpraveśikā*, Indian edn. Motilal Banarsidass, 2009.

Krishnamani, M.N. *Bhaja Govindam*. New Delhi: Rashtriya Sanskrit Sansthan, 1998.

Rao Bappu, N. *Stotraratakaram* (Malayalam). Kodungallur: Devi Book Stall, 2014.

Scharf, P. *Rāmopakhyāna* (An Independent Study Reader in Sanskrit). Routledge, 2003.

Shivastotraratnakara. Gorakhpur: Gita Press, Vikram Samvat 2064.

Söhnen Thieme, R. (trans.). *Primer of the Sanskrit Language*. Stenzler, A.F., SOAS, University of London, 1997.

Stotraratnavali. Gorakhpur: Gita Press, Vikram Samvat 2069.

Whitney, W.D. *The Roots, Verb-Forms and Primary Derivatives of the Sanskrit Language*. Motilal Banarsidass, 1963.

Svāmī Chinmayananda (comment.). *Bhaja Govindam*. Mumbai: Central Chinmaya Mission Trust, 2001.

505

Online resources

http://sanskrit.inria.fr/DICO/
www.sanskrit-lexicon.uni-koeln.de/monier/
http://spokensanskrit.de/
www.sanskrit-lexicon.uni-koeln.de/scans/AEScan/2014/web/
   webtc/indexcaller.php
https://archive.org/details/BrihatStotraRatnakar224Stotras
   DefectiveScanningVenkateshwarPress1
http://gretil.sub.uni-goettingen.de/gret_utf.htm#Ram
http://stotram.lalitaalaalitah.com/
www.greenmesg.org/
http://stutimandal.com/
http://sanskritdocuments.org/
www.learnsanskrit.org/grammar
http://sanskritdocuments.org/doc_z_misc_amarakosha.html
www.saivism.net/

Notes on the Authors

Rohini Bakshi is a Sanskrit teacher and columnist. Oxford alumna, she returned to academics as a mature student after a successful career in advertising and PR spanning twenty years. She has an MA from the School of Oriental and African Studies, University of London, in Hindu studies with an emphasis on Sanskrit. Her articles can be read on *DailyO* and she can be followed on Twitter @RohiniBakshi.

Narayanan Namboodiri has a master's degree in Chemical Engineering from the Indian Institute of Science, Bengaluru, and a diploma in Sanskrit from Rastriya Samskrita Vidyapeetha, Tirupati. He has been teaching Sanskrit in Bengaluru for more than six years. He is also active on social media in Sanskrit groups and has been conducting online teaching sessions for Sanskrit enthusiasts. He can be followed on Twitter @PnNamboo.

Vinayak Rajat Bhat is assistant professor, department of Sanskrit, Chinmaya Vishwavidyapeeth, Ernakulam. He can be followed on Twitter @Vinayakrajat.